Texto de acordo com as normas do novo acordo ortográfico da língua portuguesa (Decreto Legislativo Nº54 de 1995).

Editora – Catia Mourão
Capa – Joice Dias/ Thaty Tenório
Diagramação – Catia Mourão
Revisão – Halice FRS

Dados Internacionais de Catalogação na Publicação (CIP)
(Câmara Brasileira do Livro, SP, Brasil)

Ferrer, Carlie

Convivendo com o irmão errado / Carlie Ferrer. --
1. ed. -- Rio de Janeiro : Ler Editorial, 2023. -- (Duologia a escolha errada ; 1)

ISBN 978-65-86154-89-4

1. Romance brasileiro. I. Título. II. Série.

23-151617 CDD: 869.3

Índices para catálogo sistemático:
1. Romances : Literatura brasileira B869.3
Henrique Ribeiro Soares - Bibliotecário - CRB-8/9314

Foi feito o depósito legal.
Direitos de edição:

Ler Editorial

Convivendo com o Irmão errado

Duologia A Escolha Errada 1

CARLIE FERRER

1ª edição
Rio de Janeiro – Brasil

SUMÁRIO

Dedico este livro à minha leitora, amiga e beta, Júlia Almeida, pessoa e advogada incrível, que inspirou muito da Bruna. Obrigada por todo carinho e apoio com este livro e com todo o resto, a cada dia.

CAPÍTULO 1

Bruna

Estou sentada no parapeito da janela, a cabeça recostada no vidro frio enquanto a chuva cai silenciosa lá fora. Em dias normais eu aprecio a chuva. Mas não neste momento. Quase posso sentir as gotas geladas tocando minha pele e me fazendo sentir solitária. O som das rodinhas da mala pelo velho piso de madeira é ouvido e finalmente me viro. Ele está aqui, está mesmo fazendo isso.

Observo a mala em que dificilmente couberam todas as suas coisas da maneira organizada como ele exige que estejam em uma bagagem. Muitas coisas dele estavam aqui, em seus devidos lugares pela minha casa, porque esta era, de alguma forma, a casa dele também.

— Não precisa olhar para mim desse jeito — ralha, aborrecido, e percebo que apenas está assim comigo. Não triste, não desolado, só impaciente. — Você está fazendo uma tempestade por nada, lindinha. Eu só preciso de um tempo para ter certeza do que quero. Não é um término definitivo. Só preciso de um tempo.

Apenas o observo e não digo nada. Ele insiste:

— Só preciso ter certeza, é um passo importante demais, preciso pensar com calma e...

Levanto-me e ele se cala.

— Estamos juntos há dois anos. Nosso casamento é daqui a trinta dias. Trinta dias, Otto! Se depois de todo esse tempo, depois da decisão tomada, o pedido feito, convites enviados, *buffet* contratado e vestido comprado você não tem certeza, o que você precisa não é de um tempo.

Ele se mexe, irritado, sua expressão demonstrando sua impaciência.

— Tudo para você é um drama! Quem está colocando um fim nisso é você, eu só pedi um tempo. — Ele se aproxima e acaricia meu queixo, virando-se em seguida em direção a porta de entrada. — Estamos dando um tempo, você não vai morrer se ficar uns meses sem mim.

Ele abre a porta e aviso:

— Não vou esperar por você.

Funciona. Ele para onde está e não se move mais.

— Não vou ficar lamentando pelos cantos esperando por alguém que planeja cada segundo de cada dia, mas no plano mais importante da sua vida foge como uma criança.

Ele se vira em minha direção e solta a mala. Agora não está apenas irritado, está possesso. Dá dois passos em frente, mas me observa por alguns segundos e sua raiva parece passar. Ele tem um sorriso quando responde:

— Tenta encontrar alguém melhor do que eu.

Não digo nada, ele leva isso como um sinal de derrota da minha parte. Aproxima-se de novo e me prende em um abraço que não correspondo. Geralmente isso não faz diferença para ele.

— A gente se vê, lindinha. São só alguns meses. Enquanto isso, tenta não voltar à desordem que você era antes. Tente manter as coisas como estão, está bem?

Não respondo, acho que meu olhar insistente o incomoda quando se afasta, pois se vira e vai até a mala.

— Não vou esperar por uma incerteza. Sua certeza se provou não confiável, sua incerteza para mim não é nada — digo e escuto sua risada.

Um som rápido, irritado, de quando sabe que estou blefando e isso o irrita. Ele não me responde. Não olha para trás outra vez antes de passar pela porta e fechá-la atrás de si.

E tenho a impressão que ele levou Bruna Vidal com ele.

— O filho de uma égua deixou tudo para você fazer sozinha? — Olivia pergunta aos gritos quando divido os números de telefone dos convidados com ela.

— O que você esperava? Que ele tirasse um dia para desfazer toda a merda que fizemos enquanto planejávamos um futuro que ele não tem mais certeza se é o que quer?

Ela revira os olhos, nada afetada por meu drama. Irritada, pega a lista e começa a digitar.

— Eu faço isso sozinha, desmarque o *buffet*, a banda e tente devolver o vestido — diz.

— Ficou disposta a ajudar de repente?

— Disposta não seria a definição correta. Mas acho que vai ser muita crueldade você ter de explicar para as pessoas que levou um pé na bunda às vésperas do casamento. Apenas por isso farei o trabalho por você.

Observo essa que deveria ser minha melhor amiga, com seu cabelo platinado perfeitamente alinhado e explico algo que ela parece ser incapaz de entender:

— Desconvidar as pessoas faz parte do processo de sofrimento e luto em que me encontro. Tenho que sentir essa dor para as lembranças do que esse imbecil está fazendo se fortalecerem e eu ser capaz de planejar matá-lo.

— Gostei da parte do matá-lo, mas você não precisa sofrer mais ainda para isso. Passa essa lista para cá, temos pouco tempo e muita coisa pra cancelar.

Derrotada, dou a ela a minha metade dos contatos dos convidados e procuro o telefone do *buffet*. Na mesinha de centro à minha frente está uma lista de tudo que preciso me lembrar de cancelar, de cada convidado que deve ser desconvidado com espaços onde posso dar o *check* sempre que cumprir uma tarefa. De repente, enquanto espero a recepcionista do *buffet* confirmar o cancelamento me pergunto porque ainda estou seguindo as normas do homem que me deu um pé na bunda as vésperas do casamento.

Minha respiração acelera, meus dedos tremem. Olivia me observa, preocupada, e assim que a recepcionista resmungona confirma o cancelamento, pego esses papéis com tudo marcado certinho, todo um cronograma que estou seguindo ao contrário e rasgo tudo. Faço em milhões de pedacinhos essas folhas bonitas com uma letra caprichada.

— Que se dane a lista! Que se danem os convidados! A conta que eles possuem, os cartões que eles tiveram acesso são todos dele. Ele que pague por um casamento que não vai acontecer. Deixe os convidados irem à igreja com seus sorrisos falsos para encontrar outros se casando no meu lugar, não vai ser engraçado?

Olivia me olha, assustada.

— Bruna, você está em surto? Esse é um daqueles momentos em que uma pessoa louca finalmente se liberta e mata a pessoa mais próxima?

Eu a observo, ela me observa de volta e me movo finalmente.

— Vamos beber. Não vamos cancelar mais nada!

— Oba! Finalmente ser sua amiga vai servir para alguma coisa.

Ignoro a provocação gratuita, os papéis espalhados pelo espaço pequeno do chão, a roupa estranha que estou usando, pego a bolsa e saio. Antes que mude de ideia e volte a chorar pelos cantos.

Olho em volta, as pessoas me observam com certa pena. A música é alta demais e há seis taças à minha frente. Ou isso ou estou vendo dobrado. Há alguns homens sozinhos em volta do bar, mas nenhum dos imbecis olha para mim. Observo minha roupa e rio alto, soluçando no meio da risada.

— Um pijama assusta vocês, bundões.

Um homem atraente de cabelo grisalho e muito charmoso sorri, sento-me de novo para virar o sétimo copo, ou o quarto — não saberia dizer —, quando ele se aproxima.

— Achei seu pijama sexy.

Ele está mentindo, é um pijama de flanela horroroso que foi escolhido pelo babaca que me deu o pé na bunda às vésperas do casamento. Mas finjo não ter percebido sua mentira e tento sorrir para flertar com ele, porém em vez disso estou chorando.

— Qual o problema?

— Está doendo.

— Onde? Você se machucou? — pergunta, preocupado.

— A minha alma! Levei um pé na bunda. Meu casamento seria daqui a trinta dias. Estou tendo de cancelar tudo sozinha e ainda nem entendi o que eu fiz de errado. Porque eu fiz alguma coisa. Ninguém deixa a pessoa com quem planejou dividir a vida por nada. Mas eu não consigo entender. Eu não chegava atrasada, não usava roupas muito coloridas, estavam todas sempre bem passadas. Larguei os programas de futilidade e os livros eróticos. Minhas redes sociais são de casal e dei todas as minhas senhas para ele, então por que ele me deixou?

O homem me encara, perplexo. Dá dois tapas nos meus ombros, desajeitado.

— Vê um uísque, do mais forte.

Sinto-me confusa até perceber que ele está falando com o barman, ele pega o copo, estende diante de mim me cumprimentando e some entre as pessoas.

— Babaca! Ei! Barman! Bartender! Garçom! Não sei como caralho devo te chamar.

Ele se aproxima rindo e me estende o oitavo copo, ou o quinto. Quem liga?

— Você já não bebeu demais? — pergunta em tom de provocação.

— Quem é que está contando? Eu, hein? Vai cuidar da sua vida!

Ele se afasta rindo e percebo que mais pessoas fazem o mesmo. Sim, estão rindo de mim, mas não posso reclamar, afinal são legais o suficiente para bancar todas as minhas próximas rodadas. Em certo ponto da noite nem dói mais, porque não sei nem mesmo quem sou.

Tenho a impressão de que vomito antes mesmo de acordar. Minha cama parece um chiqueiro, minha cabeça dói e acredito que não tenha mais estômago. Nunca fui de beber, nem mesmo de maneira social. Foi Otto quem me ensinou a beber socialmente. Enquanto observo meu rosto derrotado no espelho do banheiro posso ouvir sua voz alta e clara:

— Nunca beba além da cortesia, lindinha. Não pega bem uma mulher beberrona.

— Não pega bem... Não pega bem, o caralho... Babaca! Babaca!

A porta do banheiro é aberta e uma Olivia perfeitamente alinhada me flagra mostrando o dedo do meio para meu próprio reflexo no espelho.

— Ah, Bruna, às vezes é tão difícil fingir que você é normal!

Reviro os olhos, mas isso dói e tenho uma das piores manhãs da minha vida colocando para fora todo o álcool que ingeri ontem. E isso nem é o que está doendo mais. Ao final da tarde, depois de estranhos limparem a bagunça do meu apartamento — estranhos contratados por Olivia —, ela foi embora e me deixou sozinha com a promessa de que nunca mais na vida vou beber assim. Ela não entende, ela só vê o projeto de Bruna destruída pós-bebedeira, mas não viu a Bruna feliz que nem sabia seu próprio nome e que não estava sofrendo por um idiota. Ela não percebe que, na verdade, ter bebido me ajudou. Foi uma troca justa. Mesmo porque Olivia é rica, pode pagar vários estranhos para limparem meu apartamento por mim. Estou de luto, é isso o que amigas fazem.

Meu telefone toca uma música clássica que nem sequer sei qual é, só estava aqui para agradar o digníssimo *Sr. Meu Ouvido Não é Penico*.

— Alô!

— Falo com Bruna Vidal? Desculpe ligar em um domingo, eu falo da Rousseau Eventos. Você e seu noivo nos procuraram seis meses atrás em busca de uma data.

— Ah, sim, isso mesmo! Sou eu, Bruna!

A Rousseau é uma empresa de *buffet* e eventos e é a única no país que reserva datas para casamentos no Castelo Nas Nuvens, que é exatamente o que o nome diz e é o lugar mais disputado do estado para casamentos. As vagas são agendadas com anos de antecedência.

— Tivemos uma desistência em nossa agenda, agora temos uma vaga disponível em oito meses. Seu noivo havia deixado seu telefone e um cheque para o caso de haver uma desistência, queria confirmar a data para vocês.

Abro a boca para dizer que esse imbecil está agora só Deus sabe onde e não me levou junto, mas me lembro das fotos e vídeos que vi desse lugar. Ele fica no alto de um bairro nobre da cidade, entre montanhas, é um pequeno e maravilhoso castelo com um salão para recepção, pista de dança e cozinha. As cerimônias são feitas ao ar livre, no meio das montanhas, em frente a um lago artificial cristalino e iluminado, e de pano de fundo, toda a cidade de Belo Horizonte. É um local de contos de fadas. Eu morreria só para pisar lá um dia.

— Pode confirmar — eu me pego dizendo.

— Ótimo! Vocês tiveram muita sorte! Em seis anos que trabalho aqui esta é apenas a terceira desistência, deve ser um sinal do destino de que serão imensamente felizes.

— É, pois é, só para confirmar. Você disse que ele deixou o cheque como calção reserva, certo?

— Isso, iremos descontar no próximo dia útil para garantir a data para vocês.

— Ótimo! Podem descontar. Muito obrigada!

Encerro a ligação já me levantando em direção ao banheiro.

— Não vou me casar no lugar dos meus sonhos? Não vou. Mas você, Otto babaca D'Ávila, vai pagar por ele.

Olho para mim no espelho e uma risada de bruxa me escapa quando percebo como sou má.

Respiro fundo antes de entrar no elevador da empresa onde trabalho. Que merda eu tinha na cabeça quando aceitei trabalhar para ele? Sou assistente de Alonso D'Avila, o sócio do meu ex. Afirma de advocacia pertence aos dois, e embora seja formada em Direito, ainda não prestei o exame da OAB por me sentir insegura, então não posso advogar. Não que eu fosse ter essa chance trabalhando com Otto, constato, irritada.

Assim que piso no oitavo andar acontece exatamente o que aconteceu nos meus pesadelos. Um silêncio se estende e todos os olhares estão sobre mim. Sorrio, cumprimento todos agradecendo aos céus por não ter saído para beber ontem, e me dirijo até minha mesa como se nada tivesse acontecido. Como se minha vida não tivesse virado do avesso na última semana. Mal Sento-me, meu chefe me chama.

— Vidal, na minha sala!

Alonso é um homem de meia-idade, meio careca, meio rabugento e extremamente convencido. Ele se auto intitulou o melhor advogado do país, mas a verdade é que ganhou quase todos os seus casos. Ele é tão bom que convence até mesmo um inocente que ele é culpado e ele acaba confessando tudo. Otto o admira e sonha em seguir seus passos, mas na verdade usa a fama de Alonso a seu favor. Para isso, deixa que o sócio faça o que bem entender na empresa, com medo de perdê-lo. Os dois doutores, brilhantes e respeitados, convenceram-se de que a coincidência nos sobrenomes de ambos era um sinal do destino para abrirem uma firma juntos.

Babacas.

— Bom dia, Dr. Alonso!

— Você faltou por quatro dias, mas Otto pediu que não os descontasse de você.

— Era o mínimo que ele podia ter feito — digo entredentes e ele me estende um olhar de pena.

— Espero que nenhum problema pessoal interfira no seu trabalho de novo.

— Não vai acontecer, desculpe senhor.

Ele continua me encarando. Confusa, eu retribuo seu olhar e ele diz:

— Nenhum problema pessoal pode interferir no seu trabalho.

— Sim, senhor.

— Bruna, você vai continuar aqui? Vai continuar sendo subordinada do seu ex-noivo?

Abro a boca, mas nada sai, apenas gaguejo, gaguejo e me pergunto por que não havia pensado nisso. Por que Olivia não pensou nisso e não me ofereceu emprego em um de seus salões? E então um soluço me escapa e começo a chorar copiosamente, meus ombros tremem, meu nariz escorre, escondo o rosto nas mãos e choro. Dr. Alonso me abraça sem jeito e pede que eu me acalme e claro que, quando a cena lamentável termina, toda a empresa está do lado de fora olhando para mim com olhares de pena.

Por toda a manhã fico chorando no banheiro. Mas depois de descontar em Olivia meu ódio por ela não ter previsto isso, almoço e volto ao trabalho. Um sorriso no rosto, passos firmes, uma confiança que nunca na vida tive. Até que alguém se aproxima da minha mesa e pergunta:

— Ele tem outra?

— O quê?

— Ele não tem outra! Ele apenas foi descansar! — Júnia, a assistente de Otto responde.

Ela é uma senhorinha metida a esperta que nunca me suportou.

— Ele vai voltar? — outra pessoa pergunta.

— Em alguns meses. Ele tirou um ano sabático — Júnia de novo.

— Mas por que ele viajou antes do casamento? Não podia esperar pra vocês irem juntos?

Encaro Júnia esperando a resposta como se ela soubesse, mas ela apenas dá de ombros e acaricia meu cabelo com sua mão pesada, dizendo que sente muito.

Então olho em volta e todo mundo sente muito. Os olhares de pena me acompanham por todo dia, não sou capaz de concluir uma ligação e deixo a empresa no final da tarde ciente de que não posso voltar a esse lugar.

Uma mensagem no meu celular faz meu coração disparar. Parece que há dias ele nem sequer batia, e agora voltou à vida. É uma mensagem de Otto.

Como está, lindinha? Por aqui, tudo bem.

Acho que precisamos falar sobre nosso apartamento, estou disposto a comprar sua parte. Sei que sua situação financeira não está boa. Faça uma pesquisa de mercado detalhada sobre o valor atual e me responsa quanto quer, ok? Beijos.

Alonso fofoqueiro contou a ele que eu pedi demissão. Imediatamente ligo para ele, mas não me atende. Então respondo sua mensagem.

Que palhaçada é essa? Agora só quer conversar por mensagem de texto?

Imediatamente, a resposta.

Posso fraquejar se ouvir sua voz agora.

Funciona por alguns segundos. Sinto-me derreter feito a grande pateta que sou. Olivia me encara em meu sofá pequeno e revira os olhos para minha expressão apaixonada.

— Sério? Vai cair nessa? — Meu sorriso some e a bruxa continua: — O apartamento que vocês compraram vale muito dinheiro. Ele até está sendo razoável. Leve em consideração que fica em uma área nobre, e tem uma vista incrível. Não pegue leve com ele. O safado está te adulando para você ceder a sua metade para ele — Olivia alerta.

— Ele não faria isso! — retruco.

— Ele não faria isso! — ela me imita com uma vozinha irritante e gestos exagerados. Em seguida se levanta e me acerta um tapa no pé da orelha. — Acorda pra vida, garota! Esse é o homem que deu um pé na sua bunda! Que deixou tudo pra você cancelar sozinha! Que fugiu de qualquer responsabilidade pelos atos dele. O que você vai responder? Vai ceder sua parte a ele?

— Não!

— Fale mais alto.

— Não! Ele que vá para o inferno!

— É assim que se fala!

Furiosa, digito uma mensagem de volta.

Não pretendo vender minha parte, mas valeu.

Um tempo depois, a resposta.

Sei que está chateada, lindinha, mas seja racional. Você precisa do dinheiro. Além disso, o custo da manutenção dele seria alto demais para você pagar sozinha, então a melhor solução é vendê-lo.

— Responde pra esse babaca que sua melhor amiga é rica! Você não precisa de esmola dele! — Olivia bufa ao meu lado, mas não respondo o que ela gritou.

Em vez disso, respondo:

Não posso vendê-lo, já que estou me mudando para ele.

— O quê? Que merda é essa? — Olivia pergunta, surpresa.

— O óbvio. Eu estou desempregada, faz sentido continuar pagando aluguel se tenho um apartamento de rico? Vou morar naquilo que já paguei. Aliás, que levou embora todas as minhas economias.

— Quer saber? Você está certa! Que saudade que eu estava dessa Bruna decidida! Onde é que você esteve nos últimos dois anos, Bruna Vidal?

Bruna, não seja infantil. Você não tem condições de morar em um lugar como aquele. Estou dando a você uma chance, coloca sua cabeça no lugar e não a desperdice.

— Olivia, posso ser infantil?

— Você tem todo direito, amiga.

Vai tomar no cu pra ver se é azul!!!!

Respondo e desligo o celular. Olivia está gritando e rodando pela sala. Parece que me libertei de dois anos de "vai tomar no cu" silenciados. Ele odeia essa expressão. Acha baixa, chula. Deve estar se mordendo agora.

Em segundos, Olivia está ao telefone.

— Tudo pronto, Bru. Amanhã vem uma equipe de mudança levar suas coisas para o seu apê novo, cortesia da sua melhor amiga!

E assim passamos o resto da noite gastando o acerto mixuruca que recebi em um enxoval novo para a casa nova.

Mas a casa nova não é nem de longe mágica como eu pensava.

Achei que um lugar novo, uma vida nova fosse me reerguer, mas eu o vejo em cada canto desse apartamento. Meu celular está desligado desde antes de ontem, quando o mandei tomar naquele lugar e quando o ligo há onze mensagens apagadas dele e uma única que ele deixou que eu lesse.

Eu, definitivamente, desisto de você!

Adivinha babaca: você já fez isso!

Pego minha bolsa e chamo um táxi, pois não poderia bancar um rolê no bairro onde moro agora.

A noite já caiu, o trânsito está infernal, uma chuva dessas fininhas que só servem para resfriar bobos começa a cair e me vejo entrando de novo no mesmo local da outra noite. Ele é exatamente como eu me lembrava. Sento-me no mesmo lugar e o mesmo atendente se aproxima me olhando atentamente dos pés à cabeça.

— Acho que prefiro seu pijama — provoca se referindo à blusa creme e ao meu conjunto de terninho e saia abaixo do joelho, cinza-claro.

— Eu também — respondo, surpresa por ele se lembrar de mim.

— Qual cor vai ser hoje? Na outra noite você gostou mais da verdinha.

— Todas as cores, por favor!

Ao invés de me servir, ele deposita as mãos sobre o balcão à minha frente e me encara.

— Você não deveria misturar tanta bebida.

Sua voz é séria, está me dando um conselho que é óbvio que se eu quisesse segui-lo, não teria vindo até aqui de novo.

— Todas as cores! — grito.

— Depois você não consegue nem mesmo lembrar seu nome! Não consegue se levantar, e quem é que vai cuidar de você?

Com uma careta, tiro do bolso do terninho o cartão de Olivia e estendo a ele.

— Minha amiga. Se eu não conseguir ir embora pela manhã, quando vocês forem fechar o bar, ligue para ela me buscar.

— Não fazemos isso aqui, não sou sua babá — desafia.

— Minha amiga é gostosa, solteira e safada — respondo e imediatamente ele pega o cartão da minha mão e confere o nome escrito, depois o coloca no bolso de seu avental.

— Fechado, lindinha.

— Do que você me chamou?!

Penso estar ouvindo coisas, ele não pode ter me chamado pelo apelido que o babaca me chamava.

— Não é esse seu nome? Seu apelido? Como as pessoas te chamam?

— Claro que não! Quem te disse isso?

— Você!

— Eu? E por que é que você acreditou no que uma bêbada estava dizendo? Sua experiência não te ensinou nada?

— Você tem cara de lindinha — provoca.

— Ah, meu Deus! Me serve logo esse arco-íris e para de falar comigo! Se eu quisesse bater papo procurava um asilo, não um bar.

Rindo, ele coloca seis copinhos à minha frente e líquidos coloridos preenchem todos eles.

— Deus abençoe o arco-íris! — digo antes de virar um atrás do outro.

As horas voam, não vejo o tempo passar, nem sei quantas bebo. Mas de repente alguém me pega pelo braço e é Olivia.

— Vamos embora agora mesmo, sua malcriada! Deu mesmo meu número para um *bartender*?

Fico rindo de seu nervosismo.

— Ele é bonitinho — argumento.

Olivia o observa e faz um movimento negativo com a cabeça me levantando da cadeira.

— Até amanhã, barman, bartender, garçom, caralho! — despeço-me.

— Eu até gosto da sua companhia, você é divertida e sua amiga gostosa, mas pare de beber por um homem que deve estar viajando com outra.

— Não! — Olivia grita ao meu lado, mas é tarde demais. Suas palavras já invadiram minha mente e estão se multiplicando com teorias e ideias dentro dela. — Babaca! Perdeu sua chance comigo.

— Ele está com outraaaaaaa! Olivia! Com outraaaaa! Eu quero morreeeeer!

— Ninguém vai morrer hoje, Bru, vamos pra casa.

A *eu* tonta faz coisas que não me lembro, só me lembro de acordar com Olivia me empurrado para fora do táxi. Ela berra com o porteiro do prédio e vai embora no carro, aparentemente irritada. O porteiro parece, horrorizado pelo meu estado embriagado, mas gentilmente me ajuda a chegar ao meu andar e até abre a porta para mim.

Entro em um lugar que mal conheço, no qual ainda não me acostumei com a disposição dos móveis, não sei onde está o acendedor e esbarro em algo caindo no chão. Em seguida sou atingida por algo pesado na testa. Dói como o caralho e a coisa se espatifa em cacos de vidro. Um cheiro de álcool toma o ambiente, mas não sei se derrubei uma garrafa ou se o cheiro vem de mim.

De repente a luz da sala é acesa e alguém me ajuda a levantar. Devo estar vendo coisas. Esfrego os olhos para ter certeza, mas ele está mesmo aqui.

— Você está bem? A julgar pela sua cara, acho que não.

— Otto?

— Não, eu...

— O que você está fazendo aqui? Seu babaca! Imbecil!

Parto para cima dele e lhe acerto um tapa na cara com tanta força que meus dedos ardem.

— Ai, sua cara é dura.

— Mulher, você é maluca? Se controle! — ele grita.

— Não grita comigo, babaca! — ralho e acerto outro tapa em sua cara.

Ele tenta fugir do meu ataque e cai para trás, no sofá creme e chique demais que comprou alguns meses atrás. Então a saudade vence a raiva. Sento-me em seu colo e acaricio a pele onde bati.

— Sinto muito, amor! Eu bati muito forte?

— Como uma mulher bêbada possessa — provoca com um sorriso de lado que me deixa confusa.

Isso é novo. E é charmoso. Acho que gosto disso.

Em seguida me lanço sobre ele e beijo sua boca.

Sua língua responde meus movimentos atrevidos e me perco em um beijo delicioso. Depois não vejo mais nada.

CAPÍTULO 2

Theo

Acho que ela desmaiou. Ou isso, ou está morta.

Acho que ela é o completo oposto do que meu irmão disse que era. Se não me engano ele usou a palavra enfadonha para defini-la e também calma e tímida. Nos primeiros cinco minutos em que nos conhecemos, ela me bateu duas vezes, subiu no meu colo e me beijou.

Meu irmão não conhece a própria namorada, o que não me surpreende.

Imagino que o quarto cheio de roupas espalhadas seja o dela. Ela ficou com a suíte principal, esperta. Vou então ao quarto de hóspedes, do qual me apossei e a coloco sobre a cama. Uma cama de solteiro, diga-se de passagem, enquanto a senhorita bêbada agressiva tem uma cama Queen Size em seu quarto, recheada de roupas.

Viro-me para deixá-la aqui, quando percebo o sangue no meu braço. Olho para ela e vejo que ele vem de sua testa. E me lembro da pequena bagunça que ela fez na sala, derrubando garrafas de Gyn que sei que Otto nunca tomaria. Encontro uma toalha de rosto na bagunça de seu quarto, molho em água morna e limpo o sangue antes que grude em sua testa. Ela dorme com uma careta engraçada. Tiro seus sapatos, cubro-a com meu cobertor e deixo meu quarto provisório para dormir na sala.

O dia mal nasceu, mas algo me desperta de repente. Um vulto passa correndo e entra em seu próprio quarto. Viro-me para o lado para dormir de novo, mas minha mente é tomada pela conversa estranha que tive com meu irmão. Nunca antes Otto havia me pedido um favor. De forma que não tive opção a não ser prometer fazê-lo. Ele disse que seria fácil.

Eu me levanto ao ouvir um som estranho e nas pontas dos pés vou até a porta do quarto dela, ela está vomitando. Minha mão paira na maçaneta enquanto decido se vou ou não abrir a porta.

"É uma coisa simples, não vai te dar trabalho. Passe um tempo lá e convença a Bruna a vender a parte dela do apartamento para mim. Convença-a a vendê-la rápido e por um bom preço. Ela não vai durar três dias ao seu lado se você for você."

Seu insulto me pareceu engraçado na hora. Mas agora aqui estou eu, enquanto o sol nasce, indo cuidar daquela que ele jurou que não me daria trabalho.

— Bruna? Está tudo bem? — chamo entrando em seu quarto. Ela está no banheiro, vejo pela luz acesa. A porta está aberta e ouço o som desagradável de uma bêbada colocando tudo para fora. — Estou entrando, você está vestida, certo?

Entro no banheiro, ele não é muito espaçoso, mas é elegante e possui uma banheira. Cafona, a cara do meu irmão.

Ao contrário do que imaginei, Bruna não está prostrada sobre o vaso despejando tudo. Em vez disso, ela está dentro do boxe, debaixo da água do chuveiro, de quatro no chão vomitando. Também percebo que ela não usa mais o uniforme que usava quando chegou, ela usa uma blusa e uma boxer minha. Recosto-me no boxe aberto e sorrio, não consigo evitar. Ela abaixa a cabeça e o corpo ao perceber minha presença, encolhendo-se sobre os joelhos debaixo da água.

— Nunca tive uma ressaca, mas temo que possa morrer afogada se continuar aí. Será que você já está sóbria?

Ela não responde, nem tenho certeza de que me ouviu.

— Bruna, preciso intervir e tirar você daí à força antes que se mate afogada?

— Não — ela responde baixinho —, me deixa morrer.

Mexe-se levantando uma das mãos e faz um gesto me enxotando do banheiro.

Desligo o chuveiro e ela continua encolhida no chão.

— Em alguns segundos acredito que estará morrendo de frio — alerto.

— Estamos no verão — retruca com a voz baixa.

— Está me desafiando?

Ela não responde.

— Chamada para Bruna se levantar e agir como alguém normal iniciada. Um... Dois... — Conto. Ela não se mexe, isso porque ele disse que é obediente. — Ah, Bruna, começamos essa nossa relação com o pé direito. Acho que adoro você. Três! — provoco antes de virar a chave e ligar o chuveiro no frio.

Em segundos ela está de pé. Seu cabelo escuro está escorrido colado em seu rosto, ela está pálida e minha camisa branca molhada deixa transparecer o sutiã preto que usa. Ela me olha com olhos castanhos arregalados e finalmente escuto sua voz claramente.

— Você ficou maluco? Isso não se faz!

— Eu fiz a contagem antes, sua mãe não te ensinou o que acontece ao final da contagem?

— Quem é que espera o final da contagem?

— Exatamente.

Ela bufa irritada e tenta passar por mim, mas continuo tranquilamente recostado no boxe, impedindo sua passagem. Otto disse que devo irritá-la. Disse que não seria fácil tirá-la do sério, pois é centrada e calma, mas devo me esforçar. Seu corpo molhado esbarra no meu uma e outra vez, mas ela não abre a boca para me pedir licença.

Eu a observo, divertido, e seus olhos encontram os meus.

— Sai! — grita.

Uma gargalhada me escapa e ela aproveita a deixa para me empurrar e passar por mim.

Calma, centrada, educada. A mulher que meu irmão descreveu definitivamente não é a que estou conhecendo agora.

— Como tanta porcaria pôde sair de um corpo tão pequeno? — provoco, vendo-a deitar em cima das roupas, pingando água, aparentemente exausta.

— Precisava ver a quantidade de porcaria que entrou nesse corpo pequeno.

Há uma manta na poltrona em frente à cama, eu a pego e jogo sobre a bêbada molhada deixando então o quarto. Mas fico de olho para ajudá-la caso volte a vomitar.

Já é dia lá fora e estou fazendo o almoço quando ela finalmente acorda. Cada passo parece explodir uma mina em sua cabeça, devido suas caretas e gemidos. Ela estaca quando me vê na cozinha. Para onde está com a mão na cabeça e uma expressão confusa.

— Eu sei, pareço um sonho, mas não sou um — brinco pegando um Engov e um copo de água e estendo a ela. — Vai ajudar com sua ressaca.

Ela os toma da minha mão e bebe, então finalmente conheço um pouco da Bruna que Otto descreveu. De cabeça baixa, ela observa minha roupa em seu corpo com uma expressão de culpa.

— Eu te empresto a minha roupa, aliás.

Ela sorri timidamente. Senta-se em frente à ilha onde cozinho e mantém a cabeça baixa.

— Quando você chegou aqui? Como entrou? — pergunta.

Observo-a de lado e deixo a espátula para prestar atenção nela. Meu gesto parece incomodá-la.

— Do quanto você se lembra de ontem à noite?

Ela parece pensar.

— Nada.

— Hum... Não se lembra, não é? — Ela nega com a cabeça e faz uma careta pela dor. — Engraçado, porque agora você parece saber que não sou o Otto.

— Antes eu não parecia saber? — pergunta, fingindo inocência.

— Ou não sabia ou tem o costume de agredir e beijar qualquer desconhecido que encontre em seu apartamento.

Volto aos ovos pochê e ela tem uma careta engraçada.

— Você não pode brigar com alguém de ressaca. A minha cabeça vai explodir de dentro para fora.

— Não entendo como uma explosão poderia começar de fora. E não vou brigar com você, estou acostumado a lidar com mulheres como você.

— Defina mulheres como eu.

Sinto o tom de desafio em sua voz.

— Que se perdem na bebida por causa de um homem. Vocês são fracas, como se precisassem de mais alguém para ficarem sóbrias, sei lá...

Uma maçã de cera me acerta em cheio na testa de repente.

— Ei!

— Como você entrou na minha casa? Por que está cozinhando como se morasse aqui? Aliás, por que suas roupas estão aqui?

— Otto não falou sobre isso com você? Ele disse que tinha avisado.

Ela se levanta e some para dentro de seu quarto, pouco depois retorna com o celular na mão e exibe a tela bem diante dos meus olhos.

— O seu irmão adulto e maduro me comunicou da sua mudança por mensagem de texto! O que ele estava pensando? Que eu invadiria a parte dele do apartamento? Que eu venderia o espaço todo e fugir com o dinheiro? Você sabe que está aqui como um cão de guarda dele, não sabe?

— É mesmo? O que estou guardando? — pergunto, mas me incomoda que Otto não tenha tido uma conversa clara com ela sobre mandar um estranho para viver sob o mesmo teto.

— O rabo dele. É o que você está guardando. O que está cozinhando aí?

Ela volta a se sentar e parece destruída. Não como de manhã, quando vomitava no banheiro, ela parece destruída por dentro. Parece ferida de uma maneira tão profunda que a dor pode ser vista em seus olhos vazios.

— Sinto muito por ele não ter avisado a você. Mas é isso, meu irmão é um babaca. Você o namorou por meses, já deve saber disso.

— Nós namoramos por mais de dois anos. Ele terminou comigo faltando trinta dias para o casamento e foi viajar. Agora não me atende, não me liga, só me manda essas mensagens dando ordens e indiretamente colocando a culpa em mim. Então, acredite, eu sei melhor do que ninguém que ele é um babaca.

— Espera, disse que iam se casar em um mês?

Ela assente, mas tenho certeza de que isso não é verdade. Ela parece perceber a desconfiança em meu olhar, já que vai até a sala e retorna com um convite de casamento em mãos. Nesse papel creme, escrito em letras douradas, há um convite para um matrimônio entre Bruna Vidal e Otto D'Avila, daqui a três semanas.

Que merda Otto pensou que estava fazendo?

— Otto contou a você que tinha um irmão?

Ela assente, sentando-se de novo.

— Não que eram gêmeos, claro. Disse que tinha um irmão irresponsável, preguiçoso e irritante, que vive num chiqueiro e trabalha num putei... — ela para de falar e me observa, sem graça. — Disse que vocês não se davam bem.

— Ele me vê de uma maneira bem melhor do que o vejo, na verdade — comento com um sorriso e ela parece relaxar. — Não somos próximos. Mas Otto não contou a ninguém da família que estava noivo. Ele não convidou ninguém para o casamento e, pelo que conheço do meu irmão, ele nunca faria nada sem a bênção do nosso pai.

— O que quer dizer com isso?

— Ele não pretendia mesmo se casar com você.

Ela sorri, incrédula, então percebe que estou falando sério e seus olhos enchem. No momento em que eu vir meu irmão, vou fazer questão de acertar um soco naquela cara pelo que está fazendo com ela.

— Ou talvez fosse surpreender a família, quem sabe? — Tento amenizar, mas ela se levanta dizendo não estar com fome e volta para o quarto.

Passa o resto do dia lá. E pela sala há vários convites de casamento, em uma caixa grande há cartões de banda, *buffet*, confeitaria, decoração, alguns estão em pedaços, mas ela não estava mentindo, eles iam mesmo se casar.

O que Otto estava pensando? Vou para o quarto e ligo para ele.

— Que merda estava pensando? Você ia se casar com ela? E não convidou ninguém da família? Que porra é essa, Otto?

— *Se acalma! Não é o que parece*.

— Então o que é? Você nunca pretendeu se casar com ela, não é? Deixou isso ir longe demais!

— *Eu a amo. Eu ia me casar com ela, eu queria ter filhos com ela e passar o resto da minha vida com ela. Eu a pedi em casamento, isso foi meticulosamente planejado. Nós compramos um apartamento juntos! Mobiliamos juntos. Acha mesmo que eu iria tão longe por uma farsa?*

— Se você a ama, por que a está destruindo?

— *Não exagere! Bruna não é assim, ela faz seus dramas quando está chateada, mas quase nada nesse mundo a chateia de verdade, isso já vai passar. Foi só o susto por você estar aí.*

— Acho que você não está falando da mesma Bruna que encontrei aqui. — Paro de falar porque não serei eu a dizer que ela tem bebido por causa dele. — Enfim, você não foi viajar sem levar sua namorada, você terminou com ela às vésperas do casamento. E ainda diz que a ama.

— *E amo. Nem sempre os planos são perfeitos. Eu a pedi em casamento e deixamos tudo pronto como queríamos, mas de uns meses para cá, com a data se aproximando, eu comecei a repensar. Não tinha mais certeza de ser a hora certa, se devia dar esse passo justo quando estamos abrindo uma filial em outro estado. Minha cabeça estava a mil, de repente não tive mais tanta certeza do que queria. Eu sei que a amo. Sei que é com ela que vou me casar um dia, eu só preciso de um tempo. Não estamos cancelando o casamento, estamos adiando.*

— E você decidiu o relacionamento de vocês sozinho, porque ela não parece saber disso. Enfim, não é da minha conta.

— *Você só está aí para convencê-la a me vender sua parte do apartamento. Faça isso e deixo você em paz, irmãozinho. Faça isso e, como prometido, darei a você a minha parte no seu puteiro.*

Encerro a ligação porque me irrita a maneira como ele fala do negócio que construí do zero. Do meu negócio. Ele entrou com um investimento gigante quando descobriu o que eu planejava. Achei estranho que quisesse ser meu sócio em algo que ele considera sujo, mas agora vejo que teve um motivo. Foi apenas uma corda amarrada em volta do meu pescoço para que ele pudesse puxar quando necessário. Esse é o Otto que conheço.

A noite cai e Bruna ainda não deixou o quarto. Agora há pouco a ouvi chorando baixinho lá dentro. Ela tem se refugiado na bebida, talvez? Olho o estoque do meu irmão em seu projeto de bar móvel, mas ele tem apenas diferentes garrafas da mesma bebida, então preciso ir ao mercado.

Pouco depois, a mesa de centro da sala deixa de ser uma lixeira para papéis e se torna a mesa de uma aprendiz. Poderia ter feito na ilha, mas daria mais trabalho limpar a bagunça que fiz cozinhando, do que a bagunça de papéis dela, então vamos fazer isso na mesinha de centro mesmo. Eu me aproximo de sua porta e bato, chamando-a.

— Bruna, pode vir aqui um instante?

Demora alguns segundos e ela abre a porta. Seu cabelo escuro está bagunçado, ela usa um blusão e os olhos estão inchados. Ela é muito bonita. É bonita mesmo estando uma bagunça.

Aponto a mesa de centro e seu cenho se franze quando vê a quantidade de garrafas ali. Então, abre um sorriso. Vai direto até a mesa, ajoelha-se no tapete e pega um copo, imediatamente estendo a ela a travessa com frios.

— Primeira regra de um bom bebedor, jamais beba de estômago vazio.

Desconfiada, ela pega a travessa da minha mão e come um pedaço de presunto, então me sento do outro lado da mesinha, de frente para ela.

— Agora, comece por essa, é mais fraca. Não comece de cara pela mais forte ou não vai sentir o efeito, nem sequer o gosto das outras.

— O que é isso? Está me ensinando a beber?

— Ficou óbvio para mim que você não sabe. Também ficou óbvio que está afogando suas mágoas na bebida, e não a estou julgando, apenas quero que faça isso da maneira correta.

Ela não diz nada, olha para o copo em sua mão e seus olhos curiosos estão sobre mim.

— Mas se quiser continuar bebendo como uma louca e me agarrando ao chegar aqui, não me oponho. Você até que beija legalzinho.

Ela abre a boca para me responder, mas não diz nada, respira fundo e se serve do líquido que indico para ela.

— Vamos fazer um acordo? — ela propõe após a terceira dose. — Eu aprendo a beber e você dá o fora da minha casa.

— Me parece que esse seu acordo só beneficia você, então não, obrigado.

— Você não quer ficar aqui aturando a noiva abandonada do seu irmão. Sei que está louco para voltar para seu chiq... casa — corrige com uma careta que me faz rir, mas sua expressão é divertida também. — Perdi minhas chances de me livrar de você ao lembrá-lo de que sua segunda opção é um chiqueiro, não perdi?

Uma gargalhada me escapa e, inconscientemente coloco um pedaço de chocolate em sua boca.

— Açúcar, sempre coma algo doce após beber, vai aumentar seu nível de glicose e diminuir o efeito do álcool. E, sim, não que eu estivesse pensando em atender ao seu pedido, mas não estou com vontade de voltar ao meu chiqueiro. Então, sinto muito, vai ter de me aturar aqui.

Ela revira os olhos, mas sorri quando aponto para uma bebida mais forte. De repente, ela pergunta:

— Você acha que ele tem outra?

Eu a observo e aquela tristeza de mais cedo está ali de novo. É como se conseguisse escondê-la por determinado tempo, até não poder mais.

— Acho que meu irmão é certinho demais para ter uma amante. Acho que ele teria que planejá-la por escrito em suas agendas e daria muito trabalho enganar você fingindo não ter outra. — Funciona, ela está rindo. — Eu diria que Otto é previsível demais e nunca o imaginaria fazendo isso, mas nunca o imaginaria cancelando um casamento em cima da hora, então eu não sei, Bruna.

Ela assente, uma lágrima escorre por seu rosto e ela a seca. Pega de novo o copo e torna a enchê-lo com vodca, então me observa esperando a reprimenda, mas autorizo. Chega de aula por hoje, deixarei que tome um porre. Eu a levo para a cama depois.

Bruna está deitada no sofá com as costas no assento e as pernas para cima, no encosto. Ela canta alto a música de Bon Jovi que a Alexa toca e seu cabelo comprido se arrasta no chão. Nessa posição a blusa que usa desceu e ela ainda está usando minha boxer.

— Não vai devolver minha cueca? — provoco.

— Vou pegar as outras se for distraído, isso é muito confortável.

Sorrio.

— Não havia nada na geladeira ou na despensa. O que você tem comido?

— Se eu disser lágrimas, você vai aceitar como resposta?

De repente ela soluça, tenta se levantar depressa, mas suas pernas se embolam nas almofadas e ela cai para frente batendo com tudo a cabeça no vidro da mesa de centro.

Depressa a levanto do chão e ela tem um corte na testa, logo abaixo do que conseguiu na noite anterior. Tem uma careta e parece que vai chorar.

— Você não vai chorar, não é? Não é mais uma criança.

Seu lábio inferior se forma em um beiço e a levo para sua cama, que está arrumada. Seu quarto está impecável. Foi isso o que passou a tarde fazendo aqui dentro. Eu a deposito com cuidado e tiro seu chinelo, olhando com atenção o corte. Não é tão grande quanto o de ontem, o sangue não está escorrendo dessa vez. Ainda assim encontro uma toalha de rosto no banheiro, molho-a na água morna e coloco em sua testa. Ela mesma segura o pano e continuo sentado na beirada de sua cama enquanto seus olhos estão fixos sobre meu rosto.

— Bruna, você quer que eu vá embora porque olhar para mim a faz se lembrar dele? Vai ser mais difícil para você superar se eu estiver aqui?

Ela demora um pouco a responder, parece pensar na minha pergunta. Por fim, baixa a mão, tirando o pano do rosto e o deixando de lado na cama, e diz:

— Você me lembra dele, mas não por ser você. Tudo me lembra dele, não é como se eu me esquecesse dele em algum momento, para ser sincera. Não vai ficar mais fácil se você não estiver aqui.

— Você teria morrido ontem à noite se eu não estivesse aqui — provoco.

— Está esperando um agradecimento, herói? — pergunta de maneira debochada fechando os olhos. — Vocês não são parecidos, não podiam ser mais diferentes — diz de repente e vira o corpo para o lado, para dormir.

Apago a luz e deixo seu quarto, quando estou prestes a fechar a porta a escuto dizer:

— Obrigada!

Mas o que fica em minha cabeça por horas é sua afirmação de que não somos parecidos.

Parece estranho que justo ela tenha se dado conta disso, improvável que em tão pouco tempo tenha notado. Parece errado porque ninguém, nem mesmo minha família, percebeu. E isso realmente me agrada.

CAPÍTULO 3

Bruna

Olivia me espera sentada a uma mesa, de frente a cafeteria, observando o movimento pelos caros óculos escuros, como sempre, o cabelo platinado alinhado e a roupa perfeitamente escolhida. Se não fosse herdeira e dona de uma rede de salões de beleza famosa, minha amiga bem poderia ser modelo. Ela possui os olhos claros, lábios grandes e feições de uma boneca. Minha amiga é uma boneca Barbie ambulante e linda.

Jogo-me desengonçada na cadeira e ela ainda parece irritada. Encaro-a, ela me encara de volta, nenhuma de nós responde o pobre do garçom esperando que façamos nossos pedidos, até que por fim cedo e perco a batalha.

— Um chá gelado, por favor! Olivia, seja o que for que eu tenha feito naquela noite, não me lembro. Então refresque a minha memória pra eu saber se devo te pedir desculpas.

Descontente, ela me observa e pergunta ao garçom:

— Ei, quer ouvir uma história vergonhosa de bêbada?

— Ele não quer! — retruco.

— Eu quero! — o desocupado responde.

— Essa daí é minha amiga, Bruna Vidal, advogada. Ela levou um pé na bunda há alguns dias e resolveu beber como um sertanejo para superar o ex. Eis que antes de ontem ela bebeu muito e deu meu telefone para um bartender, mas essa não é a pior parte. Eu tive que deixar meu boy no motel para buscar essa criatura que estava arrumando confusão na madrugada. Ela entrou chorando no táxi e vomitou, então o taxista nos expulsou. Estávamos na rua de madrugada, meu celular com pouca bateria, mas consegui pedir outro táxi. E ela deu meu número de telefone, que eu não sei porque diabos sabe de cor, para o taxista, um quarentão tarado. O taxista nos convidou a ir com ele para um motel e ela aceitou.

Abro a boca em choque, ela deve estar inventando isso.

— Então tive que abrir a janela e gritar por ajuda para ele aceitar parar o carro e aí fomos à busca do terceiro táxi, mas não havia mais táxis. Meu celular descarregou, o dela ela nem havia levado e fui andando morro acima carregando essa daí bêbada e cantando no meu ouvido.

— Isso não é verdade. Minha memória volta na parte em que você me jogou para fora do táxi.

— Não, querida, o táxi estava parado em frente à portaria do seu prédio. Eu entrei nele para ir embora finalmente e você queria entrar comigo, foi por isso que te coloquei para fora.

— Você está inventado isso.

Ela pega o celular e gira a tela em minha direção, há dezesseis chamadas perdidas de um contato salvo como quarentão tarado.

— Será, Bruna, que você acha que preciso de desculpas?

— Será, Olivia, que você com sua conta bancária cheia e sua vida sexual ativa e maravilhosa, ao resgatar uma amiga bêbada, portanto fora de seu juízo, precisa de desculpas por exercer seu papel de amiga? Será que isso não era o mínimo que você podia fazer, já que são amigas?

Ela abre a boca, irritada, e encaro o garçom, o juiz dessa audiência.

— Eu pergunto, senhor garçom, se eu não mereço desculpas por minha amiga se aproveitar de um momento difícil da minha vida para fazer chacota dos meus problemas a um desconhecido? E também por sua negligência em me deixar em risco quando ela era a responsável por mim na madrugada. O que o senhor acha?

Ele encara Olivia com uma expressão zangada.

— Seja uma amiga melhor, ela está passando por um momento difícil.

Então se vai sem anotar o pedido dela.

— Bruna Patinha, eu odeio você!

Faço uma careta por ela zoar com o sobrenome que nunca uso e acabo com sua ira com uma frase.

— Tem alguém morando comigo.

— O quê? Como assim? Alugou o quarto de hóspedes para pagar o condomínio?

Pego meu celular e entrego a ela, que com a boca aberta lê a mensagem desaforada de Otto.

— Que cretino! O irmão dele está mesmo lá? — Assinto. — Você sabe o que ele quer com isso, não sabe? Impedir que você tome posse da parte dele do apartamento. Esse imbecil! Como é esse irmão dele?

Abro uma foto de Otto na minha galeria e viro a tela para ela. A confusão em seu rosto me diverte.

— O que é isso? Esse é o Otto.

— Mas poderia ser o Theo, irmão gêmeo do Otto.

Sua boca agora está escancarada.

— Está de brincadeira! Eles são parecidos?

— Gêmeos idênticos.

— Que traste! Como você vai esquecê-lo vendo o rosto dele todos os dias? Ele planejou isso! Esse safado está calculando cada movimento para foder com sua vida, eu vou matá-lo. Vou matá-lo e você vai me defende se eu for pega!

Ela fica mais dez minutos gritando insultos para meu ex, chamado atenção dos transeuntes para minha vida trágica e, por fim, vai comigo ao meu apartamento conhecer o tal gêmeo de Otto.

Entramos no local e faço uma careta ao ver a bagunça que Theo fez na cozinha e que ainda não limpou. Há louças acumuladas dos últimos dois dias lá. Ela procura em volta e dou de ombros quando me questiona baixinho onde ele está. É quando Theo sai do banheiro, usando apenas uma toalha branca da cintura para baixo.

Ao contrário de Otto, Theo com certeza malha, ele possui braços fortes, o peitoral definido, a barriga bem marcada e possui o peito e braço direitos cobertos por tatuagens. Ele sacode a cabeça enquanto anda, o cabelo joga gotas de água pelo piso e creio que elas se misturam com a baba de Olivia, boquiaberta ao meu lado.

Theo para diante de nós duas e observa minha amiga com interesse.

— Acho que não conheço você — diz e Olivia parece derreter.

— Olivia Monteiro, muito prazer!

Ele toca a mão dela e se desculpa por tê-la molhado, arrasta a mão da minha amiga secando-a em sua própria toalha. Reviro os olhos pela paquera barata e aponto para a bagunça na cozinha.

— Ei, super-herói, limpe isso.

Ele sorri de lado e não diz nada e preciso pegar Olivia pela mão e arrastá-la para dentro do quarto, na tentativa de que volte a si. Mal fecho a porta, ela dispara:

— Aborta a missão!

— Que missão?

— Ele não é igual ao Otto. Esse homem é gostoso! Lindo, tatuado, forte, definido. Aquele cabelo molhado e aquela toalha apertada!

— Obrigado! — Theo grita lá de fora, provavelmente passando pelo corredor em direção ao seu quarto, uma vez que Olivia está mesmo aos berros.

— Otto não é exatamente magrelo.

— Ah, Bruna, para com isso! É como comparar uma lontra a um leão.

— Você está exagerando. De que missão estava falando?

Ela parece pensar, mas acaba cedendo, não parecendo muito contente por dividir a informação comigo.

— Tudo bem, de toda forma ele tem a cara do Otto, não posso beijar alguém com a mesma cara daquele imbecil quando sonho toda noite em quebrá-la inteira — devaneia. — Você vai frustrar os planos do Otto de botar um vigia com a fuça dele morando com você.

— E como vou fazer isso?

— Simples, vai deixá-lo desconcertado. Tão desconcertado que vai querer fugir.

— Ele acabou de te ouvir gritar sobre a toalha apertada dele e não se importou. Então como eu o desconcertaria? Ele parece do tipo descarado.

— Homens gostosos assim sempre são — explica. — Você vai dar em cima dele.

Espero que ela diga ser pegadinha, mas ela não diz e uma gargalhada de puro nervosismo me escapa.

— Depois a bêbada sou eu! — É minha resposta.

— Você é a recente ex do irmão babaca dele! Um irmão que ele deve apreciar já que se mudou de prontidão e está aqui aturando você.

— Ei, isso foi uma ofensa?

— Foi uma constatação, além do mais, eles são gêmeos. Gêmeos não têm aquele lance de elo? Ligação? Enfim, seja como for, se de repente você começar a dar em cima dele, vai ficar desconfortável, com medo do que Otto pode pensar e vai acabar se mandando daqui.

— Você acha?

— Tenho certeza. Essa é sua missão, seduza-o e o expulse daqui.

— Não tenho certeza se dou conta disso.

— Falou a desempregada que só faz beber e chorar pelos cantos.

— Olivia, você é um porre!

— Vou trazer umas roupas para você, com essas gigantes camisas de ratos ele nunca vai se sentir incomodado, vai é achar graça se você tentar algo.

— Não fale assim do Mickey, insensível!

Passamos as próximas horas discutindo seu plano infalível. Termino o dia com uma mala de roupas de Olivia sobre a cama, um plano de sedução arquitetado de qualquer jeito, porque não faço mais planos perfeitos, e uma gilete na mão enquanto me depilo porque não posso seduzir ninguém sem aparar a lhama. Não que ele vá ter qualquer chance de ver minha lhama, apenas me sinto mais sexy quando o triângulo das bermudas está em seu tamanho certo.

Deixo o banho e observo as roupas que uma exagerada Olivia me enviou.

— Só se eu fosse trabalhar no puteiro onde Otto diz que o irmão trabalha para usar essas coisas — resmungo baixinho conferindo as rendas, decotes exagerados e calças que vão disputar um lugar com minha própria pele no meu corpo. — Fazer o quê?

Escolho um conjuntinho rosa, ele possui um short bem curto e uma blusa confortável e decotada, mas não é nada exagerado. Há anos não uso nada tão chamativo, posso até ouvir a voz de Otto dizendo que isso é apelativo. De fato, é, mas enquanto observo meus seios ressaltados nesse decote e de repente me sinto sensual, percebo que talvez o "apelativo" não seja sempre uma coisa ruim.

Estou me sentindo apelativa, mas por saber que mereço ser olhada nesse decote.

Penteio o cabelo jogando-o para o lado e deixo meu quarto como se não estivesse usando nada demais. Procuro disfarçadamente por Theo, mas nem era necessário, onde mais ele estaria?

— Estou achando que você não quer ir embora daqui por causa da cozinha — comento me sentando em frente à ilha onde ele passa praticamente todo seu tempo.

Um sorriso está em seu rosto, ele abre a boca para responder, mas levanta os olhos para mim e não diz nada. Desvia os olhos do meu decote, finge não perceber que estou apoiada nos cotovelos, exibindo-o para ele, engasga com o nada, vai mexer na panela e grita em seguida.

Ele queimou o dedo tocando na panela quente. Rapidamente me levanto e dou a volta pela ilha, ele reclama de dor enquanto lava o dedo na pia e pego sua mão para ver o estrago. A lateral de seu dedo está bem vermelha, isso provavelmente está doendo e até preciso segurar a vontade de sair correndo antes de fazer o que faço.

Levo seu dedo em direção a minha boca, sopro usando os lábios avantajados que sei que tenho e em seguida, coloco seu dedo em minha boca, sugando-o devagar. Quando meus olhos encontram os seus, seu dedo ainda em minha boca, Theo tem a boca aberta, paralisado. Tiro seu dedo com a mesma lentidão com que o coloquei na boca e sopro de novo.

— Está melhor? — pergunto, encarando-o.

— Eu, ah. Eu... — Ele se fasta e pega uma garrafa de água gelada na geladeira, bebendo-a toda de uma vez.

Volto ao meu lugar na banqueta e o observo.

— Bem melhor, obrigado — responde finalmente e volta a sua panela.

Acho que não me saí mal, mas também não me saí bem, já que ele está aqui agindo como se nada demais tivesse acontecido.

— Como você conheceu meu irmão? — pergunta.

Olivia disse que ele faria isso se ficasse incomodado. Tentaria me fazer lembrar que é o irmão do babaca que terminou comigo, para que eu me sentisse desconfortável. Mas na verdade, só sinto mágoa ao pensar em Otto.

— Minha avó é Constanza Volpato.

— Ah — ele diz como se isso explicasse tudo. — Você também é advogada, certo?

— Me formei em Direito, mas ainda não prestei o exame da OAB.

— É mesmo? Por que não?

— Não sei, não me sinto confiante ainda.

— Meu irmão, seu ex-noivo, não ficou enchendo a sua cabeça para fazer isso logo?

— Ah, não, ele parecia bem satisfeito que eu fosse assistente do sócio dele na empresa.

Ele me observa e esconde mal sua careta.

— Você trabalha para Otto?

— Trabalhava.

— Por quê?

— Como assim por quê? Eu me formei em Direito e ele tinha uma empresa de advocacia.

Ele me observa com aquele sorriso de lado e repete a pergunta:

— Por quê?

— Porque sou dessas que fica vinte e quatro horas grudadinha no homem.

— Não me convenceu — provoca com um sorriso.

Olho em seus olhos verdes, ele me observa de volta. Sempre que fixo meus olhos nos de alguém por tempo suficiente, a pessoa acaba cedendo. Minha avó diz que é porque todo mundo deve alguma coisa e se sente exposta quando alguém a observa nos olhos. Ele mantém os olhos nos meus, fixos, como se pudesse ver minha alma, como se pudesse perceber que estou dando em cima dele para tirá-lo daqui.

— Ele sugeriu — cedo e xingo um palavrão.

Minha avó ficaria decepcionada comigo.

— Você se demitiu para provocá-lo, então?

— Não, me demiti para tentar salvar o pouco de sanidade que me resta, já que aos olhos de todos me tornei a noiva largada do chefe. E você? É cozinheiro?

Ele ri alto, desligando o fogo e sentindo o aroma do que acabou de cozinhar. Que está uma delícia, diga-se de passagem.

— Não, por que pensa isso?

— Não sei, será que é porque você passa mais tempo nessa cozinha do que no seu quarto? Ah, não, você não pode ser cozinheiro. Bagunceiro demais, nunca lava as vasilhas que suja.

— Lei da vida, quem cozinha não lava. Não sou cozinheiro.

— Em que espécie de puteiro você trabalha?

Ele ri de lado, passa a língua pelos lábios de maneira atrevida deixando-a no canto de sua boca enquanto pensa em uma resposta.

— Quer saber se sou garoto de programa?

— Você é? — praticamente grito.

— E se eu for?

Ele me encara, desafiando-me a continuar o flerte que comecei agora há pouco. Quero me levantar e sair com o rabinho entre as pernas para rir de mim mesma na proteção do meu quarto, mas comecei isso, vou terminar.

— Vou pedir que me mostre como um profissional faz — respondo sustentando seu olhar.

— Você está jogando um jogo perigoso, Bruna.

— Está com medo?

Ele se apoia nos cotovelos imitando meu gesto, desvia o olhar do meu decote, agora bem diante de seu rosto e olha em meu rosto ao responder:

— Não precisamos mais ter cuidado um com o outro aqui? Você se sente confortável flertando comigo, então devo presumir que também posso ficar à vontade com você?

Que tipo de jogo é esse? O que devo responder a isso?

Seguro o colar que uso, *as relíquias da morte* que estão agora penduradas sobre meus seios esperando que seu olhar se desvie para meu gesto.

— Eu não estava flertando, desculpe se dei essa impressão — digo com um sorriso cínico.

Ele passeia a língua pelos lábios, sei que quer olhar para baixo, para meus seios diante dele, mas não faz.

— Não flertou quando me pediu para te mostrar como um profissional faz?

— Não, apenas tentei contratar seus serviços, se for mesmo um profissional.

Ele tem um sorriso inteiro agora, debruça-se mais sobre a ilha se aproximando o bastante para alcançar meus lábios. Isso parece estar ficando perigoso.

— Sou profissional, docinho, mas não cobro por meus serviços. Antes de continuarmos essa conversa, tenho uma pergunta para você. Vai voltar atrás ou podemos ficar à vontade um com o outro?

Vou voltar atrás.

Já voltei.

Nem estou aqui mais.

— A casa é sua, você não vai embora mesmo, certo? Fique à vontade.

Ele sorri, mas não um sorriso safado, um sorriso vitorioso. Sinto-me confusa. Então seus olhos descem descaradamente para meu decote e analisam com cuidado tudo que alcançam.

— Se você usava essas roupas perto do meu irmão entendo porque ele a pediu em casamento. Você é gostosa pra caralho!

Sou pega tão de surpresa que minha máscara de confiança cai e o encaro, assustada.

— Que bom que podemos ser nós mesmos, Bruna. Olha, você me surpreendeu. Achei que fosse mais medrosa, mas você é um mulherão e tanto. Que bom que a casa também é minha e você aceitou isso porque vou te confessar, eu odeio usar roupa em casa. É desconfortável, você não acha?

— O quê?

Ainda estou aturdida quando ele tira a camisa, jogando-a sobre uma cadeira e volta para a cozinha. E enquanto ele se serve de seu cordeiro, fico aqui olhando essas tatuagens e me perguntando no que foi que me meti.

Quando deixo o quarto na manhã seguinte, dou de cara com Theo saindo do banho. Não há uma suíte no quarto de hóspedes, de forma que ele precisa usar o banheiro social. Como da outra vez, meus olhos encontram seu cabelo negro molhado, o peitoral definido, as tatuagens e a toalha. Só que a toalha está em sua mão enquanto ele seca as gotas que caem de seu cabelo. Paro onde estou e olho para baixo.

Ali está.

Descoberto e bem diante dos meus olhos chocados.

Balançando devagar conforme ele anda.

— Vocês não deveriam ser exatamente iguais? — pergunto.

— O quê? — ele pergunta parando diante de mim.

Viro-me de costas e mordo a língua para não voltar a falar besteira.

— Você está pelado! — ralho em tom de reprimenda.

— Ah, isso? Eu sei. Eu me sinto mais livre assim. Que bom que posso ter liberdade na nossa casa, Bruninha — comenta com alegria na voz e bagunça meu cabelo passando por mim e então estou olhando para sua bunda, durinha e definida.

Acho que me meti numa enrascada das grandes.

CAPÍTULO 4

Theo

Entro no meu quarto temporário e enquanto visto uma boxer, tento entender o que ela está tentando fazer. Nem vou citar o quanto sua roupa decotada e seu flerte descarado destoa da Bruna que Otto descreveu, porque já confirmei que meu irmão definitivamente não conhece a ex-noiva. Mas é estranho que numa noite estivesse bebendo e chorando pelo meu irmão, e na noite seguinte tenha flertado comigo. E devo confessar que se fosse qualquer outra mulher chupando meu dedo do jeito que ela fez, eu teria perdido o juízo no mesmo instante. Só consegui me conter porque se trata da noiva do meu irmão, provavelmente a esposa dele em breve, quando ele parar de agir feito um babaca e for perdoado, porque ela o ama.

Meu celular toca e vejo o nome de Otto na tela, estou prestes a atender quando tenho uma ideia. Vou atender no corredor, como quem não quer nada para que ela saiba que estou falando com ele. Para que saiba que mantemos contato e se lembre de quem eu sou. Se sua ideia é ficar com outro homem para esquecer Otto, e não julgo se for o caso, vai entender que de maneira nenhuma esse homem poderia ser eu.

Saio para o corredor com o aparelho em mãos e, para garantir que ela vai ouvir a conversa, abro um pouco a porta de seu quarto, mas então ela está falando alguma coisa que acabo ouvindo sem querer.

— Isso não vai dar certo, Olivia! Ele tomou minha atitude como permissão para ter liberdade. Agora anda nu pela casa. Estou dizendo, esse negócio de seduzi-lo para fazê-lo fugir não vai dar certo. Pense em outra coisa!

Volto para meu quarto com um sorriso de orelha a orelha pela descoberta.

Então era isso o que estava fazendo? Estava tentando me fazer fugir. Provavelmente teria funcionado, afinal depois da noite de ontem tenho a impressão de que ela não está para brincadeira.

O que vou fazer agora com essa informação? Vou me divertir, é claro.

A Casa está cheia hoje, ainda assim o tempo parece demorar uma eternidade a passar. Eu me pergunto o que minha cunhada travessa vai aprontar hoje.

— Por que está com esse sorriso perigoso no rosto, Theo? — pergunta Júlio, o bartender mais antigo da Casa, curioso.

— Lembra da minha cunhada? Com quem estou morando temporariamente?

— A ex em quem seu irmão quer aplicar um golpe? Lembro.

— Ele não quer aplicar golpe algum, o babaca gosta mesmo dela. Enfim, ela não está muito satisfeita com a minha presença em sua casa e está tentando me seduzir para me expulsar de lá.

Um sorriso surge em seu rosto. Ele apoia o cotovelo no balcão enquanto lavo as taças.

— Como é essa sua cunhada?

— Surpreendente. Gostosa pra caralho. E uma menina muito travessa.

— Não foi o que Otto combinou com você.

— Não foi. Ou ele não a conhece ou ela finge ser alguém que não é por causa dele.

— Conhecendo seu irmão, aposto que ele a faz ser alguém que não é para agradá-lo. Bem, o que vai fazer sobre isso?

— Nada além de me divertir um pouco. Além do mais, ela estava bebendo bastante e acredito que praticar seu plano maquiavélico vá servir ao menos para distrai-la do término.

— Está aí um cara que vai do puteiro direto para o céu, Theo D'Ávila. Que cunhado generoso! Aturar a gostosa ex do irmão tentando seduzi-lo para o bem dela.

— Nunca disse que o único motivo era esse.

— Abre teu olho, garanhão. Mulheres que por fora se parecem a anjos, mas por dentro são o contrário são as piores. Elas são viciantes.

Fico rindo e ele vai atender alguém.

A Casa estava tão cheia, que não consegui sair de lá antes das 2h da manhã. De forma que provavelmente Bruna já está dormindo. Tomo um banho rápido e vou preparar algo fácil, uma vez que não tive tempo de comer na Casa. Tento ao máximo não fazer barulho, para não acordá-la.

De repente alguém me abraça por trás e duas mãos geladas passeiam por meu abdome sem qualquer pudor. A voz sonolenta de Bruna pergunta atrás de mim.

— Minha mão está muito fria, cunhado?

Sorrio. Usar minha ligação com Otto não vai servir para fazê-la parar porque é um plano. Mas ela não sabe que a descobri e está me dando um aviso que não se importa com nosso parentesco. Se ela quer brincar, vamos brincar.

Viro-me para trás de uma vez e guio seu corpo até o armário atrás dela, prendendo-a nele. Nossos corpos colados e nossos rostos próximos demais. Meus olhos caem inevitavelmente para seus lábios carnudos e respiro seu cheiro em seu pescoço. Bruna tem os olhos fechados quando olho de novo para seu rosto.

— Sua mão está agradável, cunhadinha. Mas o calor desse seu corpo gostoso está bem mais.

Ela pisca os olhos, abre a boca, mas nada sai. E quando penso que vai levantar a bandeira branca da paz e desistir, a atrevida aproxima o rosto do meu peito e lambe minha pele vagarosamente. Eu a afasto imediatamente, assustado. Ela tem um sorriso travesso no rosto.

— Ops! Foi sem querer — diz com esse mesmo sorriso e dou um passo em sua direção, quando me dou conta do que estou fazendo e, como um covarde, fujo para meu quarto.

Ela não vai pegar leve. Meu pau acordado na boxer, agora é prova disso. Volto para o chuveiro, desta vez um banho frio, e consolo meu pobre membro vítima das artimanhas de uma mulher decidida.

Pouco depois, uma batida soa à porta e Bruna a abre. Estou jogado na cama, apenas com a boxer e parece que ela não está jogando agora, uma vez que seus olhos se desviam do meu corpo ao entrar. Ela tem um prato na mão e um copo na outra.

— Terminei sua omelete e trouxe para que não durma com fome depois de uma noite de trabalho.

Essa é a verdadeira Bruna, posso ver pela maneira como seus olhos passeiam pelo quarto e não se focam em mim. Não está fazendo isso para me atacar, mas porque ficou realmente preocupada comigo. Eu me levanto e pego o prato e copo de suas mãos, só então observando a camisola sexy que ela usa.

— Obrigado, cunhada! Estava mesmo faminto, fiz exercícios pesados a noite toda.

Seus olhos se focam em meu rosto e ela sorri.

— Isso não vai funcionar — diz.

— Isso o quê?

— Se você já chega exausto o que vai sobrar para mim? Não quero um professor cansado.

Aquele sorriso travesso está ali e preciso confessar que adoro essa Bruna atrevida.

— Mas eu não disse que estou exausto, disse que estou faminto.

Meus olhos se focam em seus lábios e seus olhos passeiam preguiçosamente por meu corpo.

— Então é melhor comer antes que esfrie — desafia.

Vou precisar pegar mais pesado com ela, ao menos por hora, esse joguinho está indo por rumos impensáveis agora.

— Então é melhor sair daqui antes que eu troque este prato por sua boceta molhada, porque estou realmente faminto.

Funciona. O sorrisinho some, ela desvia os olhos, seu rosto está vermelho, vira-se e deixa o quarto. Sento-me na cama para comer e me pergunto que merda está se passando na cabeça de Otto para se afastar dela.

Na tarde seguinte, estou indo para a Casa, quando ela chega com uma expressão desanimada. Acho que a ouvi dizer que ia a uma entrevista de emprego.

— Olá — cumprimenta e se joga no sofá, colocando os pés sobre a mesa de centro.

Pego uma soda gelada na geladeira e levo para ela. Ela usa um conjunto social preto que parece tirar seu brilho. O cabelo preso em um coque apertado, sem qualquer fio fora do lugar. Estendo a ela a soda e me sento ao seu lado.

— Dia difícil? — pergunto.

— Vida difícil.

— Não conseguiu o emprego então?

— Consegui! Eeeeee... — Levanta a mão em uma comemoração sarcástica. Ela solta o cabelo, libertando-se, há uma bagunça de fios castanho-escuros sobre seu rosto agora. — Consegui um emprego como consultora em uma firma de advocacia renomada.

— Isso é ruim?

— De forma alguma. É algo pelo qual Otto ficaria orgulhoso.

— Isso parece ruim.

— Parece, não é? Não é nada demais, só um emprego chato, numa empresa chata, com patrões chatos. Eu amo Direito, mas... Sei lá! Às vezes parece que falta algo.

De repente ela se vira em minha direção.

— Ei, onde você trabalha?

— Em um puteiro.

— Como é trabalhar lá?

Penso bem no que responder para não entrarmos em mais um jogo de flerte planejado por ela.

— Lucrativo — respondo.

— Está indo trabalhar agora? Pode me levar para conhecer?

Sorrio, observo os fios bagunçados sobre o conjunto de roupa certinho como se algo não fizesse sentido.

— Não, não posso. Não é ambiente para uma mulher como você.

Ela faz uma careta e se recosta no encosto do sofá, aborrecida.

— Eu sei fazer sexo — diz de repente.

— É mesmo? Sabe fazer o *espremedor de laranja*?

— O que é o *espremedor de laranja*?

— Você pega o pênis em suas mãos como se fosse espremer a própria fruta. — Ela me observa atentamente e começo a fazer gestos imitando os movimentos. — Segura a cabeça assim e gira as mãos pela extensão do pênis repetidas vezes. Nesse movimento. Quando o homem goza, você usa o líquido para continuar espremendo, pode beber também, se preferir, já que o suco terá sido feito por você.

Sua boca está escancarada e seus olhos curiosos.

— Mentira, aposto como está inventado isso. Me leva para conhecer seu trabalho. Por favor!

— Vamos fazer um acordo, se conseguir conversar comigo por uma hora, você vai comigo quando eu passar por aquela porta.

— Só isso?

— Mas vou falar do meu assunto preferido.

— Que seria?

— Sexo, claro — respondo com um sorriso e ela sorri de volta.

— Por que eu pergunto? Faça o seu melhor.

— Minha primeira vez foi na quadra da escola. — Ela ainda tem um sorriso no rosto, prestando atenção. — Com a professora de Educação Física. — Sua boca se abre. — Como eu nunca havia comido ninguém, fiz devagar para não errar. Comecei chupando o clitóris dela, enfiando a língua entre os pelos...

Ela cobre o ouvido e se levanta.

— Não! Não preciso de detalhes.

— Precisa, se quer ir ao meu trabalho comigo.

Ela se joga no sofá com uma expressão desconfiada e continuo:

— Então, eu chupei aquela mulher até ela explodir na minha boca, à essa altura meu pau estava tão duro, que não tive dificuldade em me enfiar nela. Neste ponto eu não consegui ir com calma, meti com força, sabe? Os seios dela balançavam e ela revirava os olhos e meu pau saia todo melado de dentro da...

— Pare! Você é detalhista demais! — grita com o rosto tingido de vermelho.

— Tudo bem, vou ser legal com você. Me conte como foi sua primeira vez.

— Está louco? De jeito nenhum!

— Se foi com o Otto eu posso adivinhar. Você se deitou, abriu as pernas, ele entrou, saiu, entrou, saiu e acabou.

Ela ri alto. Abre o terninho preto revelando uma blusa de seda creme por baixo, mas que ressalta o volume arredondado de seus seios. Ela tira a peça e diz:

— Não foi com ele. Mas você não passou muito longe de como era estar com ele.

— Não foi? Então me conta, fiquei curioso.

— Foi meio selvagem.

Ela para de falar e volta a tomar a soda.

— E o que mais, Bruna?

— E mais nada, você não é minha amiguinha para eu dividir esses detalhes com você. Além do mais, uma pessoa decente não conta suas experiências com tantos detalhes para outras pessoas.

— Uma pessoa decente não pode entrar no meu trabalho.

— Se eu fosse trabalhar lá, ficaria rica?

— Não. Você seria uma vergonha, levando em conta que nem sequer consegue falar sobre sexo.

Ela se levanta. Penso que vai desistir e ir descansar, mas me surpreende ao apoiar um joelho ao meu lado no sofá. Segura-se em meus ombros e monta sobre mim. Seus olhos castanhos estão fixos nos meus, o calor de seu corpo está sobre minhas coxas e devagar, ela rebola.

— Acha que não conseguiria clientes? — pergunta com a voz baixa ao meu ouvido e é um golpe baixo demais para meu pau.

— Acho que você é mais perigosa do que pensei — respondo com a voz baixa, enquanto a tiro do meu colo e me levanto. — Lá não seria seguro para você. Até amanhã, Bruna!

Deixo o apartamento com o pau duro, um calor insuportável e a certeza de que preciso ter mais cuidado com ela.

Nos últimos dois dias, Bruna tem estado na dela, mais quietinha e quase não a tenho visto. Penso que desistiu do seu plano maluco. A campainha toca na quinta à noite e abro a porta para encontrar uma senhora elegante. O porteiro está com ela, empurrando sua mala. Bruna aparece em seguida e parece perder toda a cor quando vê a mulher. Exibe um sorriso sem graça enquanto a mulher a abraça.

— Ah, que apartamento formidável, querida. Vocês têm muito bom gosto. Otto, meu querido — diz se dirigindo a mim, prendendo-me em um abraço desajeitado.

Olho para Bruna que parece em pânico.

— Por que não avisou que vinha, vovó? Eu a teria buscado no aeroporto.

— Imagina! O casamento é daqui a dois dias, você deve estar atolada de coisas para fazer. Achei o caminho, sozinha.

Ela me observa com curiosidade.

— Vovó, o casamento não vai mais acontecer — Bruna gagueja e fala tão baixinho que até eu tenho dificuldade de ouvir.

Ao que sua avó responde:

— Desde quando você tem essas tatuagens, Otto, querido?

Dou-me conta de que estou apenas de calça e visto rapidamente uma camisa. Ela não espera que eu dê uma resposta, já vai logo falando com Bruna enquanto observa o apartamento.

— Tanto faz, o importante é que ele é um advogado com um futuro brilhante. O que aconteceu com o casamento? Por que não vai ser sábado? Por que não me avisou?

— Achei que a Olivia tivesse avisado.

— E por que sua amiga me avisaria algo tão importante? Sou sua avó, não dela!

Ela observa Bruna com uma careta desconfiada e em tom de reprovação diz:

— O que você fez, Bruna Volpato? O que fez para que ele adiasse o casamento?

Bruna engole em seco, os olhos estão marejados, mas Constanza Volpato parece não perceber. Bruna baixa a cabeça, derrotada, abre a boca para responder, mas faço isso por ela.

— Conseguimos um local melhor conceituado em poucos meses e preferimos adiar.

Não sei dizer qual das duas parece mais surpresa.

— Mas depois de distribuir os convites? E de pagar *buffet*, locação, banda? Tão em cima da hora?

— Nos desculpamos com nossos convidados, os gastos que tivemos não importam se é para dar o casamento dos sonhos para minha mulher. Sei que não foi de bom tom, mas não há nada que eu não faça por ela.

Sorrio para Bruna, que ainda está atônita, mas a avó dela já tem um sorriso derretido de aprovação.

— Ao menos isso você fez direito, conseguiu um bom homem — diz para Bruna com escárnio e se afasta, conhecendo o apartamento.

— Obrigada — Bruna sussurra, seguindo a avó.

Termino de preparar o jantar, quando as duas chegam à cozinha, a velha com uma expressão de desagrado e me pergunto se Bruna disse a ela a verdade.

— Otto, querido, por que suas roupas estão no quarto de hóspedes?

Olho para Bruna, que esconde o rosto nas mãos.

— Porque a Bruna tem muitas coisas, preferi deixar o *closet* principal apenas para ela. Como o quarto de hóspedes não está sendo usado, pensei em deixar minhas coisas lá até que ela se organize.

— Ah, você é um cavalheiro, Otto, querido. O que está fazendo aí? Está cozinhando? Não sabia que cozinhava.

— Ele não cozinha! — Bruna corrige imediatamente. — Eu fiz a comida, ele só estava vigiando as panelas enquanto fazíamos um tour.

A velha parece convencida e preciso esconder um sorriso ao observar Bruna suando à minha frente.

— Sentem-se, senhoritas, irei servi-las.

A noite é um porre, não vou trabalhar para a avó dela não desconfiar de nada e passo todo o jantar, que dura cerca de uma hora, ouvindo-a falar sobre seus casos famosos, e sobre seu filho, o falecido pai de Bruna, que era juiz. Noto que Bruna, apesar de tudo, não atende às expectativas da avó. Sempre que comparada ao pai, é diminuída pela velha.

— André jamais esperaria tanto após se formar para prestar o exame da OAB, mas Bruna tem muito daquela mãe dela!

— Tudo no seu tempo, Constanza. Bruna deve se concentrar no casamento primeiro, depois ela presta o exame — defendo.

A velha aceita minha sugestão como uma possível desculpa para a demora da neta e muda de assunto finalmente. Bruna está quieta, mexendo a comida com o garfo, calada e pensativa.

Será que era isso mesmo o que estava fazendo? Parando sua vida em função de Otto?

Quando o jantar interminável finalmente termina, Constanza se mostra cansada. Bruna oferece a própria cama para que a avó descanse, ajeitando suas coisas em seu quarto.

— Mas vocês dois vão dormir naquele quarto de hóspedes pequeno? — pergunta fingindo preocupação.

— Não é problema algum, Constanza, descanse — respondo e ela finalmente fecha a porta do quarto.

Bruna se dirige à sala com seu travesseiro em mãos e se joga no sofá. Parece tão cansada que mantém o rosto afundado no travesseiro tempo suficiente para eu pensar que dormiu. Quando estou me afastando, ela diz:

— Obrigada! Nem sei como te agradecer.

— Você me deve uma.

Ela assente.

— Vou dormir aqui, mas antes que o dia comece irei para seu quarto, para fingirmos que dormimos juntos, tudo bem?

— Então você vai me dever outra.

— Cobre seu preço, Theo.

— No momento certo — respondo me afastando, mas quando estou no corredor olho para trás, para sua figura encolhida num sofá enorme nada confortável.

Não penso direito no que estou fazendo quando volto para trás, até ela.

— Você deveria dormir no meu quarto. Sua avó não é boba, nossa história já está confusa demais e é melhor que não arrisque. Se ela flagra você dormindo aí, vai pensar que brigamos.

— Deus me livre! Vai me encher o saco por um ano inteiro se achar que discordei do perfeito Otto D'Ávila — responde pegando o travesseiro e me seguindo.

— Vai ficar me devendo outra.

— Pega leve nas cobranças, não se chuta cachorro morto. Você é o quê? Um monstro?

Sorrio enquanto ela entra no quarto e suspira alto ao ver a pequena cama de solteiro. Observo a roupa que usa, um macacão jeans nada confortável para dormir e um top por baixo. Abro uma das malas espalhadas no chão e escolho uma camisa de algodão estendendo a ela.

— Imagino que isso aí não seja confortável para dormir.

— Vou ficar te devendo outra se aceitar? — pergunta, temerosa.

— Você também pode dormir sem roupa, confesso que adoraria.

Ela toma a camisa da minha mão e deixa o quarto, indo se trocar no banheiro. Retorna pouco depois, o cabelo escuro volumoso solto em volta da camisa branca, que percebo tarde demais ter ficado curta o bastante para me enlouquecer.

Onde eu estava com a cabeça quando a chamei para dormir aqui?

Jogo-me na cama e ela fica parada no meio do quarto, observando-me.

— O que foi? Está percebendo que para cabermos na cama vai ter de deitar em cima de mim?

Ela sorri, nem um pouco constrangida. Vai até o armário, encontra uma coberta e a forra no chão, ao lado da cama, pega seu travesseiro e se prepara para deitar, quando me levanto em um pulo e a impeço.

— Isso não vai funcionar, Bruninha, não vou deixar que durma no chão.

— Está tudo bem, vai ficar confortável com essa coberta.

Bato meu pé sobre minha coberta confirmando que está duro demais. Um suspiro cansado me escapa e aponto para a cama, cedendo.

— Durma na cama então, eu durmo no chão.

— De jeito nenhum! Este quarto é seu, já fez muito por mim, eu durmo no chão.

Eu a impeço de novo segurando seus braços e minha voz é firme quando a aviso:

— Eu nunca deixaria uma mulher dormir no chão enquanto durmo na cama, então ou nós dois dormimos nessa cama ou você dorme nela e eu no chão.

Ela revira os olhos e se senta sobre a cama. Troco os travesseiros e me deito sobre a coberta, uma careta está em meu rosto ao constatar como isso está duro. Vou até o armário em busca de outra coberta, mas não há outra.

— Está muito desconfortável, não é? — ela pergunta se levantando.

— Você não vai dormir no chão, Bruna.

— Nem você, isso é ridículo, é o seu quarto.

Jogo-me na cama de lado e bato a mão no pequeno espaço que sobra.

— Então venha, querida.

Apago a luz do quarto, mas a janela aberta permite que a luz da lua ilumine o suficiente para eu vê-la. Ela está parada, observando-me.

— O que foi agora?

— É que eu não gosto de dormir com ninguém. Quer dizer, me acostumei a dormir com o Otto, mas não com outras pessoas. Gosto de ter meu espaço — completa baixinho.

— Isso é um pedido para eu voltar ao chão, certo? Tudo bem! Durma aqui sozinha.

Concordo me levantando, mas ela vem até mim e, imitando meu gesto, segura meus braços impedindo que eu me levante.

— Não precisa, eu já disse. Vamos deitar juntos, se não funcionar, eu vou para a sala.

Assinto e ela sobe na cama, deitando-se no canto, de lado. O espaço que sobra é realmente pequeno, ainda que eu também esteja de lado, observando esse rosto triste e a mágoa em seus olhos. Ela os fecha e finge dormir, e acabo dormindo também.

Acordo pouco depois, quando ela joga a perna sobre as minhas.

— Bruna... Bruna, volte para seu canto — chamo baixinho e ela não acorda.

Se eu a acordar, ela pode não conseguir dormir de novo, então devagar, tiro sua perna de cima das minhas. Ela se mexe, virando-se na cama, encostando completamente seu corpo ao meu. Seu cabelo faz cócegas em meu rosto e sua bunda se aninha exatamente no último lugar em que deveria se acomodar.

— Bruna! Bruna! — chamo mais alto, sacudindo-a, mas ela resmunga algo e não acorda. — Merda!

Minha mão está sobre seu ombro, ela a segura e a prende entre suas mãos, sobre seus seios e parece ainda estar dormindo. Ou está fingindo e isso faz parte do seu plano. Penso em tirar minha mão e desmascará-la, mas o cheiro de seu cabelo é bom, até mesmo o incômodo dos fios sobre meu rosto não parece intolerável e o calor que vem de seu corpo aninhado ao meu é confortável, no final das contas.

Acabo dormindo de conchinha com ela.

CAPÍTULO 5

Bruna

Desperto lentamente e aperto a mão que descansa entre as minhas, sobre minha barriga. Tento dormir mais um pouco, mas então descubro o que me acordou. Há algo firme encostado à minha bunda. Meus olhos se abrem, vejo apenas a parede à minha frente. Estou deitada de lado e há um corpo completamente colado ao meu. Pior, há um pau duro cutucando minha bunda. Devagar solto a mão que seguro, perguntando-me como isso aconteceu.

Ainda mais devagar movo seu braço, tirando-o de cima de mim, pois não quero acordá-lo nesta situação. Respiro fundo antes de tentar me mexer quando escuto uma voz baixa e rouca de sono ao meu ouvido:

— Bom dia, cunhada.

Levanto-me em um pulo e saio da cama. Theo coloca os braços atrás da cabeça e está tranquilo me observando com um sorrisinho de lado. Seu torso descoberto revelando que não usa camisa e desvio os olhos dos gominhos em sua barriga. Olho para seu short e ali está o que me despertou.

— Acordei você? — provoca.

— Você não sabe educar essa coisa! — ralho.

— Pelo contrário, docinho, ele é muito bem treinado. Foi você quem o despertou quando se aninhou ao meu corpo, então nem adianta ficar *bravinha* desse jeito.

Abro a boca para responder quando vovó bate à porta. Vou em direção a ela, e Theo se levanta também, espreguiçando-se e vindo atrás de mim. Estou com a mão na maçaneta quando percebo sua proximidade e me viro para ele.

— Está maluco? — pergunto sussurrando e ele tem uma expressão confusa. — Theo, sei que está me ajudando, mas, por favor, não saia deste quarto sem roupa. Não tire a roupa enquanto minha avó estiver aqui, por favor! — imploro.

Ele assente e não diz nada, mas sua expressão é séria e acredito que tenha entendido. Abro a porta e ele não vem atrás de mim, como pedi, foi vestir uma camisa.

Enquanto tomamos café da manhã, vejo Theo pelo canto do olho, movendo-se de um lado a outro pela sala. Não faço ideia do que está fazendo e quando finalmente vai para a cozinha, encontro uma desculpa qualquer para ir até ele.

Aproximo-me com um sorriso e pergunto baixinho:

— O que estava fazendo?

Ele tem um sorriso largo, deposita a xícara de café sobre a ilha e me prende em um abraço apertado.

— Bom dia, meu amor! — fala em voz alta e seus lábios quentes tocam os meus por segundos.

Sorrio, desvencilhando-me dele e volto à sala de jantar enquanto o observo com seu sorrisinho irritante e não consigo prestar atenção ao que vovó está dizendo. Só entendo quando ela se levanta, despedindo-se. Theo oferece a ela uma carona, que ela recusa, pois, vai passar o dia com algumas ex-colegas de trabalho que já estão chegando para buscá-la.

Respiro, aliviada, por ter algumas horas livre dela e da pressão que estou sentindo por estar mentindo para ela. Ela vai ao quarto buscar sua roupa e Theo finalmente se aproxima.

— Parece que a vovó ainda não viu aquela caixa chamativa na sala que contém os restos mortais do seu ódio por um casamento cancelado — comenta tranquilamente, como se não fosse nada demais. — Se eu fosse você me livraria dela antes que a velha a veja.

Engasgo com o café quente — é minha terceira xícara, aliás —, e na pressa para me levantar e colocar a xícara na mesa, acabo deixando que vire sobre mim, sobre a minha barriga. Um gemido me escapa enquanto minha pele queima e tiro a camisa gigante de Theo para ver o estrago. Ele está diante de mim, observando despreocupado o líquido sobre a pele e uso sua camisa para limpá-la o que o faz exibir de novo aquele sorrisinho que estou começando a detestar.

— Ah, Bruna, meu Deus! Você é tão inadequada! Não pode ao menos esperar que eu saia? — vovó ralha, irritada, surgindo de repente.

Theo é quem engasga agora, segurando o riso, e minha avó passa por nós resmungando sobre meu péssimo comportamento.

— Eu disse a ela para ter paciência, Constanza, mas sua neta parece possuir... — Ele para de falar e me observa. — Muito fogo.

Vovó abre a porta ainda me repreendendo e deixa o apartamento. Imediatamente corro até a sala e a caixa não está mais ali, sobre a mesinha de centro. Onde a deixei quando me mudei para cá com todos os restos daqueles planos de um casamento que seria amanhã.

— De nada, aliás — Theo diz e se afasta, mas seguro sua mão, impedindo-o.

— Você tirou a caixa daqui antes que ela visse?

— Achei que pareceria suspeito, uma vez que alguém rasgou quase tudo.

— Não poderia ter começado por essa parte quando falou da caixa?

— Poderia, mas então eu não a veria assim, com uma calcinha minúscula e esse top atrevido. Porra, Bruna! Você é mesmo gostosa pra caralho! Como meu pau é bem treinado...

Não espero que ele conclua a frase, vou marchando ao meu quarto vestir uma roupa.

Após o almoço tenho em mãos uma caixa cheia de mágoas. Já foram planos, já foram fatos, agora apenas são mágoas. Theo me observa ao longe, enquanto mexe em seu celular.

— Você deveria jogar isso fora — comenta.

— Se houvesse um lugar onde eu pudesse colocar fogo nisso sem ativar o alarme de incêndio, seria perfeito.

Ele se levanta e vem até mim. Tira a caixa da minha mão e vai até a porta, abrindo-a. Então se vira para trás e faz um gesto com a mão me chamando. Eu o sigo e entramos no elevador. Meus olhos estão sobre seu rosto, em um questionamento mudo de onde estamos indo, mas ele não parece se incomodar. Enquanto o observo fixamente, ele faz isso de volta. Por fim me canso e reviro os olhos, o que faz aquele sorrisinho voltar ao seu rosto. Descemos no vigésimo terceiro andar, o último do prédio, e sigo um Theo irritantemente silencioso por dois lances de escada. Há uma porta larga de ferro ao final dela e Theo a abre. Estamos então no terraço.

— Uau!

Observo a cidade abaixo de mim, as árvores cercando os prédios, os carros bem pequenos lá embaixo. O vento é fresco e parece zumbir em meus ouvidos.

— Vai me dizer que nunca veio aqui? — ele pergunta.

— Nunca fiquei sabendo sobre este lugar em todos esses anos em que moro aqui — respondo de má vontade.

Ele ri baixinho.

— Moro aqui a menos tempo do que você e encontrei este lugar.

— Porque você é enxerido! Quem pensaria em procurar um terraço? O que é aquilo? — pergunto apontando para uma espécie de panela de ferro grande logo adiante, cercada por bancos.

— Uma fogueira.

— Você está brincando!

— Não mesmo. Pronta para queimar essa coisa?

Vou direto até o local e ele está certo, é uma fogueira. Há carvão recémqueimado dentro dela. Observo que mais atrás, na outra extremidade do terraço, há uma cadeira de balanço de madeira. Theo coloca a caixa ao meu lado e se senta do outro lado, de frente para mim. Eu a abro e observo as coisas lá dentro. Theo acende a fogueira e logo as chamas dançam por conta do vento. Ergo a caixa e a viro de uma vez, jogando tudo que há nela na fogueira.

— Devo confessar que eu esperava uma cena adolescente pegando papel por papel dessa bagunça para queimá-los um por um. Esperava até as histórias patéticas sobre cada papel queimado e veja só você sendo prática. Você é oito ou oitenta, não é, Bruna?

Dou de ombros enquanto tudo some no fogo.

— Melhor do que ser zero — respondo.

— Então queime, Bruna, não só essa caixa — ele diz e o observo. — Queima essa mágoa, você não tem de passar por isso. Um rompimento não significa sofrimento, significa recomeço. Siga em frente.

— Estou seguindo, eu nem tenho chorado mais — respondo.

— Mas parece que você ainda é noiva — provoca e aponta para minha mão, o anel que brilha aqui do qual ainda não me livrei.

— Acho que eu sou. Acho que vou acordar e ir para o salão amanhã. Vou fazer meu cabelo e vestir aquele vestido que o Otto detestou, mas que achei tão elegante.

— Devo me surpreender por você tê-lo desobedecido ao menos uma vez? — provoca, irritando-me.

Ele não percebe que este momento é difícil demais para mim?

— Você não sabe como era nossa relação.

— Você também não. Parece perdida, presa a planos que estão queimando agora.

Ele está certo e isso me irrita ainda mais. Mais do que isso, fere-me. Porque não sei como era nossa relação, eu vivia uma vida compartilhada com alguém que não se compartilhou comigo.

— Você tem namorada, Theo?

— Não tenho paciência para essas coisas.

— Achei que diria algo assim.

Ele parece incomodado com minha resposta. Olho o anel no meu dedo, não sei o que ainda está fazendo aqui ou porque Olivia não arrancou meu dedo antes no intuito de tirá-lo, talvez soubesse que é algo que eu preciso fazer. Porque tirá-lo significa que aceitei que terminou. Significa fim, definitivamente fim.

— Como seus pais se conheceram? — Theo pergunta de repente e meus olhos cheios se desviam do anel para ele. — Tive a impressão de que sua avó não gosta muito da sua mãe.

— Meu pai era juiz, ele conheceu minha mãe quando julgou o caso dela.

Ele tem o cenho franzido e seu corpo pende para frente, esperando que eu explique.

— Ela teve um marido antes dele, que a agredia e quase a matou. Meu pai o condenou. Então se apaixonou por ela. Mas ela não era a nora que minha avó queria, nem de longe. Quando ela se envolveu com meu pai, não havia mais nada da mulher submissa que apanhou por anos. Ela queria ser ouvida, queria impor suas vontades e isso aos olhos da minha avó era inaceitável. Ela achava que minha mãe o tratava mal, que ele a obedecia. Achava que ela o fazia infeliz.

— O que aconteceu com sua mãe? Sua avó disse que seu pai morreu em um acidente de lancha, mas, e sua mãe?

— Eu era pequena quando ele morreu, minha mãe me levou para o nordeste e por anos nem sequer vi minha avó. Ela dizia sempre que não queria a bruxa velha se intrometendo na minha vida.

Sorrio com as lembranças e ele sorri também.

— Quando eu tinha doze anos minha mãe morreu, após anos de luta contra uma doença, ela perdeu a batalha. E fui morar com minha avó. E aquela nora obediente e recatada que ela sempre sonhou, a espelhou em mim. Quando soube que eu estava namorando o promissor Otto D'Ávila foi a primeira vez na vida que me elogiou.

Ele não diz nada. Porém sinto que entende o que estou dizendo, na maneira como seus olhos estão nos meus e ele assente devagar. É como se me dissesse que sabe do que estou falando.

Tiro o anel do meu dedo e o jogo no fogo.

— Puta que pariu! Oito ou oitenta! — ele comenta com um sorriso.

Observo a joia queimar e me levanto, indo até a cadeira de balanço. Sento-me sobre ela e Theo logo se senta ao meu lado. Ele balança a cadeira devagar com os pés enquanto observo o céu acima da minha cabeça.

— Era o que eu estava buscando aqui — ele diz. — O céu acima de mim. Apenas o céu acima de mim. Sem luzes, construções ou árvores que se intrometam no azul. Foi assim que encontrei este lugar. Você precisa ver como é aqui à noite.

— Podemos ficar até escurecer — sugiro. — Você precisa ir trabalhar hoje, não precisa?

— Na verdade, sim, mas não vou. Seria arriscado inventar algo que justifique minha ausência durante a noite, sua avó desconfiaria.

— Talvez seu pênis precise mesmo de um descanso.

Ele ri alto, joga a cabeça para trás em uma gargalhada.

— E eu achando que você ia se desculpar por me fazer perder dinheiro.

— Eu não me desculpo, só se estiver realmente errada. Passei dois anos da minha vida pedindo desculpas.

— Podemos esperar o sol se pôr e as estrelas aparecerem. Não vamos vê-lo, porque ele se vai atrás de prédios como esse, porém as estrelas não podem ser escondidas. Você vai gostar.

Ficamos em silêncio, já é final da tarde e em breve vai anoitecer. Minha mente se perde em lembranças de pedidos de desculpa, perde-se nas minhas culpas, as que eu tive e as que assumi. Quando ergo os olhos há o céu estrelado acima da minha cabeça. Theo está olhando para elas, relaxado ao meu lado. Ele parece alguém que não se preocupa muito, talvez isso seja legal.

— Onde você trabalha? — Tento de novo e ele sorri.

— Em um lugar que sua avó morreria se precisasse entrar.

— Isso não é muito difícil. Por falar nela, precisamos ir. Já deve estar chegando.

Eu me levanto e vou em direção a porta de saída, ele vem atrás de mim. Descemos os lances de escada e entramos no elevador. Ele mantém as mãos no bolso da calça que usa e quando as portas se fecham, ele diz:

— Não se culpe. Se alguém se aproxima de você e parece ser aquilo que você precisava, se esse alguém te promete o mundo e usa palavras doces, fazendo-a acreditar que é melhor do que realmente é, a culpa não é sua.

— Mesmo se eu tiver percebido que esse alguém não era exatamente um anjo e tiver escolhido ignorar e continuar?

— Não foi escolha sua, foi dele. Você ignorava porque ele sabia o que fazer, o que dizer, para acalmá-la. Vai ser escolha sua se voltar para ele depois, mas enquanto acreditava nas promessas que ele fazia, a escolha não era sua.

As portas se abrem e ele desce. Mas suas palavras ficam em minha mente por um bom tempo.

Estou preparando o jantar quando minha avó chega. Nota que Theo não está por perto e nem sequer olha em minha direção quando pergunto como foi seu dia. Ela inicia um monólogo sobre a vida financeira de todas as suas ex-colegas e me pergunto onde Theo está. A conversa que tivemos mais cedo, até mesmo sua atitude de estar comigo naquele momento, de conversar para me distrair e me consolar acabou me fazendo perceber que podemos ser amigos. Ele não tem de ir embora. Na verdade, tê-lo aqui vai me ajudar, ter alguém para conversar, não me sentir tão sozinha.

Ele não é tão ruim quanto eu imaginava.

— Oh! — O arquejo de espanto da vovó chama minha atenção e é aí que vejo.

Theo está saindo do banheiro. O cabelo molhado pingando pelo piso, os olhos verdes tranquilamente fechados enquanto se exibe secando o cabelo com a toalha. Completamente nu. Ele abre os olhos e dá de cara com minha avó, boquiaberta.

— Ah, você voltou, Constanza.

— O que está fazendo? — pergunto aos berros e corro até ele. Puxo a toalha de sua mão e a passo em volta de sua cintura. — Desculpe, vovó! Ele não vai mais fazer isso.

— Você está aborrecida, docinho? — provoca. — Sua avó parece estar precisando ver um pênis. Faz bem para as vistas de vez em quando.

— Cala a boca! — ralho e o pego pela toalha que ainda seguro, arrastando-o até seu quarto.

Em seguida volto correndo para a cozinha. Vovó está pálida como um fantasma, pego um copo de água com açúcar e coloco em sua mão, mas também preciso ajudá-la a bebê-lo, pois não parece ser capaz de fazê-lo sozinha.

— O Otto, ele apareceu... Ele disse... O Otto.

Ela está em choque por descobrir que Otto D'Ávila não é tão correto.

— Ninguém é perfeito, vovó. Sinto muito! — consolo-a enquanto acaricio seu ombro e planejo matar Theo D'Ávila.

O jantar é ainda pior que o de ontem. Vovó não quer olhar para Theo, enquanto ele tem um sorriso tranquilo no rosto e a observa fixamente, provocando-a. Chuto sua perna por baixo da mesa e ele me lança um olhar irritado, mas continua a provocá-la. Por fim, ela se retira cedo e avisa que na manhã seguinte irá embora.

Assim que fecha a porta do quarto, acerto um chute mais forte em Theo.

— Ei! Você tem problemas com controle de raiva? — pergunta.

— Acho que tenho. Você ficou maluco?

— Eu não sabia que ela estava aqui, combinamos de ter liberdade dentro de casa, lembra-se? Depois que ela me viu nu não havia muito que eu pudesse fazer.

— Sua liberdade dentro de casa morre no meu direito de não ter de ver seu pênis balançando por aí! — retruco baixinho para vovó não escutar.

— Se não quer vê-lo, não olhe. Não sou obrigado a cobri-lo só porque você não quer vê-lo.

— Você é obrigado a cobri-lo porque é o que homens normais fazem.

— Nunca me considerei um homem normal.

— Jura? E o que teria feito, Sr. Pássaro Livre, se ela tivesse tido um infarto?

— Você está brava desse jeito porque a imagem que sua avó tem do seu precioso Otto foi manchada? Está brava porque talvez ela acorde amanhã e decida que ele não é o genro dos sonhos dela?

— O quê?!

— Você planeja voltar para ele, Bruna, é por isso que ainda usava o anel. Você ainda é noiva, pensa como uma noiva, age como uma. Você poderia ter contado a sua avó que ele não passa de um babaca mimado que fugiu e a deixou às vésperas do casamento, mas não teve coragem. Porque você vai voltar para ele. Então me desculpa se manchei a imagem imaculada dele para sua família!

— Você fez isso de caso pensado! — constato, irritada.

— E se for? — desafia.

— Não sei! Não esperava isso. Acho que você é louco!

A porta abre e vovó aparece com uma pasta que não devia ter encontrado em mãos.

Merda! Merda! Merda!

— O que é isso, Bruna Volpato? Você foi demitida da D'Ávila? O que está acontecendo?

É a pasta da minha rescisão que eu devia ter jogado no fogo também. Começo a pensar que eu devia ter me jogado ao fogo de uma vez. Preciso pensar depressa em como explicar isso, mas mais uma vez a voz de Theo é ouvida antes da minha.

— Ela se demitiu como assistente, porque vai ser minha sócia — ele diz e os olhos da vovó brilham.

— Bruna? Sócia da D'Ávila? Alonso concordou com isso?

— Claro! Eu exigi isso dele! — Theo responde com tanta confiança que preciso disfarçar meu choque. — Minha futura esposa não poderia continuar sendo minha subordinada, não é mesmo?

— Ah, claro! Você está certo, Otto, querido! Bruna será sócia de uma firma em ascensão como a sua! Fico tão contente! É o primeiro passo para que ela assuma a Volpato futuramente. Meus sobrinhos-netos não são bons como era André, Bruna é quem deve assumir a firma.

E assim ela passa mais alguns minutos contando a história de sua reconhecida firma de advocacia e volta a admirar Otto D'Ávila como se ele fosse de novo perfeito.

Quando deixo o banheiro social minúsculo, perguntando-me como Theo cabe nesse boxe, preciso parar no corredor e respirar fundo antes de entrar em seu quarto. Isso tudo está errado.

Viro-me em direção ao meu quarto para acabar com isso de uma vez por todas. Contar à vovó que apenas me demiti, que consegui outro emprego e que fui abandonada por meu noivo. Contar que quem vive comigo é Theo, irmão gêmeo dele, e que não sei o que fiz de errado para ser largada. Mas minha mão paira no ar e não tenho coragem de bater à porta.

Será que Theo está certo sobre meu estado civil? Eu espero voltar para Otto? Ainda sou sua noiva? Como se o destino quisesse me pregar uma peça, meu celular apita uma mensagem de Otto.

Meia-noite, lindinha. Hoje é nosso dia. Não será como

planejamos, mas não deixa de ser nosso. Irei passá-lo cada segundo, cada hora, pensando em você.

Não respondo. Theo está deitado na cama como ontem, usa um short e nada de camisa. Quando seus olhos claros encontram os meus, ele se vira para o outro lado.

— Limpei a barra do meu irmão, você pode voltar para ele em paz. Deveria me agradecer — comenta.

— Theo, fui eu quem o procurou durante a noite?

— Não agarrei você enquanto dormia — responde ainda de costas.

— Vou dormir no chão esta noite.

— Meu pau pode sobreviver ao aconchego da sua bunda mais uma manhã, deite-se na cama.

— Eu...

— Bruna, pare! Isso está além de mim, não vou deixá-la dormir no chão, então se deite — ralha, sentando-se e me encarando, irritado.

— Então durma no canto você.

— E quando for me assediar durante a madrugada vai dar com a cara no chão — ele provoca, mas se deita no canto.

— Eu não sou criança para cair da cama, seu babaca!

Apago a luz e me deito de costas para ele. Escuto quando ri baixinho, mas não faço ideia do motivo. Leio mais uma vez a mensagem de Otto e não sei como me sentir. Hoje seria meu dia. Eu deveria não conseguir dormir por estar ansiosa e feliz, não dividir a cama com o irmão gêmeo safado dele.

Não sei quanto tempo fico acordada pensando em tudo o que deveria estar vivendo, mas quando vou me mover na cama caio de cara no chão.

Permaneço como estou, a cara no chão como Theo previu, sem forças para levantar. E é mesmo desconfortável, ele estava certo. Ouço-o se mover na cama e escuto sua risada baixinha.

— Você está morta? — pergunta aos sussurros.

— Não, mas acho que também não estou viva.

— Eu poderia voltar a dormir e deixá-la aí, mas está além de mim. Você não vai dormir no chão, não esta noite.

Então sinto seus braços em meu corpo. Ele me pega no colo e me acomoda na cama, no canto, cobrindo-me em seguida.

— Por que Otto não teve aulas de cavalheirismo como você? — pergunto fechando os olhos, o sono me pegando finalmente.

— Porque ele não usa isso para conseguir sexo, como eu.

Sorrio. Sinto sua respiração em meu rosto, seus joelhos encostam nos meus.

A cama é realmente pequena.

— Você não precisa ser gentil para conseguir sexo, é bem dotado.

Ele ri alto num primeiro instante, mas se controla.

— Também sou bonito e desejável, não se esqueça disso.

— Eu vou rolar para cima de você à noite.

— Eu sei, estou contando com isso.

— Então me ajeita em você de uma maneira que seu pau não me acorde pela manhã — peço já com a voz arrastada.

Ele não diz nada, tampouco se move. Com muito esforço consigo abrir os olhos e ele está me observando. Ele desvia os olhos e disfarça, mas acho que o deixei desconfortável.

— Isso não seria possível levando em conta o tamanho dele — provoca.

Apenas sorrio e o sono me vence.

Assim que vovó passa pela porta, volto para meu quarto, minha cama. Em um cabideiro dentro do *closet* está meu vestido de noiva. Eu deveria usá-lo hoje, é o dia dele, tenho esperado para vesti-lo há longos seis meses. Observo a peça branca elegante e algo dentro de mim parece romper. Permito-me apenas sentir essa dor em vez de tentar fugir dela. Espero senti-la toda, para que possa me livrar.

Meu celular está desligado desde que me levantei esta manhã, não quero mensagens. Não quero ligações. Não quero palavras doces que me fazem ignorar as atitudes ruins. Chega disso.

De tarde, Olivia aparece, tenta me levar para beber, para dançar, para voar de helicóptero, coisa que adoro e que ela nunca oferece, mas nada me tira dessa cama. Ela me faz comer algo feito por Theo e por fim vai embora. Já é noite quando me levanto da cama. Imagino que Theo tenha finalmente voltado ao trabalho. Tomo um banho e começo a me maquiar.

Eu deveria fazer um penteado elegante como esse vestido, mas apenas deixo meu cabelo solto. Então o visto. Como imaginei, ele fica perfeito em mim.

Eu não experimentei meu próprio vestido de casamento por conta de uma superstição boba da minha mãe, mas que não tive coragem de desafiar. Ela dizia que o noivo deveria ser a segunda pessoa a ver a noiva. A primeira após a própria noiva. Que deveria ser privilégio dele admirar a mulher que se vestiu para se entregar a ele. Que assim eles devem começar sua vida juntos, e por mais que eu soubesse que isso é apenas uma crença, como a de que o noivo ver a noiva antes do casamento dá azar, achei essa bonita demais para não seguir. Levando em conta que Otto desaprovou completamente meu vestido, seria ainda mais especial vesti-lo apenas neste dia.

E me sinto especial quando me olho no espelho. A peça branca é colada ao meu corpo, ela ressalta cada curva, seu decote não é fundo, mas comportado. Possui alças delicadas que se cruzam nas costas nuas. A calda é delicada e quando caminho balança em volta das minhas pernas. Não pareço uma princesa. Não uso joias e rendas caras. É elegante e me faz sentir deslumbrante.

Saio do quarto para caminhar pelo apartamento com meu vestido. Então dou de cara com Theo, bebendo algo na sala. Ele deixa a taça de lado quando me vê e se levanta. Boquiaberto, observa-me demoradamente. Seus olhos passeiam por cada centímetro do tecido, repetidas vezes.

— Vai dizer que é simples demais? — pergunto. — Ou vai dizer que estou louca por vestir isso hoje?

— Você é a mulher mais bonita que eu já vi na vida. E eu já vi muitas mulheres. Muitas mesmo.

Giro diante seu olhar atento e caminho até o sofá, jogando-me nele.

— Obrigada! — digo. — Não pelo elogio, mas por ontem.

Ele se senta ao meu lado. Uma chuva de verão começa lá fora e adoro o cheiro que entra pelas janelas abertas. Nenhum de nós se move para fechá-las.

— Está me agradecendo por ter limpado a barra do Otto?

— E por tê-la sujado, para começar. E pelo terraço e pela conchinha.

— Neste caso, vou dizer que você é louca, mas não ingrata. Disponha, Bruna.

Ficamos um tempo em silêncio apreciando a chuva, quando ele diz:

— As pessoas mereciam vê-la nesse vestido. Você é provavelmente a noiva mais gostosa que já passou por esse mundo.

Sorrio, ele também tem um sorriso quando o observo.

— Fiquei com pena de nem sequer vesti-lo. Hoje deveria ser o dia dele.

— Então torne este o dia dele — sugere.

— Como? Devo invadir um casamento usando-o? A essa hora da noite?

Ele se vira no sofá de frente para mim e faço o mesmo, observando-o, atenta.

— Crie uma lembrança com ele que não tenha a ver com um casamento. Algo que vá marcá-la, da qual você não vai se esquecer.

— Tipo me sentir abandonada no dia que deveria ser meu casamento? Já fiz isso, mas obrigada — digo e me levanto para beber o que quer que ele estivesse bebendo antes.

Porém, nem chego à taça, ele se levanta e me puxa pela mão de encontro ao seu corpo. Suas mãos seguram meus braços e seus olhos percorrem meu rosto.

— Isso é um tremendo erro — diz. — Então me impeça.

— Impedi-lo de quê?

Seus olhos parecem famintos, minha respiração acelera por nada e suas mãos passeiam por minha pele de maneira possessiva. Os olhos intensos estão sobre meus lábios e penso que vai me beijar, mas ele não o faz. Ao invés disso, sussurra:

— Me diga para não fazer isso.

Não digo, não digo nada. Não sei o que vai fazer, mas não vou impedir. Quando espero que seus lábios toquem os meus, ele gira nossos corpos e guia o meu até o sofá. Caio para trás sobre ele e Theo toca a barra do meu vestido. Não consigo desviar meus olhos de seus movimentos enquanto ele alisa o tecido macio.

— Me diga para não fazer isso — pede de novo baixinho e mais uma vez não consigo dizer nada.

Seus dedos tocam minhas pernas, por baixo do vestido e um arrepio me toma dos pés à cabeça. Ele acaricia a pele devagar, depois volta a segurar o vestido e num gesto único e rápido, rasga a peça. Seus olhos estão nos meus e ele pede:

— Não me peça mais para não fazer isso.

Ele se ajoelha entre minhas pernas e seus lábios tocam a pele suavemente. Suas mãos rasgam ainda mais o vestido enquanto seus lábios sobem e alcançam a parte interna da coxa. Eu me mexo involuntariamente quando sua língua desliza por minha pele em direção a minha calcinha. Sinto o calor de seus lábios, da sua língua por cima da renda e não sei dizer se quem a está molhando sou eu ou ele.

Um gemido me escapa e ainda o estou observando, seu cabelo escuro entre minhas pernas os movimentos suaves de sua cabeça enquanto sua boca faz meu coração disparar e meu corpo todo aquecer. De repente não sinto mais sua boca em mim e seus olhos verdes estão focados em meu rosto. Devagar ele tira a calcinha, descendo-a por minhas pernas e volta à sua posição anterior. Seus olhos permanecem em mim enquanto aproxima o rosto do meu centro e sinto sua língua dessa vez, deslizando devagar por meu clitóris, sem nada em seu caminho. Não consigo mais, fecho os olhos e me perco em gemidos altos quando esse passeio se torna seus lábios chupando com força.

Ele segura minha perna e a apoia em seu ombro, abrindo-me mais para me penetrar com a língua. Minhas mãos involuntariamente puxam seu cabelo, meu corpo entra em frenesi, no ambiente há o som da chuva, agora baixinho, da sucção de sua boca em minha boceta e dos meus gemidos incontroláveis sempre que estou prestes a explodir.

E explodo.

Gozo em sua boca, e ele continua chupando, lambendo, até que eu não tenha mais forças. Até que eu sinta o último resquício de prazer sair do meu corpo e esteja mole e saciada sobre o sofá. Só aí ele se afasta, seu corpo está sobre o meu, seus lábios brilham e seus olhos são ainda mais intensos do que antes. Não dizemos nada, nem sequer voltei a mim. Ele deita o corpo firme sobre o meu se desfazendo e deposita um beijo casto em meus lábios.

Só isso, um toque leve, levanta-se em seguida e vai para seu quarto.

E fico mais algum tempo no sofá, aberta, saciada, quente e confusa.

CAPÍTULO 6

Theo

O sol quente toca minha pele e abro os olhos. Na boxer, o incômodo que parece estar aqui a uma vida inteira. Sento-me na cama e observo a porta, a mesma onde estive ontem, lutando contra um desejo avassalador de voltar àquela sala e terminar o que comecei. De colocar aqueles lábios carnudos no meu pau e me derramar neles. Ela queria que eu terminasse, foi por isso que veio até mim. Ouvi seus passos, posso jurar ter sentido seu cheiro, embora ele pudesse estar vindo dos meus próprios lábios. Senti sua respiração acelerada e até mesmo a hesitação nos minutos em que ficou parada ali, nos minutos em que rezei que ela batesse à porta.

Um toque. Bastava um toque e eu a teria aberto e teria terminado isso. Teria me afundado nela e meu pau não se encontraria agora em um estado lamentável de necessidade depois de uma noite em que não consegui pregar os olhos. Eu comecei isso. Fui eu quem perdeu a cabeça ao vê-la naquele maldito vestido, eu fui o selvagem que rasgou o tecido delicado e tomou sua boceta para que ela tivesse lembranças novas com ele.

O que eu tinha na cabeça?

Tenho a impressão de que também não vou tirar essas lembranças da mente nunca mais. Há tempos não desejo tanto algo como desejei Bruna ontem à noite. Como a desejei por toda madrugada. E ela é a merda da noiva do meu irmão. Esse término é o que Otto diz que é: é temporário. E ainda que ela não o amasse mais, ela foi dele, ele a marcou como sua e eu jamais devia ter colocado a boca nela.

O som do telefone tocando me faz dar um pulo e o nome de Otto na tela aumenta essa culpa que parece pesar minha mente. Prefiro não atender, não agora. Se ele me perguntar como Bruna passou o dia de ontem, como lidou com ele, como posso responder que se distraiu por alguns minutos enquanto gozava na minha boca? Decido então não atender, nós nos falaremos outra hora.

Visto algo rápido e presto atenção aos barulhos pelo apartamento. São quase 11h, ela com certeza já está acordada, mas ainda não saiu do quarto. Talvez esteja se sentindo tão culpada quanto eu. Até paro em frente sua porta e penso em bater para tirar dela qualquer culpa, para dizer que eu fui o selvagem, a culpa foi minha e não dela, mas igual a ela, sou covarde.

Pego minhas coisas e deixo o apartamento.

Já é final da tarde e a Casa está quase pronta para sua abertura, quando meu telefone toca. Respiro aliviado ao constatar que não é Otto, uma vez que ele ligou quatro vezes durante a tarde e não atendi nenhuma de suas ligações. Atendo de imediato e a voz do outro lado da linha é do meu irmão.

— Finalmente você atendeu! Isso me faz pensar que não queria falar comigo, irmão.

— E você ligou de outro número como uma mulher ciumenta — respondo a contragosto.

— Só quero saber como Bruna está. O casamento devia ter acontecido ontem, tentei falar com ela o dia todo, mandei mensagens, liguei. Ela não atendeu e não retornou, nem sequer respondeu às mensagens. Nem tenho certeza de que continua com o mesmo número.

Sua voz soa preocupada, triste até. Ele para de falar e não digo nada, porque temo o que pode sair da minha boca.

— Está me ligando para saber se ela trocou de número? Eu não saberia dizer. Não tenho o número dela — digo enfim, depois de segundos perturbadores de silêncio.

Só quero encerrar a ligação.

— Estou ligando porque estou preocupado com ela. Você a viu ontem? Esteve com ela? Como estava? O que disse? Como agiu? Ela comentou que não queria me atender? Ela disse algo sobre...

— Otto, eu não estou naquele apartamento para vigiá-la. Se quiser saber da sua noiva, ligue para ela.

— Acabei de dizer que ela não me atende.

— Então venha até ela. Se estivesse mesmo preocupado não estaria nas Bahamas agora, estaria em lua de mel com ela em algum lugar medíocre para onde a levaria!

— O que há com você?

Talvez seja a culpa que sinto que faz seu tom parecer desconfiado. Talvez seja a culpa que estou colocando nele por tê-la deixado e me feito conviver com ela, mas uma raiva inesperada me toma e só quero mesmo encerrar essa merda de ligação.

— Você não está preocupado com ela ou em como passou o dia. Está preocupado que ela não esteja disponível para você quando você estiver para ela.

— Está insinuando que ela tem outra pessoa? — Sua voz soa incrédula e irritada.

— Não estou insinuando nada, não sou amiguinho da sua noiva, não sei nada sobre ela além do que você me disse. Estou naquele apartamento apenas para fazer o que me pediu, não para vigiá-la. Não espere que eu vá passar informações sobre ela.

— Você está no "meu" apartamento para convencê-la a vender sua parte para mim. Como anda isso? Já falou com ela? Ela parece mais propensa a reconsiderar?

— Otto...

— Acho que você a está defendendo demais, Theo. Você está certo, não está na minha casa para vigiá-la ou se aproximar dela. Sua tarefa é apenas garantir a venda do apartamento, nada mais.

— Você pode convencê-la. Já a manipulou pelos últimos anos, por que nem ao menos tentar agora? Faça você com que ela venda a parte dela e eu deixo sua casa hoje mesmo — proponho e encerro a ligação.

Penso que essa é a melhor solução para todos nós. Quando a Casa fechar, vou pegar minhas coisas, despedir-me dela, pois preciso me desculpar pelo que fiz, e espero nunca mais ter de vê-la.

Mas antes mesmo que a Casa feche, a mensagem de Otto chega, após duas ligações perdidas. Tenho certeza de que seria muito melhor não abrir, mas o faço.

Se deixar meu apartamento sem garantir que Bruna venda sua parte, venderei minhas ações do seu puteiro ao nosso pai. Não faz ideia de quantas vezes ele tentou comprá-las. O que acha que ele faria sendo dono da metade do que você possui? Nós temos um acordo, Theo, espero que você o cumpra. Se falhar ou desistir, não terei mais de cumprir a minha parte. Lembre-se disso.

— Maldito! — grito e arremesso o celular.

Júlio me observa com atenção, como tem feito desde que chegou; e eu já estando aqui. Espero que pergunte ou tente adivinhar, ele me conhece muito bem, mas não faz nada, não diz nada. Nem sequer pergunta quando pego minhas coisas e deixo a Casa sem me despedir.

Só preciso convencê-la a vender sua parte, se eu fizer isso hoje mesmo, estarei livre.

Talvez eu use a cena da noite anterior contra ela, eu poderia fazer isso, dizer que vou ficar, pois não tenho para onde ir e ela deve se mandar para vencer a culpa que sei que está sentindo.

Bato à sua porta, chamo seu nome. Minha voz soa mais irritada do que pretendia, e talvez isso a assuste. Ou então ela só não se sente pronta para me encarar agora, pois não abre. Finge estar dormindo. A luz está apagada e não há qualquer som além de algo que reproduz o barulho de mar. Ela não quer ser incomodada e não vou conseguir falar com ela esta noite.

Ainda assim, arrumo minhas coisas antes de dormir. Só preciso de uma conversa com ela e poderei ir embora daqui.

Mas mal a vejo na segunda-feira. Sei que começou em um emprego novo, pois deixou o apartamento muito cedo. Espero impaciente pela noite, a Casa não abre hoje, então fico de plantão próximo à entrada para que ela não tenha opção de não me ver. Ainda assim ela passa por mim direto, com um boa-noite seco e finge não ouvir quando a chamo. Ela se tranca em seu quarto e aquele som infernal das ondas do mar impede que me escute chamá-la.

Na terça também não a vejo. Ela sai sem fazer qualquer barulho e não estou mais em casa quando volta. Quando chego, conforme havia previsto, já está em seu quarto com o maldito som das ondas. E isso se repete por toda a semana, até que chega o final de semana e ela não terá mais como escapar de mim. Arrasto uma cadeira para o corredor, meus olhos fixos em sua porta.

Assim que sair de seu quarto, terá de falar comigo.

Quero dormir, pois a noite na Casa foi turbulenta, mas não o farei até conseguir falar com ela. Porém o sono me vence e, quando acordo, o sol já se despede. Ela não está e há um cobertor sobre mim.

— Merda!

Ela chega quando estou indo para a Casa, já que saio um pouco atrasado, apenas responde meu boa-noite, mas ao menos desta vez ela olha em meu rosto ao fazer isso. É aí que vejo seus olhos. Esses olhos castanhos atrevidos estão tristes. Ela possui olheiras e uma expressão cansada. Parece ter chorado recentemente. Parece não estar dormindo bem.

Mas como poderia com aquele som infernal que coloca para que eu não consiga falar com ela?

Bruna entra em seu quarto e sei que não a verei novamente nos próximos dias.

E por toda a noite seu rosto fica voltando à minha mente, porque acho que desta vez a culpa de sua tristeza é minha. Eu perdi o controle com ela e a culpa que sente por aquela noite a está consumindo. Se ela soubesse que o babaca do Otto não merece qualquer culpa... Mas, ela não sabe. E eu preciso corrigir isso.

Seu celular está no sofá quando chego, há o cheiro recente de vinho e alguns amendoins numa bandeja sobre a mesa de centro da sala. Penso que ela perdeu o horário assistindo algo e entrou correndo em seu quarto quando cheguei. A tela acende enquanto desligo a televisão e o nome de Otto aparece. Seguro o aparelho que apenas vibra, a ligação cai e a notificação diz que são doze ligações perdidas. Por algum motivo ela não desliga o celular para que não chame, tampouco bloqueia o número dele.

Porque ela quer que ele ligue. Ela deve querer atender, mas se sente culpada.

Minhas coisas estão arrumadas nas mochilas e, por mais que as ameaças de Otto sejam reais, ele é frio e egoísta o bastante para cumpri-las, não tenho certeza de que aguentar dividir a Casa com nosso pai seria pior do que magoar uma pessoa inocente. Quando o dia nasce decido que não. Preciso ir embora daqui hoje mesmo.

Após algumas horas de sono, é dia lá fora quando vou tomar um banho.

Como imaginado, Bruna está presa em seu quarto, não há o som irritante das ondas do mar, há apenas o silêncio. De repente este lugar tão arejado e com uma vista de tirar o fôlego, parece frio e sem graça. Ensaio no chuveiro como vou dizer a ela que a culpa foi minha. Espero que me culpe, que me olhe com mágoa, que me agradeça por estar indo embora.

Desligo o chuveiro, enrolo-me na toalha e quando abro a porta, ouço apenas o barulho que vem da cozinha e o grito que ela solta por segundos. Sua mão está na testa e uma das panelas que mantenho penduradas sobre o fogão está em cima da ilha. Eu a observo com um sorriso que não consigo evitar e ela parece apenas irritada enquanto caminha até a geladeira e pega um cubo de gelo, que mantém pressionado sobre a testa enquanto tira todas as minhas panelas de seus lugares.

Bem, talvez eu possa cozinhar algo para nós dois antes de ir embora. Será mais fácil assim, conversarmos enquanto comemos. Vai ser uma despedida justa.

Estou cortando os legumes quando ela sai de seu quarto. Usa uma blusa grande do Mickey, que alcança o meio de suas coxas e não tenho certeza de que há um short por baixo dela. Surpreendentemente, ela se senta em uma banqueta em frente à ilha. Seus olhos não estão sobre mim, no entanto. Ela observa as unhas por um tempo então finalmente, seus olhos buscam meu rosto. Finjo não estar percebendo enquanto me concentro nos movimentos que faço com a faca, mas quando ela abre a boca, movo-me mais devagar, pois não quero acabar sem um dedo.

— Theo, será que podemos não ficar nesse clima estranho?

Eu a observo de volta, surpreso.

— Nós moramos juntos. E, de certa forma, você me ajudou. Seria melhor se fôssemos amigos e não dois estranhos, você não acha? — insiste.

— Você não me odeia, então?

— Por que eu o odiaria?

— Porque fui um selvagem, rasguei seu vestido e tomei você como se tivesse permissão para isso.

Seu rosto se tinge de vermelho, mas seus olhos não se desviam dos meus.

— Eu não disse não. De certa forma, dei permissão para isso.

— Bruna, sobre aquela noite...

— Não era para ter acontecido — ela completa e assinto. — Foi um erro de nós dois. Seria melhor se não falássemos mais sobre isso, se fingíssemos que foi apenas um sonho. Mas claro, se você sentir que deve contar ao Otto...

— Não há nada que ele precise saber. Nada aconteceu, certo?

Ela assente e parece aliviada. Então vai ser assim, o clima ainda vai ficar estranho por algum tempo se eu ficar aqui, mas ao menos ela não vai agir como se eu não estivesse. Volto a picar o pimentão, quando ela diz:

— Quando vai me dizer onde você trabalha?

Paro o movimento e a observo, talvez não fique um clima estranho, afinal.

Um sorriso teimoso está em meu rosto.

— Eu já disse.

— E no que você se formou para trabalhar em um puteiro? Imagino que não foi em anatomia.

Uma risada me escapa e volto ao pimentão.

— Administração? — Tenta mais uma vez. — Ah, fala sério, você não é chefe...

Eu a observo de lado com um meio-sorriso e seu rosto se tinge de vermelho, ela desvia os olhos e baixa a cabeça. É uma reação estranha, que ela disfarça rapidamente e, para cortar esse clima confuso que surge de repente, respondo à sua pergunta:

— Vou te dizer onde não trabalho, em um puteiro.

— Não?! — Ela parece surpresa, como se acreditasse realmente que trabalho em um.

— Achou mesmo que eu fosse um puto?

— Bem, você poderia, tem tanta experiên... — ela para de falar e morde a língua, o que me faz rir.

— Obrigado, Bruna! Apesar de nada ter acontecido, me sinto lisonjeado que tenha curtido nosso sonho compartilhado.

Ela sorri.

— Não se sente, não — afirma.

— Não mesmo, eu sei que você curtiu, eu provei isso bem de perto.

— Isso é você não tocando no assunto? — desafia.

— Que assunto?

Ela ri, observa-me com uma expressão leve, divertida, não há culpa ou mágoa na maneira como seus olhos percorrem meu rosto.

— Então estamos bem — conclui.

— Depende, você vai voltar a dar em cima de mim? Achei curioso, porque dormimos juntos na mesma cama e você não tentou nada. E bem, eu chupei você, e você foi até mim em busca de mais, mas não teve coragem de bater à porta. Será que estava mesmo interessada em mim? Quer dizer, por que mais você daria em cima de mim daquele jeito? — provoco.

— Eu nunca dei em cima de você, não sei do que está falando. — Sua voz soa inocente, embora seus olhos se desviem quando a observo.

— Tem razão, acho que me confundi.

— É compreensível. Imagino que as mulheres à sua volta sempre deem em cima de você. Posso entender que tenha pensado que sou uma delas. — Observo-a, confuso e ela se explica: — Você é gostoso e com certeza bem experiente.

Então acontece: corto a merda do dedo.

Sua expressão é assustada enquanto lavo o sangue na pia e ela se levanta vindo em minha direção. Não mesmo, não vou passar por outra cena de acidente na cozinha com ela.

— Bruna! — digo firmemente me afastando e ela para onde está. — Você está proibida de ficar nesta cozinha enquanto eu estiver cozinhando!

— Mas... Seu dedo... Deixe-me ver — pede se aproximando mais e enfio o dedo na boca, antes que ela o faça.

Nós nos observamos. Na primeira vez meu dedo esteve entre seus lábios tentadores, mas acredito que consegui evitar outra façanha dessas. E a atrevida quer rir, mal consegue controlar. Aponto em direção ao corredor dos quartos e ordeno:

— Fora! Ou vai ficar com fome.

— Tudo bem, estou indo. Cuidado com essa faca, você é bem desastrado! — grita enquanto se afasta.

— Foi você quem bateu a cabeça na panela — retruco.

Sua resposta é apenas uma risada. Uma risada alta e gostosa. E o apartamento que minutos atrás era frio e sem graça, parece refletir as luzes lá de fora, o charme das montanhas e a beleza das luzes. O clima antes estranho, de repente é leve, convidativo. Enquanto faço um curativo no corte em meu dedo me pego rindo baixinho. Nunca sei o que ela vai dizer, como vai agir. Não dá para saber o que ela pensa. Bruna é surpreendente e adoro isso.

— Que merda estou fazendo? — pergunto-me repetidas vezes pouco depois, antes de bater à sua porta para que venha jantar comigo.

Nos dias que se seguem, as coisas continuam tranquilas.

Não há um clima estranho, tampouco voltamos a falar sobre aquela noite, mas também não a evitamos, como se nunca houvesse acontecido. De um jeito inesperado, tornou-se algo natural, algo que ocorreu e que não foi nada demais. Não que a culpa em minha cabeça concorde com isso, mas minha alma parece em paz. Não estamos nos evitando, tampouco temos nos visto com frequência. Nossos horários não coincidem e isso também não é nada demais. Quando nos esbarramos pelo apartamento ou pela portaria, conseguimos ter uma conversa normal para amigos que vivem juntos.

No sábado, acordo e vou direto para a academia. Depois, passo horas ensinando as crianças do prédio a nadarem. Suas mães estão por perto atentas aos nossos movimentos, e tarde demais percebo que não por causa de seus filhos, ou teria me exibido bem antes. A tarde se aproxima de seu fim quando enfim me despeço e subo para o apartamento. Chamo o elevador e seu Valdir, o porteiro diurno, vem correndo atrás de mim com um papel em mãos.

— Desculpe incomodá-lo, Sr. Otto, mas preciso entregar-lhe isto. Tentei entregar para a Srta. Bruna, chamei seu nome várias vezes, mas acho que ela não me ouviu.

Pego o papel de sua mão e vejo que se trata da taxa de condomínio, que está atrasada.

— Ela começou em um emprego novo e tem estudado muito, por isso anda distraída, peço desculpas por ela.

Ele sorri e desconversa, perdoando Bruna. Entro no elevador com o papel em mãos. O valor do condomínio é bem alto, não seria diferente na região em que fica, com os benefícios que oferece. E Bruna não o pagou desde que veio morar aqui. São duas taxas que cairão sobre seus ombros agora.

Ela está na sala, usa uma roupa de ginástica amarela berrante e tem o cabelo preso em um coque bagunçado. Suas mãos se encontram acima de sua cabeça e sua perna esquerda tenta se equilibrar sobre o joelho direito, mas ela cai para o lado. Tenta novamente, e de novo. Percebo que está vendo aulas na televisão, mas suas manobras não se assemelham as que estão sendo exibidas. Sento-me em uma poltrona e a observo por um tempo, um sorriso zombeteiro no rosto.

Ela logo diz:

— Ao menos minha yoga está servindo para diverti-lo.

— Nunca pensei que fosse tão desengonçada, Bruna. Onde você esconde esse seu lado vergonhoso?

Sua testa se franze em uma carranca, mas seus lábios exibem um sorriso contido.

— Pega leve, é minha primeira aula.

— Isso é tudo o que você é capaz de abrir a perna? — provoco quando ela tenta levantar o pé à altura de sua orelha, mas não alcança nem mesmo o ombro.

— Precisa abrir mais do que isso? O que vai se encaixar aqui? Um elefante?

— Bem, não, mas a essa altura acredito que não seja possível fazer a tesoura invertida.

Ela desce a perna e desliga a televisão. Está suada e sua respiração acelerada. Seus olhos estão focados em mim.

— Devo perguntar o que é tesoura invertida?

— Vou te dar uma resposta detalhada caso pergunte.

Ela sorri, sorrio de volta. Nossos olhares batalham, mas ela cede. Pega uma garrafinha de água e vai em direção a cozinha, quando me lembro do papel.

— O porteiro pediu que lhe entregasse isso.

Ela o pega da minha mão e engasga quando abre. Disfarça rapidamente, sorrindo sem graça e me agradece. Deixa o papel sobre a mesa de jantar e vai para seu quarto.

Quando retorna, já tomei meu banho e estou me arrumando para o trabalho. Ela usa uma camisa gigante que mais parece um vestido, com o Mickey holográfico estampado. O cabelo molhado cai por seus braços e seu cheiro floral é doce na medida certa. Ela come uma trufa do meu pote de trufas e observa de lado o papel.

— Você está indo trabalhar? — pergunta. — No seu emprego secreto?

— Por falar em trabalho, como vai o seu? Está gostando?

— Gostar seria uma afirmação exagerada, digamos que estou aceitando. Os chefes são legais, o local é decente, o salário não é nada mal, mas... — Ela para de falar e parece procurar uma palavra, por fim dá de ombros e desiste. — Falta algo.

— Bem, você é livre, sempre pode se demitir e procurar algo mais completo.

Ela nega com a cabeça, seus olhos buscam o papel com a cobrança dos condomínios e algo começa a passar por minha mente.

— Nós não falamos sobre isso, mas você pagou as contas, sozinha. Como posso ajudá-la?

— Este lugar não é seu, intrusos não precisam pagar contas — responde enquanto procura algo na geladeira, divertida.

Ela não encontra nada, já que vai até o bar móvel de Otto e pega uma garrafa de champagne.

Ela abre a garrafa com facilidade e, ao invés de se servir em uma taça, bebe direto do bico.

— Estou fazendo uma anotação mental de não tomar mais nada dessas garrafas, já que você não usa copos.

Ela dá de ombros.

— Não quero beijar sua boca por tabela — provoco.

Funciona, ela tira a garrafa da boca e me observa.

— Você já beijou lugares bem mais impróprios, não sei por que isso agora.

— Isso é você não falando sobre o que aconteceu?

— Nada aconteceu — responde com um sorriso e volta a beber o champagne.

— Já que você pagou as contas e fez a compra, eu pago o condomínio.

Ela engasga com a bebida e preciso socorrê-la. Aproveito para tirar a garrafa de sua mão.

— O condomínio é muito alto, as contas não somariam metade do valor dele. Não seria justo que você o pagasse sozinho. Além do mais, você faz as compras. Todas as coisas estranhas que temos comido foram você que comprou. Eu nem sequer sabia que existia *finghi secchi*.

— *Funghi secchi* — corrijo. — Você começou a trabalhar agora, imagino que não tenha dinheiro para pagar o condomínio. Já são dois.

— Não tenho ainda, mas quando receber poderei quitá-los.

— E se formos despejados até lá?

— Não moraríamos mais juntos, não seria uma pena? — provoca e tenta pegar a garrafa, mas não permito.

— Eu pago o condomínio. Ou é orgulhosa demais para aceitar que o intruso gaste mais do que você na sua casa?

Ela pensa um pouco com uma careta, por fim sua expressão é de alguém derrotada.

— Eu sou orgulhosa, mas não quando estou falida. Bem, se você puder pagá-los eu ficaria grata, desde que aceite que eu devolva ao menos metade deles a você.

— Desde que você me devolva aos poucos e não tudo de uma vez.

Ela sorri, mas é um sorriso triste. De repente, parece cansada.

— Otto disse que eu não daria conta de morar sozinha. É caro demais e claro que só estou aqui por não querer abrir mão de algo que não tenho condições de manter. Se eu fosse madura o suficiente, não estaria aqui.

Não poderia haver momento mais propício para começar o que vim fazer aqui.

— Então por que vocês não vendem o apartamento e dividem o valor? Imagino que tenha valorizado desde que vocês o compraram. Metade disso aqui lhe permitiria ainda morar em um bairro bom, em um apartamento decente e ainda ter algum dinheiro no banco.

Ela assente e por um segundo penso que funcionou. Ela vai vender sua parte e meu trabalho aqui acabou inesperadamente.

— Você está certo. Qualquer pessoa normal faria isso, mas como diz Olivia, não sou normal. Otto disse que não sou capaz, por anos eu acreditei nos limites que me colocava, mas não mais. Se ele diz que não posso, eu vou fazer. Não importa como, mas vou. Não vou vender meu apartamento.

Estava preocupada por conta dos condomínios atrasados, mas você resolveu isso por mim, então, obrigada.

Ela vem até mim e me abraça. Dura segundos, é estranho, então se afasta e vai para o sofá, esquecendo a garrafa de champagne. E constato que minha oferta de pagar os condomínios foi o que a impediu de ceder agora. Otto me mataria se soubesse disso. Eu me pego rindo baixinho, parece que estou me enrolando quando se trata de Otto, fazendo tudo errado.

Abro a porta para ir para a Casa, quando a observo jogada no sofá, entediada, pulando os canais da televisão. Volto para trás e quando sua atenção está em mim, aponto para seu camisão/vestido.

— Troque isso se quiser vir comigo.

Ela se levanta em um segundo.

— Ir com você aonde?

— À minha Casa.

Ela parece decepcionada e confusa. Ainda assim desliga a televisão e vai vestir algo. Volta pouco depois com um vestido decotado que exibe metade de cada seio de maneira provocante. O tecido está colado ao seu corpo e usa também uma maquiagem leve que destaca os lábios carnudos. Até parece que ela sabe o que *minha Casa* significa.

— Acho que essa foi uma péssima ideia — comento me dando conta do erro que cometi.

— Você já disse isso uma vez, se arrependeu? — provoca, lembrando o que eu disse antes daquela noite, indo até a porta.

— Ah, Bruna, esse seu jogo é perigoso. — Observo-a dos pés à cabeça e minha língua passeia involuntariamente pelos lábios. Meu pau dá um sinal em aprovação e o ajeito na calça jeans, o que a faz arregalar os olhos. — Mas você está mexendo com um mestre.

Passo por ela, meu corpo pressiona o seu contra o batente da porta, e ando até o elevador, chamando-o. Não olho para trás quando ouço seu salto pelo piso, mas como não há uma resposta engraçadinha ou surpreendente, acredito que ganhei essa batalha.

E apenas esta, porque assim que chego à Casa com ela, arrependo-me imediatamente de tê-la trazido.

CAPÍTULO 7

Bruna

Entro no *closet* para vestir algo rápido, quando uma caixa ao fundo, num canto, mal escondida chama minha atenção. O vestido que o Theo rasgou. Meu rosto se tinge de vermelho e aproveito para apenas completar a maquiagem. Não volto mais ao final do *closet*, sim, ao início dele, às roupas de Olivia, que muito provavelmente não irei devolver. Pego a primeira peça pendurada, um vestido simples, um pedaço macio de tecido preto. Parece tão pequeno que chego a duvidar que vá cobrir o que precisa ser coberto no meu corpo.

— Olivia! Olivia! Que roupas são essas que você tem usado? — pergunto baixinho enquanto o visto. E assim que olho o resultado no espelho, entendo. — Você sabe das coisas, Olivia!

O tecido não apenas se adere ao meu corpo, ele parece moldá-lo, valoriza até mesmo as curvas que eu nem sabia que tinha. É simples, não possui qualquer detalhe além de um decote generoso na frente e atrás. As alcinhas pretas sobre a pele dos meus ombros têm um aspecto tão delicado, que até penso em prender meu cabelo. Mas, bem... Para onde estou indo não preciso mesmo caprichar.

Penteio rapidamente as madeixas e me olho mais uma vez antes de deixar o quarto. Simples, mas levando em conta que estou indo a um chiqueiro, estou elegante até demais! Enquanto abro a porta não paro para pensar na verdade de que sair com Theo depois de tudo é uma péssima ideia.

Não falamos nada no elevador, depois que seu corpo definido pressionou o meu contra o batente da porta. Tenho a sensação rápida de que meus lábios bateram palmas. Por segundos, mas bateram. Eu o observo pelo canto do olho me perguntando se existem mesmo homens que têm esse poder, de dar vida aos grandes lábios. Bem, claro que não irei perguntar.

Vamos de táxi, o que me deixa curiosa sobre como Theo vai trabalhar todos os dias.

Percebo ser algo que nunca perguntei a ele, nem mesmo nas vezes em que nos esbarramos na portaria, quando estou chegando e ele está saindo.

Será que não possui um carro?

Levando em conta que mora em um "chiqueiro" não deve possuir. Sua presença ao meu lado não pode ser ignorada, seu perfume parece preencher o automóvel e seu braço vez ou outra, quando o carro vira, encosta no meu. Uma eletricidade estranha percorre meu corpo quando isso acontece. É estranho que, quando sozinha, me sinta tão culpada e envergonhada por aquela noite, mas quando ele está por perto, parece normal.

O táxi para em frente um trailer *fast food* cuja placa diz ficar aberto vinte e quatro horas, mas que se encontra fechado.

— Ironias, temos por aqui — comento e sinto as mãos de Theo sobre meus ombros no exato instante em que o taxista diz.

— Aproveitem a noite! Vejo você mais tarde, Theo.

Theo o cumprimenta de volta e me sinto confusa. Será que ele tem um amigo taxista que o traz todos os dias ao trabalho? Porque não é exatamente perto de onde moramos.

— Então esse é seu segredo? Você comanda um *food truck* que deveria estar aberto, mas fecha porque não tem outros funcionários? Então você é mesmo um chef.

— Ah, isso? Não é meu, o dono fugiu do país com a mulher e o abandonou.

— Fugiu? Devo presumir que a mulher não era a dele?

— Você é esperta, advogada! Vamos?

Abro a boca para perguntar aonde, quando ele gira meu corpo e é aí que vejo o que ele quis dizer com "casa". O local diante de nós apresenta uma fachada imponente e chamativa. Há luzes no jardim cujo caminho guia até uma porta de entrada. As paredes são de um porcelanato escuro que parece refletir nossas silhuetas, há luzes em um tom de vinho no chão, apontadas para as paredes que fazem o lugar parecer aceso. E logo acima, sobre a grande porta de vidro escura, há um letreiro em neon no mesmo tom de vinho com letras maiúsculas escrito: "A CASA".

Meu queixo encontra o colo e Theo continua me guiando com suas mãos sobre meus ombros. Ao nos aproximarmos da porta de entrada, um segurança surge do nada, percebo que há um banco escondido na lateral da porta, atrás da parede. Ele cumprimenta Theo e nos deixa entrar.

Assim que a porta é aberta, a música ambiente pode ser ouvida. O som é alto e entramos em um largo corredor. O piso parece ser de um carpete escuro, as paredes possuem luzes baixas em tons de rosa e lilás e há bancos de couro contornando as mesas, parece ser um bar. Isso se confirma quando passamos pelo corredor e entramos no salão principal, logo a frente há um bar gigante, cuja bancada é redonda e iluminada. Ele possui banquetas ao longo de sua volta e percebo que está no centro exato do salão.

Três barmen fazem drinques e o local está movimentado. É aí que as luzes do salão se apagam, logo se acendem as arandelas coloridas nas laterais das paredes. Não seria possível reconhecer o rosto de alguém sentado à mesa agora. Antes de as luzes se apagarem, percebo algo incomum: só há homens aqui.

No segundo seguinte entendo. Há um palco na lateral do bar que não havia visto porque estava apagado. Agora ele emite uma luz azul, fumaça em três barras de *pole dance*. Quando a primeira dançarina entra trajando uma lingerie que não cobre quase nada e se pendura na barra, girando por ela com as pernas para cima, entendo o que é este lugar.

— Uau! Você trabalha mesmo em um puteiro! — comento baixinho, já que a música está bem baixa agora.

Theo está ao meu lado, mas se aproxima mais e sua boca toca minha orelha quando responde:

— Puteiro? Está vendo alguém transando aqui?

— Não. Mas quase...

— Quase não conta. Eu me sinto desapontado que você não saiba disso até hoje — provoca e se afasta.

Imediatamente o sigo. A música ainda é baixa, suave. Os rostos dos expectadores não podem ser vistos, mas os brilhos de seus olhos, sim.

— E não é em sexo que vai acabar? — insisto.

Ele olha em volta como se procurasse algo, então seus olhos estão em mim e a luz azul do palco reflete sobre seu sorriso de lado, divertido.

— Onde exatamente o sexo aconteceria?

— Sobre as mesas?

— Você acha mesmo que sou um selvagem — observa, seu sorriso dobrando de tamanho.

— Só tive as melhores referências de você, ou se esqueceu?

Calo a boca imediatamente. Que merda estou fazendo? Tocando de novo nesse assunto proibido.

Alguém chama seu nome, salvando-me da provocação gratuita, e quando ele se vira, avisto a última pessoa que pensaria encontrar aqui nesta noite. Um sorriso surge em meu rosto e no dele, quando me reconhece.

— Caralho! Você por aqui! Quantos empregos você tem?

Ele dá a volta pelo bar e vem em meu encontro, observa-me dos pés à cabeça com um gesto afirmativo de aprovação.

— Lindinha, tenho alguns. Agora não sei se gosto mais do seu pijama ou desse vestido.

— Me diga que você tem o arco-íris aqui.

— Não tenho, mas se quiser ver cores, posso providenciar de outras maneiras. — Ele me lança uma piscadela e Theo está ao seu lado, observando-nos com o cenho franzido, curioso.

— De onde vocês se conhecem?

— Das noites coloridas por aí — Caralho responde. — Ou ela está com você? — pergunta a Theo de repente, preocupado. — Ela é sua acompanhante esta noite?

— Não! — Theo e eu dizemos juntos.

— Ela é a ex do meu irmão, com quem estou morando temporariamente — Theo explica.

— Ah, então você é irmão do *Ottário*. Lindinha me falou sobre ele.

— Pare de me chamar assim e me sirva algo decente, por favor! Não vou mais falar de você pra Olivia se não me conseguir cores. — Ele olha para mim, animado, e antes que interprete errado concluo: — Que possam ser ingeridas com álcool.

— Lindinha, você sempre estraga tudo nos momentos finais. Venha, primeiro vou te mostrar a Casa, meu turno começa em meia hora, depois irei acompanhá-la até sua amiga gostosa vir te buscar pela manhã.

Ele passa o braço por meus ombros e me apresenta com excesso de detalhes a Casa. Quando voltamos ao bar, Theo está com um avental preparando drinques em uma rapidez admirável. Há três mulheres sentadas nas cadeiras, percebo, e imagino que por causa dele. Ou isso, ou em breve homens definidos e deliciosos vão subir naquele palco e se pendurar naquelas barras. Eu adoraria ver isso.

Theo não usa mais a camisa de manga com que veio, em vez disso usa apenas uma regata que deixa seus braços fortes à mostra, assim como as tatuagens. Aqui dentro é realmente quente, mas Caralho me explicou que o calor aqui é proposital.

Clientes suados bebem mais, foi o que ele disse.

— Então é aqui que você trabalha! — grito, já que Theo está do outro lado, atendendo as únicas clientes femininas da Casa.

— Decepcionada porque não sou um chef? Ou porque não sou um puto?

— Ninguém disse que você não é um — respondo, calando-me a tempo.

Ele me observa, eu o observo de volta, mas como sempre, perco a batalha. O que acontece comigo que nunca ganho essas batalhas de olhares com Theo? Eu venço todo mundo! Sempre venci!

Caralho me serve um drinque azul e aprovo a cor na taça. Estou pronta para virá-la de uma vez, quando Theo a tira da minha mão.

— Péssima aluna! Com o que você deve começar, Bruna?

— A comida.

— Exato — responde me servindo um pote de petiscos, como castanhas, amendoins coloridos e caramelos.

Estou mastigando tranquila quando ele se aproxima mais e pergunta causalmente:

— Ninguém disse que não sou um puto? Ainda acha que sou um?

Um amendoim entra pelo buraco errado da garganta e quase morro engasgada. Não consigo respirar, não consigo parar de tossir, meus pulmões estão gritando e a cena lamentável termina com Theo me apertando por trás como se eu fosse uma boneca de pano até que o maldito do amendoim sai.

— E você me deve outra — comenta, despreocupado, e logo as mulheres o cercam, chamando-o de herói.

Passo as próximas horas conversando com Caralho, já que Theo está sempre rodeado por mulheres.

— Não sabia que mulheres frequentavam lugares assim — digo a Caralho, gritando por conta da música, agora alta, já que o show acabou.

— Frequentam! Algumas gostam de ver para aprender, recebemos muitas alunas, dançarinas e algumas... Você sabe, gostam mesmo de ver! — Assinto e ele continua. — Mas as que estão aqui hoje vêm sempre por causa dos barmen. Elas nem sequer olham para o palco, os objetos de desejo delas somos nós — diz todo orgulhoso.

— Não estou vendo nenhuma aí à sua volta — respondo.

Seu sorriso some e ele franze o cenho, irritado.

— Precisa ser tão má?

— Você deu em cima da minha amiga, levou um fora, e veio dar em cima de mim depois. O que acha? Não sou sobra, seu babaca.

Ele ri alto e enche de novo minha taça.

— Quando o Theo não está, a atração sou eu. Fique você sabendo.

Penso que é bastante compreensível que Theo roube toda a atenção feminina no segundo em que entra, mas não digo isso em voz alta. Observo as taças penduradas de cabeça para baixo sobre a bancada do bar e me pego rindo imaginando se essa decoração é obra de Theo, parece que ele adora pendurar os utensílios de cozinha.

Um tempo depois, já deve ser madrugada, a música não está mais tão alta, há uma conversação pelo bar enquanto os homens bebem e conversam animadamente. As dançarinas se juntam a alguns deles à mesa, mas não parece que alguém vai tirar a roupa. Ao menos, não aqui dentro.

— Então, você já fez um sexo selvagem de uma noite só para superar seu ex? — A voz de Caralho soa de repente.

— O quê?

— Você me disse na outra noite que precisava de um sexo selvagem de uma noite só para superar o certinho *Ottário* — explica.

— Eu disse isso?

— Não, Lindinha, você berrou isso em cima da bancada do bar e tive de brigar com dois caras que queriam ser o sexo de superação. Aí sua amiga gata chegou e salvou o lado esquerdo do meu rosto.

Minha boca está escancarada e imediatamente abandono sobre a bancada a taça com o líquido azul.

— Obrigada? — Tento e ele assente. — E não, ainda não fiz um sexo selvagem de uma noite só — respondo, mas por algum motivo sinto que estou mentindo.

Quando olho para o lado, Theo está aqui. Tem a expressão fechada encarando Caralho, então sua atenção volta a mim.

— Está entediada? Quer ir embora? Posso sair mais cedo e levá-la.

— Não, estou bem.

— A Casa só fecha às seis — explica. — São duas agora. Você deve estar cansada. Vamos, eu a acompanho — Theo insiste.

— Estou bem, e quando eu me sentir cansada, vou de táxi, como a gente veio. Não se preocupe.

— Bruna, não existe a menor possibilidade de eu deixar você sair daqui sozinha na madrugada depois de beber e ficar pedindo sexo selvagem ao barman.

O sorriso no meu rosto é involuntário.

— Não foi bem o que aconteceu... — Tento explicar, mas Caralho se mete.

— Ela não pediu, ela exigiu aos berros. E não faltaram pretendentes. Ela é lindinha, mas quando bebe dá muito trabalho. Isso mais seu deboche são mesmo um charme — complementa piscando para mim.

Theo o observa, observa-me e se vira, parecendo irritado.

— Você quem sabe — diz por alto se afastando.

Não o vejo mais até que o dia nasce e vamos finalmente para a casa.

— Você tirou toda a diversão em beber, não me sinto tonta — resmungo baixinho encostando a cabeça no ombro de Theo, dentro do táxi.

— De nada por isso, ou você poderia pensar que sou o Otto e me agarrar de novo.

Rio baixinho.

— Não mesmo, me deixe ficar bêbada da próxima vez, eu sei quem você é, Theo D'Ávila. Não correrá risco algum comigo.

Ele move o braço, passando-o em volta do meu ombro e me aconchego melhor em seu corpo.

— O risco não seria meu, Bruna, mas seu. Eu não a impediria dessa vez. Não importa o quão forte você me batesse.

Sorrio.

— Você é fã de sexo bruto? — pergunto, mas não consigo ouvir sua resposta, meus olhos se fecham e acordo nos braços dele, no elevador do prédio. Mal abrindo os olhos, digo: — Eu posso andar.

— E eu posso carregá-la.

— Estamos em um impasse.

— Não estamos, não. Se eu a colocar no chão agora, você vai se deitar aqui mesmo e dormir em posição fetal no elevador. Então algum vizinho entediado vai ter um belo presente ao ir trabalhar.

Abro os olhos e minha bunda está de fora, vejo pelo espelho do elevador. Theo está vendo a minha bunda.

— Me coloca no chão agora mesmo! — grito e sem querer o acerto na minha agitação para me desvencilhar dele e proteger o que resta de dignidade do meu traseiro.

Eu praticamente caio de seus braços, mas consigo me equilibrar, ajeitando o vestido, já que os dois seios estavam à mostra. Esse vestido é curto demais para ser carregada, percebo. Não que eu tivesse imaginado que seria carregada ao colocá-lo.

— Eu gostei, sabe... — ele comenta quando as portas do elevador se abrem em nosso andar. — Dos adesivos de coração.

Seguro os seios como se pudesse proteger os adesivos de mamilo e não respondo porque ainda estou processando que Theo viu minha bunda e meus seios enquanto me carregava em seus braços.

Será que mais alguém do prédio viu?

Avisto a cabeleira loira da minha melhor amiga na cafeteria de sempre e minha expressão se fecha imediatamente. Mantenho-a enquanto me aproximo e me jogo na cadeira à sua frente. Iniciamos uma batalha de olhares que Olivia perde, desviando os olhos claros e exibindo uma careta irritada por ter pedido de novo.

— Você é insuportável com essas batalhas — ralha.

— Duas semanas, Olivia. Você sumiu por duas semanas!

— Eu tenho uma vida além de você, sabia?

Reviro os olhos e faço o pedido, a coisa mais cara do cardápio informando a essa péssima amiga que ela vai pagar.

— Como está seu emprego novo? Como passou o resto *daquele* sábado?

— Ah, agora você quer saber da minha vida? Não estava ocupada demais com a sua própria vida?

Ela revira os olhos e perde nossa segunda batalha.

— Onde você esteve? Seu celular só caía na caixa postal! Pensei que houvesse sido sequestrada e levada para a Bolívia, onde seus órgãos teriam sido vendidos e eu reconheceria em dez anos esses olhos que sempre perdem para mim, em uma mulher qualquer, que seria minha nova melhor amiga.

— Meu Deus, pare com essa ladainha. Pode pedir duas dessa bebida cara e mantenha sua boca ocupada. Eu não pude atender porque estava em um cruzeiro, em alto-mar, não havia sinal.

Eu a encaro e nem preciso perguntar, ela entende.

— Foi coisa do meu pai. Essa mania dele de tentar me casar com algum herdeiro imbecil. Bem, ele marcou uma viagem repentina em família, não tive opção a não ser ir...

— Pula pra parte do herdeiro. Como ele é?

Ela sorri. É a primeira vez que Olivia sorri ao contar sobre um encontro com um dos pretendentes que o pai arranja para ela.

— Ele é alto, centrado, gentil e muito inteligente.

— Bem dotado?

— Por que acha que eu dei para ele? Meu pai estava a bordo! — ralha, indignada.

— Sim ou não, Olivia? Não tenho todo tempo do mundo, pois preciso cuidar da minha própria vida.

— Sim — diz baixinho e rimos juntas. — Vamos nos ver de novo hoje à noite, então esteja ciente de que não me terá esse final de semana. Como anda seu plano de expulsar o gêmeo gostoso? Ele já foi embora?

Desvio meus olhos dos seus e passeio os dedos pelo canudo na bebida cara. Então respondo baixinho:

— Não posso mais seduzi-lo.

— Como? — pergunta, aproximando-se por cima da mesa. — Disse que não pode mais seduzi-lo? Por quê?

— Porque eu meio que gozei na boca dele — respondo ainda mais baixo.

— O quê?

— Eu gozei na boca dele — digo entredentes.

— Bruna, abra a boca para falar. Você o quê?

— Gozei — começo devagar, mas quando meus olhos encontram os seus, falo de uma vez e baixinho — na boca dele.

Ela abre a boca e arregala os olhos, não tenho certeza se ouviu o final da frase, mas ela responde isso antes que eu possa perguntar. Aos berros.

— Você gozou onde? — grita e todos à nossa volta olham em nossa direção.

— Para de gritar, Olivia! — ralho, vermelha como um tomate.

— Isso é o que chamo de um *upgrade* — provoca com um sorriso.

— Não tem graça!

— Quando foi isso? Como? Como estão agora?

Conto tudo a ela, a noite do casamento, o vestido, as lembranças. A semana da culpa e das ondas do mar no quarto. A casa onde Theo trabalha e a forma como somos quase amigos agora.

— Não vai funcionar — avisa após meu relato. — Você não pode ser amiga de Theo D'Ávila. Não podia antes por ele ser irmão gêmeo do babaca do seu ex, e poderá menos ainda agora, quando acabou se envolvendo com ele.

— Não me envolvi com ele, apenas consegui lembranças novas com um vestido.

— O melhor na sua explicação é que sua cara nem queima.

Dou de ombros e ela continua:

— Envolver-se com Theo D'Ávila é uma ideia muito ruim, Bruna. Por milhões de motivos, a começar pelo fato de que Otto D'Ávila estará sempre em sua vida. Segundo, pela dúvida que você mesma vai ter se não está com ele porque é igual ao irmão. Essa dúvida também estará na cabeça deles, os gêmeos que você pegou.

— Quer parar? Foi uma noite só e nem sequer terminamos. Você sabe que detesto que me digam que não posso fazer algo. Se você diz que não podemos ser amigos, seremos os melhores amigos. Aliás, volta pro seu barquinho com o herdeiro gentil, que Theo será meu novo melhor amigo.

Ela faz um gesto negativo com a cabeça, mas sua voz é calma quando diz:

— Ah, disso eu não tenho a menor dúvida!

Estou esperando o elevador, após ser abandonada por uma Olivia que nem ao menos almoçou comigo, quando as portas abrem e cerca de seis mulheres descem. Elas me cumprimentam e não consigo deixar de ouvir que finalmente é sábado e a atração deve estar na piscina. Até entro no elevador, mas a curiosidade me vence e, como quem não quer nada, as sigo.

Há cinco crianças na piscina, mas na de adultos. Estão em fila e seguem os comandos de alguém que parece estar ensinando-as a nadar. As mães estão todas sentadas nas espreguiçadeiras e parecem estar se abanando, olhando atentamente os filhos.

Não acredito que perdi meu tempo para ver crianças tendo aulas de natação. É aí que o professor encerra a aula e sai da piscina. O corpo coberto por tatuagens no lado direito, o cabelo negro joga água por seu corpo já molhado, as gotas descem pelas marcas no abdome definido como em ondas e morrem em sua sunga muito bem recheada. As coxas fortes apenas completam o lugar para onde todas estão olhando agora. Inclusive eu. Inclusive, acho que estou babando.

Os olhos verdes de Theo se desviam em minha direção e, mais do que depressa, volto a mim e me viro para trás, na intenção de não ser pega. Mas faço isso rápido demais e bato com tudo no vidro da porta. O barulho só não é maior do que minha vergonha.

Rapidamente as mãos molhadas de Theo estão sobre mim e ele segura meu rosto, avaliando o estrago.

— Se machucou?

— Acho que quebrei o nariz — exagero para que ele sinta pena e não me faça passar ainda mais vergonha, caçoando de mim.

Ele sorri. Toca meu nariz e gemo com a dor.

— Por que você está sempre se machucando? — pergunta tranquilamente e percebo as mães à nossa volta babando nele.

— Seus filhos vão morrer afogados! — alerto, irritada, e me afasto, entrando no prédio.

Corro até o elevador e espero impaciente torcendo para ter a sorte de entrar nele sozinha, mas assim que ele abre, Theo e suas seguidoras surgem do nada. Metade delas entra com seus filhos molhados conversando com ele, agradecendo com excessiva alegria as aulas que está dando para as crianças do prédio.

Theo usa agora uma bermuda por cima da sunga molhada e uma regata. Seu cabelo ainda pingado sobre seus braços fortes e nas mães à sua volta. Mas parece que elas precisam mesmo apagar esse fogo.

É quando escuto o que uma delas está dizendo e entendo o quanto estou sendo injustiçada aqui.

— Não poderíamos agradecer o suficiente, Otto.

Elas acham que ele é o Otto. Acham que é meu noivo e estão babando nele assim mesmo. Imediatamente me penduro nele. Passo meu braço pelo seu e seguro sua mão.

— Amor, acho que minha cabeça está doendo, não consigo me manter em pé.

Ele parece confuso, mas quando finjo que minhas pernas estão cedendo, pega-me no colo, o que obriga as mães a se afastarem. Ele me carrega até nosso andar e, assim que as portas se fecham e nenhuma das mães desce, desço de seus braços e abro a porta.

A roupa molhada incomodando pelo frio.

— O que foi essa cena?

— Elas acham que você é meu noivo, logo, não posso sair como a chifruda. Se você comer alguma delas, eu mato você. Ou explica que é o Theo e não o Otto, ou trate de ser fiel.

Ele tem um sorriso de lado irritante e me observa tranquilamente.

— Não estava falando do elevador, deu para entender o que você estava fazendo, sim, da sua batida espetacular no vidro da porta quando tentou atravessá-la. O que foi, Bruninha? Não queria que eu a visse me secando?

Uma risada alta me escapa.

— Na verdade, eu nem me importaria, já que até chegar a mim você teria de passar por todas as mães do prédio. Todas elas estavam lá só para babar em você, sabia?

— Sabia, por que acha que usei uma sunga branca?

— Seu pervertido!

Ele está gargalhando agora, mas me pego rindo também.

— Eu me exibo, elas babam, mas não se preocupe, amor. Para todos os efeitos eu nunca irei traí-la. Não vou comer ninguém aqui do condomínio.

— Não espere um agradecimento — digo e sigo em direção ao quarto, mas ele me puxa pela mão e me prende em seus braços fortes.

Seu corpo molhando ainda mais minha roupa. Os olhos verdes intensos cravados em meus lábios. E por falar em lábios...

Palmas, muitas palmas...

— E se eu quiser um agradecimento? — pergunta com o tom de voz rouco, baixo.

De repente estou presa nesse magnetismo estranho que vem de seus olhos tão focados em minha boca. De repente, ansiosa espero o toque de seus lábios nos meus, e de repente ele se afasta, como se voltasse a si.

— Desculpe, Bruna! Eu não devia ter agido assim. Me desculpe, eu sinto muito!

Assinto, ainda perdida e ele some para dentro de seu quarto. E sinto vagarosamente as palmas cessarem, o sangue voltar a circular e o equilíbrio ser restaurado.

Meu melhor amigo, eu disse.

CAPÍTULO 8

Theo

O dia vai nascer em breve, quando desço do táxi. O porteiro cochila, seu turno encerra em duas horas. Hoje foi uma noite agitada na Casa, domingos sempre são tão cheios quanto os sábados lá. Meu reflexo no espelho do elevador silencioso faz com que me lembre da manhã de ontem, quando ela estava dormindo em meus braços. Quando se deu conta que seu vestido era curto demais para ser carregada. Depois de quase perder a cabeça mais uma vez com ela, de mais uma manhã mal dormida e de sair mais cedo para o trabalho para não ter de vê-la, agradeço por ser pouco mais de 4h da manhã de segunda, de forma que ela tem de estar dormindo já que daqui a pouco irá trabalhar.

Porém, assim que abro a porta a vejo sentada no sofá. Ela usa uma calça larga de flanela e uma regata. Seu cabelo está preso em um rabo de cavalo torto e quando me vê, um sorriso surge em seu rosto e ela corre em direção à cozinha. Volta em seguida com duas canecas de algo bem quente, a julgar pela fumaça. Logo, o cheiro de chocolate toma o ambiente e um sorriso brota em meu rosto.

Mas em vez de comentar sua gentileza em me esperar com uma caneca de chocolate, o que sai da minha boca é:

— Pijama de flanela? Tenho certeza de que o Otto te deu isso.

Ela revira os olhos e praticamente empurra a caneca em minha mão.

— A que devo a honra da sua companhia na madrugada, Bruna?

— Não consegui dormir. Pensei em beber algo quente, mas já era quase três da manhã e pensei que você estaria chegando. Então fiquei te esperando. Provavelmente está cansado, bebidas doces e quentes ajudam a relaxar.

— Eu ficaria completamente relaxado se você estivesse usando sutiã — comento enquanto me sento em uma poltrona.

Ela olha para baixo, para a regata branca que usa e nota seus mamilos intumescidos, então dá de ombros.

— Você viu bem mais do que isso ontem. Então, o que exatamente é a Casa? Não é um puteiro, você diz. Mas não é um bar, apenas. Então o que é? Um prelúdio ao sexo?

Rio alto, queimando a língua com o líquido quente.

— É o que o nome diz: uma casa. Um segundo lar. Um lugar para onde um homem cansado depois de um dia de trabalho ou entediado pela rotina puxada pode ir para beber, ver mulheres bonitas em movimentos sensuais e conversar. E, claro, comer bem. Nossos aperitivos são os melhores, nós temos um chef, que pasme: não sou eu.

— Ou seja, um bar revolucionário — brinca com um sorriso.

— Podemos chamá-lo assim.

— Bem inteligente esse conceito. Se o dono colocar homens malhados dançando no *pole dance*, vai lotar de mulheres também — sugere e percebo que ela não entendeu que a Casa é minha. — Homens como você — completa.

— Você quer me ver rodopiando em um pau, Bruna?

Dessa vez ela engasga e rimos. E me sinto aliviado. Parece que não importa a merda que eu faça ou o quanto perca a cabeça, nunca fica um clima estranho entre nós dois. Ela tem um jeito adorável de fazer com que situações constrangedoras sejam apenas situações.

— Na verdade, eu sairia do conforto do meu lar para ir até o lar onde você trabalha apenas para vê-lo rodopiando em um pau.

— Vou sugerir isso ao dono — respondo. — E sugerir que ele a contrate para escolher os dançarinos.

Seus olhos brilham, seu sorriso é escondido pela caneca e quando abre a boca para retrucar, seu celular toca. Ele está sobre a mesa de centro e vejo o nome de Otto na tela. Bruna apenas o coloca no silencioso, mas deixa que a ligação continue. Não diz o que ia dizer, foca na caneca em sua mão e rodopia o dedo pela porcelana, claramente sem graça.

— Eu quase a beijei ontem — digo, enfim.

— Você é um safado que sempre perde o controle. Se formos ficar constrangidos toda vez que isso acontecer, nossa convivência será um saco — diz olhando em meus olhos.

— Então, o que sugere? Eu chupo você e finjo que nada aconteceu na manhã seguinte?

— Você mantém sua boca longe de qualquer parte do meu corpo e nos tornamos bons amigos.

— Se você não vai falar com ele, porque não bloqueou seu número? Por que não mudou o seu? Por que permite que ele fique ligando insistentemente? — pergunto de repente.

Ela observa o celular e parece calma ao responder:

— É divertido vê-lo correndo atrás de mim, para variar. É justo ignorá-lo agora. Eu gosto de imaginar que ele se irrita com a minha indiferença.

— E não tem nada a ver com o fato de você saber que um dia vai atender uma ligação e então voltará a ser a futura senhora D'Ávila? — pergunto, mas essa opção me irrita.

Bruna merece mais do que o babaca do Otto. Seria uma pena se ela caísse de novo em seus joguinhos.

— Um dia eu vou atender uma ligação — confirma —, mas não para perdoá-lo. Apenas para provar algo a mim mesma.

Não entendo do que está falando e espero que conclua, mas ela se levanta e vem em minha direção. Deposita a caneca vazia em minha mão livre e diz:

— Eu fiz, você lava. Lei do Universo.

— Vou me lembrar disso amanhã quando fizer o almoço! — ameaço.

— Não vai, não — retruca entrando em seu quarto.

O sol já nasceu lá fora e estou saindo do banho quando a encontro saindo para trabalhar. Os fios presos em um coque perfeito, uma maquiagem leve, uma calça social vermelha e um suéter creme. Usa um scarpin preto e carrega uma mala. Estou nu e ela para diante de mim, observa sem o menor pudor meu pau e depois meu rosto.

— A toalha que está em sua mão serve para cobrir o corpo — avisa.

— Nunca ouvi falar tamanha besteira. Ela serve para secá-lo.

Ela avalia meu corpo e retruca:

— O que você também não fez direito.

— Está muito bonita, mesmo vestida de estresse.

Ela sorri, avalia seu look e faz uma careta.

— Não minta para me agradar. É pecado em dobro se for antes das sete da manhã.

— Eu não mentiria para agradá-la, Bruna. Não preciso de nada de você, por que o faria?

— Isso soou grosseiro — comenta, mas não parece nem um pouco irritada. — Tenha um bom sono, Theo.

— Bom trabalho, Bruna. Nós nos vemos à noite. Talvez eu faça algo especial para o jantar.

— Contando que a louça já esteja lavada, sinta-se em casa — provoca com uma piscadela antes de sair pela porta.

E finalmente consigo dormir bem por horas.

No sábado de madrugada, desço do táxi de Fábio por volta das 4h30.

Por algum motivo, o sensor do portão não funciona, então toco o interfone. Estou exausto, foi uma sexta mais agitada do que o normal na Casa. E parece que meu cansaço vai além da quantidade de drinques que fiz esta noite ou das horas que passei de pé. Estou cansado de algo que não faço ideia o que é.

Geraldo, o porteiro noturno, avisa que virá abrir o portão e, enquanto espero, um táxi estaciona atrás de mim e Bruna desce dele.

Sorri quando me vê e confiro de novo as horas no celular.

— Isso são horas, dona Bruna?

— Eu poderia dizer o mesmo, senhor Theo.

— Eu estava trabalhando, meu bem.

— Você não sabe o que eu estava fazendo, então não julgue — provoca.

— Gostosa desse jeito? Posso pensar em um milhão de possibilidades.

Ela ri alto e para ao meu lado quando avista Geraldo se aproximando.

O porteiro nos cumprimenta e abre o portão, quando vai subir o degrau, Bruna tropeça e eu a amparo.

— Você está bêbada, Bruna? Devo carregá-la?

— Não estou bêbada, porque você me ensinou a beber, palhaço! — ralha.

— Graças aos céus, não é, Srta. Bruna? — Geraldo comenta e Bruna o encara como se fosse matá-lo. — Quero dizer, era perigoso a senhorita chegar nas madrugadas, bêbada como chegava. Uma tragédia podia acontecer.

— Agora eu estou aqui e essa mocinha beberrona está sob controle — provoco e acerto um tapa em sua bunda.

Ela dá um pequeno pulo e seu olhar assassino está sobre mim.

— Tenham um bom dia Sr. Otto, Srta. Bruna.

Entramos no elevador e ela massageia o lugar onde bati.

— O que foi isso?

— Você me pediu colo no outro dia, fingindo ser minha noiva. Logo, eu também estava te devendo uma encenação.

— Não seja ridículo, você não vai fazer tudo o que eu fizer. Por que essa coisa não está subindo?

Ela abre a porta do elevador e Geraldo vem correndo.

— Já vou resolver, só um segundo.

Ele passa por uma porta pequena e Bruna e eu ficamos no elevador parado, esperando.

— Não tudo o que você fizer, apenas tudo o que eu achar justo — concluo.

Ela tem um sorriso quando tira o casaco, revelando um decote maravilhoso na blusa que está usando. Seus lábios carnudos estão mais vermelhos do que o normal e combinam com o tom de sua blusa deliciosamente decotada. Meus olhos se prendem neles e Bruna pigarreia para chamar minha atenção. E preciso voltar a mim antes que perca a cabeça.

— Mas não devolvo tudo o que você faz comigo. Por exemplo, seria justo eu beijá-la já que você me beijou, mas não fiz isso — provoco.

— Porque eu nunca beijei você. Você me beijou naquela noite depois de me... — Ela para de falar e seu rosto está vermelho. — Depois do nosso sonho compartilhado.

— Foi um selinho bobo. Quando nos conhecemos você me beijou como uma devassa, subiu no meu colo e sugou minha língua. Foi um beijo de verdade.

— Você está inventando isso. Se eu não lembro, eu não fiz.

O elevador dá um solavanco começando a subir e amparo Bruna, que quase cai em seus saltos enormes. Ela está do meu tamanho com esses saltos, sua boca bem diante da minha.

— Que coisa feia, Bruna! Beija e depois nega? Coisa de mulher covarde.

— Feio é essa sua imaginação pervertida e fértil. Eu não beijei você. Não do jeito que está falando. Foi apenas um selinho.

— Línguas não se misturam em um selinho.

— Nossas línguas nem sequer se tocaram.

Ela está presa em meus braços, seus seios pressionados em meu peito. Com um passo a faço se recostar ao espelho e aspiro seu cheiro delicioso, os fios marrons tocando meu rosto quando o enfio em seu pescoço.

— Não se tocaram? Será que você sofre de amnésia por conveniência?

— Isso nem existe — retruca, mas tem um sorriso que cometo o erro de observar.

— Devo lembrá-la de como nossas línguas se conheceram então — aviso antes de tomar sua boca com a minha.

Nossos lábios se encontram e minha língua a invade imediatamente. Ela corresponde, aperto-a ainda mais contra meu corpo enquanto nossas bocas se reconectam em um beijo delicioso. Seu gosto é doce, as mãos passeando por minhas costas são quentes. O pequeno gemido que ela solta quando mordisco seu lábio inferior é tentação demais para um pau resistir. Pressiono a ereção em seu corpo e mordisco seu pescoço quando o elevador para de repente e emite um barulho alto ao abrir as portas.

Nós nos afastamos e nos recompomos, então descemos em um corredor vazio. Bruna é quem abre a porta e agradeço internamente, pois não sei se teria concentração para isso agora. Entramos e ainda sinto seus lábios carnudos nos meus, a sensação de prendê-los entre meus lábios, de sua língua ávida em minha língua, do seu corpo delicioso pressionado no meu e parece tão real, como se ela estivesse ainda aqui, nos meus braços, na minha boca.

Percebo que todos os beijos de Bruna são assim, intensos e deliciosos.

— Então, estamos quites — diz, virando-se em minha direção, olhando em meus olhos.

— Então, você se lembra do beijo.

— Soube que não era Otto por causa dele. Sua língua era... atrevida demais.

Sorrio.

— Não estamos quites, Bruna. Caso tenha se esquecido, eu chupei você. Bem ali, naquele sofá, eu a fiz gozar na minha boca. Se vamos ficar quites, você deveria...

— Boa noite, Theo! Se for acalmar essa coisa, não faça barulho — diz olhando em direção ao volume na minha calça.

Sim, meu pau está duro por ela. Ele anseia se enfiar nessa boceta gostosa esta manhã.

— Sua atrevida! — Vou em sua direção e ela corre até seu quarto, batendo a porta.

Ela não a tranca, percebo. Minha mão paira na maçaneta. Desta vez sou eu no corredor querendo mais do que tudo abrir a porta e terminar isso. Porque parece que estamos em um círculo vicioso onde perdemos a cabeça por minutos que resultam em um desejo avassalador, quase incontrolável.

Quase.

Igual a ela na outra noite, consigo controlá-lo. E preciso me contentar com uma gozada rápida no banheiro pensando nela.

Bruna não deixa seu quarto por todo o dia. Sei que está lá, eu a ouço andando por ele, a ouço falando ao telefone com Olivia, ela escuta música enquanto parece arrumá-lo, mas não o deixa. O que me faz pensar que finalmente ultrapassei a barreira do clima estranho.

Estou de saída, quando sua porta é aberta e ela aparece em um macacão de couro preto colado às suas pernas. A parte de cima é de um tecido transparente e usa um top preto com pedras que brilham cobrindo os seios cheios.

— Theo, será que eu posso ir com você hoje? — pergunta.

Meus olhos se prendem tempo demais no batom vermelho, até que entendo o que está dizendo.

— Você quer ir de novo à Casa?

— Sim, se não for atrapalhar. Posso chamar um táxi e ir sozinha se for incomodar, mas não tenho muito dinheiro. Então, por favor, não se incomode.

— Hoje é sábado de novo, Bruna. A Casa estará cheia, você vai atrair muita atenção com essa roupa.

— Atrair atenção é errado?

— Não, de jeito nenhum. Só não tenho certeza de que você sabe lidar com a atenção que vai atrair.

— É o que eu quero descobrir. Ontem eu saí com a Olivia, bebemos, dançamos e conversamos, uma noitada entre amigas. Mas eu preciso de mais.

— O que quer dizer com isso?

— Posso ir com você? Vai se atrasar se não me deixar ir logo.

— Pode, claro! Vamos.

Ela me segue com um sorriso lindo e só consigo pensar no que quis dizer com querer mais.

Mais o quê? Mais do que uma noite entre amigas em uma balada? O que ela deseja então? Por que não houve uma insinuação nem sequer ao beijo de mais cedo? Por que ficou trancada em seu quarto o dia todo me evitando?

Ela se senta ao meu lado no táxi e percebo como fica linda de qualquer jeito. É bonita com seus pijamas de flanela ou as blusas enormes do Mickey. É bonita quando se veste social para ir trabalhar. É deliciosa quando se veste assim, para sair à noite, quando decide exibir a mulher maravilhosa que é.

Seu cabelo esta noite está liso, ficou mais comprido assim, alcançando sua cintura. Deu a ela um ar mais inocente, jovial.

— Você é tipo o motorista particular dele? — ela pergunta a Fabio, que ri.

— Não, Bruna, sou o tio dele. Prazer, Fabio D'Ávila.

— Você é o tio Fabio? — pergunta, surpresa.

— Otto deve ter dito apenas maravilhas sobre mim — provoca Fabio.

— Nada comparado ao que ele disse sobre o Theo — ela responde e eles iniciam uma conversa divertida.

Quando chegamos à Casa, Bruna se despede dele e desce do carro. Assim que vou fazer o mesmo, Fabio diz:

— Otto está cometendo um grande erro ao perdê-la. Ainda bem para ela, brilha demais para se prender a um quarto escuro, como ele. Já você, Theo, é uma mansão inteira, arejada e espaçosa. Ela poderia brilhar à vontade com alguém como você.

— Poderia, mas Otto a viu primeiro, então o brilho dela não é da minha conta. Até de manhã, tio. Se cuida — despeço-me deixando o carro.

Fabio é o irmão mais novo do meu pai. Não se formou em Direito, não teve um casamento arranjado com alguém importante na sociedade, não seguiu os passos ou conselhos do meu avô como um cachorrinho, como meu pai. Casou-se duas vezes, trabalhou por anos em um bar, abrigou-me algum tempo atrás, quando terminei a faculdade e decidi seguir outro caminho. Agora é taxista, penso que apenas para me trazer e levar todos os dias. Ele não tem filhos, meio que me tornei isso para ele. E ele foi a inspiração que tive para abrir a Casa.

Com um sorriso, Bruna observa o *food truck* fechado. Não preciso guiá-la dessa vez, ela atravessa e segue em direção à entrada. É outro segurança esta noite, que ela cumprimenta. Anda pelo corredor de acesso com segurança, como se já se sentisse bem neste lugar. Vai direto até o bar, Samuel ainda não chegou e me pergunto se é ele quem ela está procurando. Eu deveria ir me trocar, mas vou direto preparar algo para ela.

Pouco depois, deposito em sua frente um copo com um líquido colorido, como ela gosta.

— Ah, seu arco-íris é tão sofisticado! Me dê os amendoins, estou ansiosa para provar isso.

— Muito bem, parece que alguém aqui aprendeu.

— Eu já disse, você tirou toda a graça em beber ao me ensinar.

Vou pegar os petiscos para ela, mas Júlio faz isso em meu lugar, estendendo a ela uma porção de tilápia grelhada com amêndoas, apresentando-se em seguida. Bruna elogia o peixe e nem sequer toca na bebida enquanto conversa com Júlio. Em vez de perguntar pela Casa, pelo movimento ou pela porção que está comendo, ela pergunta sobre ele. Repara sua aliança e pergunta se sua esposa não se importa por ele ver mulheres rodopiando em um pau.

Eu me pego rindo baixinho e vou trocar de roupa, Bruna está em boas mãos.

Aqui dentro é bem quente, o que propicia as poucas roupas e muita bebida. O calor também é o que torna a Casa mais aconchegante. Trabalhar por horas vestindo qualquer coisa que possua mangas é torturante. Por isso a maioria dos barmen aqui veste regatas, camisas leves e o avental. Coloco o lenço na cabeça, amarro o avental preto e vejo Bruna conversando com Samuel. Por algum motivo ela o chama de caralho e o pilantra não perde uma oportunidade de dar em cima dela.

Esta noite, em particular, há mais mulheres aqui. Ao menos seis delas estão sentadas em volta do bar. Algumas se aventuram nas barras de *pole dance*, chamam atenção dos homens presentes. Os pedidos de drinques começam a aumentar e de repente não vejo mais Bruna conversando com Samuel. Ele parece chateado enquanto a procura com o olhar e atende um homem sentado à sua frente.

— Onde ela está? — pergunto pouco depois.

— Fui trocado — responde, apontando para outra direção.

Bruna está na pista de dança com mais duas mulheres, dançando.

— Júlio, peça ao DJ para aumentar o som. Vamos deixar que as damas dancem — oriento.

As mulheres se juntam na pista, logo alguns homens se aventuram também. Nada demais acontece aqui. Nada além de beijos e danças coladas, como em qualquer bar com uma pista de dança. Enquanto preparo drinques meus olhos buscam a direção dela. Avalio com graça seus movimentos, nem todos desengonçados, percebo.

Acho bom que esteja sorrindo, divertindo-se, fazendo amizades.

Até que em um momento não a vejo ali na pista. Olho em volta e não a vejo em lugar nenhum. A música está alta, as luzes piscam na pista, agora cheia, dificultando que eu a encontre. Paro o que estou fazendo e busco por ela, quando meus olhos se focam em Júlio.

— O que está fazendo, Theo?

— Apenas me certificando de que Bruna está bem.

— Ela é bem grandinha e sabe se cuidar.

— Eu sei, só quero ter certeza de que está bem.

— Pelo Otto?

Nem respondo, ele está apenas me lembrando de quem é Bruna. Volto ao drinque, desculpo-me com a cliente e Júlio permanece aqui, ao meu lado, observando-me até que eu o termine e entregue a ela.

— O que é, Júlio?

— Você está olhando demais para ela.

— Eu a trouxe aqui, ela não tem experiência em lugares como este. Só me sinto responsável por ela, não é nada demais.

— Além disso. Olhou para ela também quando estava aqui, conversando comigo. Olhou para ela enquanto falava com Samuca. Olhou para ela por todo tempo enquanto esteve na pista, dançando. Você olhou para ela no outro sábado. Ao menos, uma vez a cada minuto. É o que estou tentando te dizer, você a olha demais. Olha para ela o tempo todo. Parece só ter olhos para ela quando ela está por perto.

— É só proteção, Júlio. É só aqui. Não ajo assim com ela em outros lugares.

— Ela é ex do seu irmão. Ainda que não se reconciliem, se envolver com ela traria uma série de problemas e comparações das quais há anos você tem tentado fugir.

— Não vou me envolver com ela. Não do jeito como está pensando. Agradeço sua preocupação, mas Bruna é apenas uma amiga. E como você disse, é a ex do meu irmão.

— Mas você o vê quando olha para ela? Você vê a noiva do seu irmão ou vê a Bruna?

— Quem ela é não depende de outra pessoa. Eu a vejo, como todos devem vê-la — esquivo-me, voltando a atender.

Um tempo depois ele finalmente se afasta, mas antes dá dois tapas em meu ombro e diz:

— Que bom que não está olhando para ela como pensei que estivesse ou você surtaria agora.

Levanto os olhos e Bruna se aproxima de mãos dadas com um homem. Um dos clientes frequentes da Casa, não sei seu nome, não é dos mais sociáveis, mas tampouco me importou saber. Até agora.

— Theo, eu já estou indo. Nós nos vemos amanhã — ela diz e se vira, e mais do que depressa dou a volta no balcão e seguro sua mão.

— O que você disse?

— Eu estou indo! — grita por sobre a música alta.

— Não consigo ouvi-la.

Ela parece irritada, diz algo ao homem que se afasta, olha em volta procurando algo, então me arrasta até um canto. Mas não é reservado o suficiente e a levo em direção a porta da cozinha, que sai em um corredor silencioso.

— O que disse?

— Estou indo. Nós nos vemos amanhã.

— São pouco mais de uma da manhã, não permitirei que saia sozinha.

— Não vou sozinha.

Minha respiração parece acelerar.

— Quem é o homem com quem você vai embora, Bruna?

— Não sei o nome dele, não perguntei. Mas não precisa se preocupar, estou com meu celular e...

— Eu nem tenho seu número. Você bebeu um pouco, não está alta, mas está alterada. Não é prudente sair para Deus sabe onde com Deus sabe quem.

Ela parece surpresa.

— Não pensei que fosse tão careta trabalhando em um lugar como este. Não se preocupe, não sou uma adolescente ingênua. Eu sei o que estou fazendo.

— E o que está fazendo?

— Saindo para uma noite de sexo casual com alguém a quem não voltarei a ver. Ou vai dizer que é errado uma mulher fazer isso?

— Uma mulher, não. Uma mulher qualquer que esteja neste bar, de jeito nenhum! Mas você, sim.

— Por que eu sim? Por que não posso me divertir igual a elas? Acha que sou tão burra assim? Que não saberei me cuidar? Me proteger?

— Acho. Acho que esteve em um relacionamento sério e calmo por tempo demais e não está preparada para uma noite de sexo casual com um estranho.

— Então o quê? Se eu perguntar o nome dele tudo bem para você? Deixa de ser um estranho e posso ir para um motel qualquer com ele?

Ela está irritada, mas estou ainda mais irritado do que ela.

— Eu a trouxe até aqui, você é minha responsabilidade. Não conseguirei lidar se algo de ruim te acontecer, então você não deveria...

— Vim de carona com você, não de acompanhante. Não aja como se fosse um irmão mais velho.

— Bruna, isso nem passou pela minha cabeça!

— Então, não sei o que se passa pela sua cabeça!

Respiro fundo e ela faz o mesmo. Por fim, ajeita o cabelo cujo vento insiste em agitar e sua voz é baixa e calma quando volta a falar.

— Agradeço seu conselho, tomarei cuidado, mas é minha vida. Sou uma mulher adulta e não vou mais permitir que homem nenhum me diga o que devo ou não fazer.

Assinto. Então é isso. Ela vai sair com um estranho qualquer e fazer sexo casual com ele. Vai se entregar a outro homem e isso deveria ser uma coisa boa, está esquecendo Otto, superando, está se abrindo para novas possibilidades. Está vivendo finalmente ao invés de apenas se lamentar. Ao invés de se afundar em bebida.

Ela abre a porta para entrar, mas algo não me deixa apenas permitir que vá. Seguro sua mão e ela volta para trás. A porta ainda aberta, segurando-a, impaciente.

— Não vá, Bruna, por favor! Não estou proibindo que faça nada ou dizendo o que deve ou não fazer. Estou apenas te pedindo que não faça. Não saia com um estranho esta noite.

Ela parece ainda mais surpresa, mas também confusa. Solta a porta, deixando que ela feche com um baque e seus olhos estão cravados em meu rosto.

— Por quê?

Por quê? Porque não quero que outro a toque. Não quero não saber onde está e se está segura. Porque é perigoso que saia assim, à essa hora, com um desconhecido. Preciso mesmo dar um motivo?

Abro a boca para dizer tudo isso, mas não vai adiantar. É o que tenho repetido nos últimos dez minutos e isso não a fez mudar de ideia.

— Porque você me deve alguns favores, lembra-se? Cada vez que fiz algo por você a alertei que ficaria me devendo uma. E estou cobrando um desses favores agora. Não saia com ele. Não saia com homem nenhum deste lugar esta noite.

Ela abre a boca para retrucar, parece irritada, incrédula. Faz um gesto negativo com a cabeça. Parece até mesmo transtornada, e por fim, assente.

— Tudo bem! Você venceu, eu te devo essa, certo? Você faz tanto por mim, por que eu não poderia deixar de sair por você?

— Bruna...

— Se faça essa pergunta, Theo. Responda a si mesmo por que não quer que eu saia. Porque eu sei essa resposta, mas ela faz de você tão babaca quanto o seu irmão e eu colocaria minha mão no fogo para afirmar que você é melhor do que ele.

— Bruna... — Tento chegar perto, mas ela se afasta.

— Não me toque! Não fale comigo como se você se importasse. Você estava certo, não tem porque se importar comigo, afinal, e está mostrando isso claramente agora. Justo você. Pensei que fosse melhor do que isso, Theo.

Dizendo isso, ela entra de novo na Casa, batendo a porta e não consigo ir atrás dela no momento, porque estou me fazendo a pergunta que ela sugeriu que eu me fizesse. Por que ela não pode sair esta noite por mim? Por que pedi isso a ela?

A resposta é clara, é óbvia. Se ela quer ouvir a verdade, direi a ela. Mas não penso que vá me considerar diferente do Otto então. Ao menos saberá que estou sendo sincero.

Finalmente me movo e entro na Casa atrás dela.

CAPÍTULO 9

Bruna

Fico como uma boneca obediente sentada em frente ao bar, onde o babaca do meu companheiro de apê faz drinques e finge não perceber as cantadas que recebe. Seus olhos me buscam a cada par de segundos.

Imbecil! O que faria se não me avistasse de repente? Viria atrás de mim?

Espera, por que mesmo ainda estou aqui? Ele pediu que eu não saia deste lugar esta noite com ninguém, certo? Ele é alguém. Então devo sair sem ele. De preferência sem me despedir. Ele que conte ao irmão idiota que saí com outro apesar de sua chantagem.

Certifico-me de que ele esteja ocupado, pego minha bolsa e me misturo entre as pessoas conseguindo sair da Casa. O segurança na porta chama um táxi para mim e, menos de cinco minutos depois, o veículo estaciona à minha frente.

Entro nele e cumprimento o taxista, quando de repente, alguém se joga ao meu lado, fazendo com que me arraste pelo banco e dê espaço a ele. Encaro Theo, incrédula.

— Se queria ir embora podia ter me dito.

— Não achei que fosse ser minha babá além de um chantagista.

— Para onde vamos? — o taxista pergunta.

— Para o centro, por favor! — Theo responde. — E não estou vigiando você, apenas protegendo.

Penso em dizer que não pedi qualquer proteção, mas desisto. Apenas não quero falar.

Ele diz algumas coisas sobre clientes da Casa que se deram mal ao saírem de lá com desconhecidos. Sobre amigas que teve, que passaram algum aperto. Um monte dessas histórias que sua avó te conta quando você entra na adolescência para que sinta um medo eterno de passar pelo mesmo.

Por fim, percebe que não vou responder e, do nada, diz ao taxista:

— Pode parar aqui, por favor!

Sinto-me surpresa que ele vá descer assim, no meio do nada, mas ele dá a volta pelo táxi, paga ao taxista e abre minha porta.

— Desça.

— Não quero.

— Por favor, Bruna.

— Não!

— A senhorita pode descer, por favor? Seu namorado já me pagou e tenho outro passageiro — o taxista pede apontando um homem que está na calçada esperando para entrar.

A contragosto, e irritada com taxista traidor, desço. Ainda não falo com Theo. Vamos andando, nem sequer termos chegado ao centro, onde ele disse que iríamos. Estamos na região da Lagoa e logo as luzes refletindo na água parecem me acalmar um pouquinho.

— Água sempre me tranquiliza — ele diz, andando ao meu lado.

Meu salto é grande demais e meus pés doem depois do tanto que dancei. Uma caminhada seria a última coisa que eu queria fazer esta noite, mas não vou dizer isso ao espião do *Ottário*.

Caminhamos por vários minutos, em silêncio. Percebo que não há estrelas no céu esta noite. É um céu de um azul-escuro, quase negro, sem qualquer brilho. Nem mesmo a lua pode ser vista, apenas nuvens escuras.

— Me desculpe — ele diz de repente. — Eu não tinha o direito de pedir o que pedi a você. Você está certa em estar brava.

— Decepcionada seria uma palavra mais correta.

— Bruna, eu não queria...

Paro de andar e o encaro, ele para também e se cala, olhando para mim.

— Quão baixo é você me vigiar para ele? Me impedir de sair com outros enquanto só Deus sabe com quantas seu irmão está? Você acha mesmo que vou ficar aqui de plantão, esperando que ele apareça enquanto...

— Espera! O que você disse? — interrompe-me, confuso. — Não estou vigiando você para ele, de onde tirou isso?

— Do fato de você não ter me deixado sair com outro, talvez? Não se faça de sonso agora.

— Bruna, Otto e eu não somos amigos. Eu não vigiaria nem mesmo sua carteira caso ele a esquecesse em algum lugar e eu a visse. Com certeza não estou vigiando você. E acho que deve, sim, sair e se divertir, se libertar dessa tristeza que havia em você quando nos conhecemos.

— Então, o quê? Por que me impediu de sair? Por que me pediu que não fosse?

Ele abre a boca, mas nada sai. Espero, espero, e quando desisto de esperar e me viro para encontrar outro táxi e ir embora, ele segura minha mão, fazendo-me olhar em sua direção.

— Porque eu não podia permitir que outro tivesse o que eu quero.

Meu cérebro parece lento em processar suas palavras. Isso, ou ele falou mesmo o que acho que falou.

— Não podia aceitar que ele conseguiria simples assim, quando eu não tenho a menor chance de conseguir. Você é tudo o que eu quero, mesmo sendo tudo o que não posso ter. Ainda assim eu a desejo. Ainda assim me faz queimar a cada noite naquele quarto pequeno, pensando em como seria ter você sobre mim, sob mim, estar dentro de você. Ainda assim, eu perco o controle quando você me olha e encontro motivos e razões que justifiquem perder a cabeça e beijá-la, seja onde for. Ainda que seja inalcançável para mim, cada beijo só me fez desejar mais do que tudo foder você e terminar isso.

Agora são minhas palavras que parecem ter sumido. Sua mão ainda está na minha, observo isso e ele a solta. Não sei o que dizer, nem sequer o que sentir. Há uma excitação desconhecida em mim agora, como uma surpresa boa que toma conta animando cada poro do meu corpo.

— Pedi que não fosse com ele porque eu queria ser o homem com quem você vai fazer sexo casual. Essa é a verdade. Agora você pode me odiar pelo motivo certo. Pode me odiar porque a quero.

Três coisas acontecem ao mesmo tempo. Meu coração dá um salto quando seus olhos se encontram com os meus e vejo o desejo que ele revelou exposto ali. Uma chuva começa a cair do nada, gotas geladas pingam de repente por meu corpo. Preparo-me para correr para debaixo de uma marquise, mas meu salto quebra e só não caio de cara no chão, porque Theo me segura. Ele me pega nos braços sem a menor dificuldade e caminha comigo para debaixo da marquise.

Já estamos molhados e faz muito frio, mas a chuva é tão forte que não conseguimos enxergar um palmo à nossa frente.

Não dizemos nada. Parece que não sei o que dizer. Não quero soar engraçadinha ou tímida. Não quero que se sinta culpado, tampouco que entenda que deve me desejar. Não sei o que quero, apenas me aproximo mais dele em busca de um pouco de calor e ele entende, pois passa os braços à minha volta.

Não sei quanto tempo ficamos aqui, tentando fugir da chuva, pingando e com frio, quando Theo comenta:

— Já está fraca o bastante para a enfrentarmos, não acha?

Abro a boca para dizer que vamos nos molhar assim mesmo, quando o observo. A calça colada e molhada, a camiseta branca colada ao seu corpo, as marcas em seu abdome, o cabelo negro pingando.

— Você está sempre molhado — comento baixinho, mas por seu riso, sei que ouviu.

Dou um passo para fora da proteção da marquise, a água ainda é gelada, mas não mais pesada. Vou andando bem torta, um salto ainda calçado e o outro pé descalço. Não dá para andar assim. Penso em tirar o salto bom, quando Theo se abaixa diante de mim. Ele fica de cócoras do nada, no meu caminho.

— O que é isso? — pergunto.

— Carona. Ou quer continuar andando como se estivesse em uma montanha-russa?

— Babaca — ralho, mas passo meus braços por seu pescoço e minhas pernas contornam sua cintura, seus braços as amparam e ele se levanta, carregando-me nas costas.

— Nenhum taxista vai nos deixar entrar assim — ele diz.

— Vai, se você tiver dinheiro.

— Eu tenho, mas acredito que esteja molhado. A não ser que ele não se importe se eu tirar o que está na cueca.

Rio, não consigo resistir.

— Ridículo, está mesmo com algo tão sujo próximo ao seu pau?

— Você me pegou, eu não uso cueca.

— Ah, eu sei disso, Theo. Já tive provas o bastante.

Ele é quem ri agora e não pergunto para onde estamos indo enquanto ele caminha comigo em suas costas, uma chuva fina nos congelando aos poucos e a visão da lagoa com pequenos cristais das gotas que caem sobre ela. Deixo que me carregue para onde quiser, até quando aguentar. Quando não se sabe o que fazer, você apenas deixa que as coisas aconteçam.

Ele para em um lugar qualquer, onde há uma placa de ônibus, percebo.

— Não! Vamos pegar um ônibus nesse estado?

— Imagino que o motorista não possa nos impedir.

E não impede. Ele me desce quando o ônibus chega, subo com dificuldade atraindo a atenção do motorista por conta do enorme salto apenas em um pé. Espero Theo pagar a passagem com dinheiro molhado, mas ele usa um cartão de passagem. A viagem não é longa, tampouco o ônibus para próximo de onde moramos. Olho para o morro que teremos de subir até a entrada do condomínio e quase choro. Mas novamente, Theo está de cócoras diante de mim.

— Para o seu azar, sou uma garota que jamais recusa uma carona diante de um morro — alerto antes de subir de novo em suas costas e Theo sobe a ladeira me carregando como se não fosse nada demais.

Não comento ao chegarmos à portaria que sua disposição e força são bem perigosas. Ele ainda me mantém em suas costas enquanto cumprimentamos o porteiro mexeriqueiro. Andamos até o elevador pingando pelo carpete e entramos. As portas se fecham e peço:

— Estamos no elevador, acho que pode me descer agora.

Ele solta minhas pernas e escorrego por seu corpo, caindo com um baque em cima dos pés. Um deles vinte centímetros mais alto que o outro.

Meu corpo tomba para o lado e, imediatamente Theo me ampara de novo. O pé calçado toca o chão, mas o descalço não, porque Theo me recosta ao espelho atrás de mim e me apoia em sua perna. Sinto o tecido molhado e frio através do short do macacão. A pressão que sua perna faz em meu centro é deliciosa.

Seus olhos estão em mim, e são aqueles olhos, ávidos, intensos, olhos que parecem me devorar.

— Você sabe que eu quero você — ele diz com a voz rouca. — Muito. Meu desejo não liga para o seu passado. Ele não se importa com quem a tocou antes desta noite. Então se você vai ser a voz da razão, me pare agora. Se há o risco de se arrepender depois, impeça.

Não digo nada, vejo as portas do elevador abrirem, depois se fecharem e ele desce de novo. Seus olhos ainda estão sobre mim, esperando que eu diga algo. Que diga sim, vamos fazer isso. O elevador para no térreo e as portas abrem, Theo desvia o olhar apenas para apertar de novo nosso andar, ele o faz esticando o braço, mantendo-me sobre sua perna, e seu movimento me faz fechar os olhos e gemer, faz uma pressão diferente em minha boceta agora.

— Basta uma palavra sua e a tomarei agora mesmo. Estou dizendo que quero foder você agora, bem forte, depressa, a noite toda. Estou dizendo que é tudo o que quero fazer agora. O que você vai fazer com isso? — pergunta.

Não respondo com palavras quando atitudes podem ser bem mais aproveitadas.

Meus braços circulam seu pescoço, meus dedos se enfiam em seu cabelo negro, puxando seu rosto para o meu. E o beijo.

Nossos corpos estão molhados, as roupas são geladas, mas nossos lábios quando se tocam são puro fogo. Sua língua invade minha boca. Seu beijo é como uma posse. Suas mãos se cravam em minha bunda, suspendendo-me.

O elevador abre de novo e Theo se mexe dessa vez, ele me carrega apressado pelo corredor. Tem dificuldade em abrir a porta, o que me faz rir, mas finalmente a abre. Vamos direto para meu quarto. Assim, molhados, gelados, grudados.

Ele me senta na cama enquanto tira sua roupa. A visão que tenho daqui de baixo é do seu torso definido, molhado se movendo enquanto seus braços passam a camiseta pela cabeça. As tatuagens estão ali, ocupam todo seu peito e braço direitos. Ele desabotoa a calça enquanto me levanto e as toco. Meus dedos passeiam levemente por sua pele gelada, firme.

Seus olhos se fecham e ele para o movimento de abrir a calça. Sua respiração está acelerada, sinto seu coração retumbando quando meus dedos passeiam por seu peito. Afasto-me apenas para que ele termine isso. Deixo-me cair na cama, ele tem aquele sorriso de lado enquanto a calça desce por suas pernas e seu pau é libertado.

Não está mesmo usando cueca, o que me faz rir e quando dá um passo em minha direção me adianto, seguro seu membro nas duas mãos, passeando-as por sua extensão.

— Devo uma coisa a você — diz com a voz falha, rouca. — Porra na sua língua. Como você fez na minha.

Não precisa dizer mais nada, abocanho a cabeça do membro, sentindo-a preencher minha boca. Meus lábios contornam a haste e pressionam a pele. Sinto-a mover quando sua cabeça alcança o limite da minha garganta.

Estou me acostumando ao seu tamanho, descobrindo até onde posso levá-lo. E assim que descubro isso eu o sugo com fome. Minha língua passeia por sua cabeça, meus lábios pressionam seu membro grosso, preenchendo minha boca, dificultando meu ar. Eu o levo até a garganta, Theo geme alto quando o faço e não me importo com o incômodo. Chupo de novo e de novo, e quando uma gota toca minha língua, ele me afasta.

Com pressa me levanta do chão. Suas mãos ágeis abrem o macacão por trás e o ajudo a tirá-lo. Tiro a calcinha de uma vez e estou usando apenas um sutiã negro com pedras. Theo passeia a ponta do dedo pela renda, tocando de leve meu seio, provocando numa caricia lenta, leve. Ele se aproxima mais, seu corpo tocando o meu, suas mãos abrem meu sutiã por trás e sua língua passeia por meu pescoço quando sinto a peça cair ao chão entre nós. Seus dedos descem levemente por meus braços, o carinho faz minha pele arrepiar e algo lá embaixo pulsar. Ele chupa meu pescoço levemente agora. As mãos passeiam por minhas costas e voltam a subir, até pousarem em meus ombros. De repente, ele me empurra para trás.

Caio na cama e ele cai em seguida, de joelhos, entre minhas pernas. Coloca uma perna sobre o ombro e me puxa para sua boca. Sua língua me toca primeiro, ao contrário dos toques leves de antes, ele me chupa com força. Meu corpo está gelado, mas sua boca é quente, lá em baixo, onde ele saboreia, está ainda mais quente. Meus olhos se fecham e gemo. Os sentidos se encontram uma bagunça, mas não posso negar que estão assim desde que ele disse que me queria.

Sinto-me tão sensível e viva!

Meu corpo pulsa, remexo-me com as investidas de sua língua de uma maneira como nunca fiz antes. Meus dedos procuram seu cabelo molhado. Seus dedos apertam minha pele, levam-me mais de encontro à sua boca ávida. Seus lábios me chupam com pressa, com força, com uma pressão deliciosa. Quando seus dentes prendem meu grelo e ele chupa, explodo. Gritando alto, perdendo completamente o controle sobre meu corpo.

Sinto Theo se movendo na cama, seu corpo paira sobre o meu. Gotas geladas pingam dele e abro os olhos. Seus olhos verdes parecem quentes, toco seu rosto, acariciando-o e lentamente ele me beija. Seu corpo cai sobre o meu, enfim, o peso me fazendo sentir acesa em segundos. Passeio minhas mãos curiosas por suas costas, sentindo a rigidez de sua pele gelada, enquanto sua boca quente me domina.

Sinto a cabeça de seu membro tocar minha entrada, ele colocou camisinha, provavelmente enquanto eu estava perdida na terra do prazer. Seus olhos se focam nos meus quando me preenche devagar. Seu membro vai abrindo espaço e me tomando, parece apertado demais, mas Theo insiste. Não vou negar que dói um pouco, mas é algo a que rapidamente me acostumo.

Theo fica parado dentro de mim, os olhos verdes nos meus e quando movimento a cabeça em afirmativo, ele se move.

Seu pau deixa minha boceta e entra de novo, e de novo. Devagar, no começo, suas mãos em meus seios enquanto ele estoca, sinto-o entrando e saindo, preenchendo-me e deixando. Parece não ser o suficiente.

Como posso querê-lo mais? Mais perto, mais dentro.

— Mais, Theo, mais — peço e nem sei se ele entende minhas palavras no delírio em que me encontro.

Ele vai mais fundo então, mais forte. Suas mãos levantam minha pélvis e ele mete mais rápido. Nossos corpos se balançando juntos. Seu membro me preenchendo de uma maneira que me tira completamente da realidade. O prazer vai me dominando, tomando-me de tal forma, que estou prestes a gritar quando ele para.

Joga-se na cama e me observa. Acredito não ter forças para me mover, mas o faço. Theo tem os braços atrás da cabeça, sobre meu travesseiro. O corpo delicioso relaxado, admiro cada gomo de seu abdome enquanto monto nele. E seu membro... Seu membro grosso e grande que vai me preenchendo conforme sento nele.

— Ah, sim, bem mais fundo assim — comento.

— Então cavalga, Bruna. Me faça entrar em você. — Sua voz é baixa, seus olhos intensos.

Apoio minhas mãos em sua barriga e faço o que me pediu. Cavalgo sobre ele. A sensação é tão plena e deliciosa, que sei que vou me perder rapidamente, mesmo querendo prolongar isso o máximo possível. Minhas mãos sentem a pele firme e passeiam por sua barriga. Agora entendo essa tara por homens malhados, é mesmo delicioso sentir a rigidez e apoiar a mão nesses gomos enquanto cavalgamos.

As mãos dele estão em minha bunda, ajudando meus movimentos, levantando-me e abaixando sobre ele com mais força. E gozo, gozo gritando seu nome ou qualquer coisa parecida enquanto ele geme mais alto. Não tenho forças nem mesmo para sair de cima dele agora e ele é quem gira nossos corpos e sai de dentro de mim.

Ele se livra da camisinha e me cobre. Deita-se ao meu lado. Nossas respirações estão aceleradas, os corpos suados. O frio se foi e está confortavelmente quente aqui. Observo a enorme janela de vidro à minha frente, ela me permite ver luzes lá embaixo. Quando olho de lado para Theo, ele está fazendo o mesmo. As mãos sobre a barriga descoberta, admirando a vista de fora.

— Você é a visão mais bela que eu já tive — comenta assim,

despretensiosamente, por nada.

E deve ter algo errado comigo, porque meu coração parece saltar de novo. Como se desse uma cambalhota aqui dentro do peito.

Quando acordo, já é tarde, Theo não está ao meu lado na cama, mas sei que dormiu aqui.

Espreguiço-me e vou fazer a higiene e, enquanto o faço, minha ficha cai de que transei com o irmão do meu ex-noivo. Com o irmão gêmeo dele.

As palavras de Olivia voltam à minha mente me fazendo questionar se meu tesão por Theo tem a ver com Otto. Mas, não. Esta manhã eu nem sequer me lembrei de Otto enquanto Theo me preenchia. Quando o beijei no elevador, era ele quem eu desejava, ainda quando ele disse que seu desejo não se importava com meu passado, minha mente estava nublada por meu próprio desejo e nem pensei em Otto.

Eles podem ter o mesmo rosto, quase a mesma voz e o mesmo sobrenome. Mas as semelhanças param aí. Theo e Otto não podiam ser mais diferentes. Completamente opostos, em absolutamente tudo, constato ao sentir um incômodo ao andar.

Encontro Theo se arrumando para ir trabalhar. Não sei bem como agir perto dele, não sei se ele, por ser irmão, sente-se culpado agora. Ele me cumprimenta com um sorriso sem graça e desvia o olhar quando avisa que deixou almoço para mim no forno. Veste uma camisa qualquer e se despede sem me olhar, passando pela porta. Segundos depois, entra por ela de novo. Vem em minha direção e se senta na banqueta de frente para mim.

— Olá — diz com um sorriso de lado.

— O que foi isso?

— Eu me arrependendo de ser um babaca.

— De qual parte da sua babaquice exatamente você se arrependeu?

Sua risada é alta e me faz ficar mais tranquila.

— Da que me fez evitar você em vez de perguntar como se sente. Nós transamos, Bruna. E agora podemos nos atentar ao fato de que sou irmão do seu ex-noivo. Primeiro quero dizer que a culpa do que aconteceu foi minha. Ainda que você diga que não me impediu, acho que não dei muita escolha enquanto a provocava com minha perna e mordiscava seu pescoço. Se você quer culpar alguém pelo que houve esta manhã, culpe apenas a mim.

Ele está mesmo se desculpando para tirar de mim uma culpa que eu devia estar sentindo? Imediatamente o acerto com o tapa no braço.

— Então a culpa é apenas sua por minha lhama estar dolorida quando ando?

— Pelo quê? — pergunta, confuso.

— Você fode como um selvagem — acuso.

— Você não parecia achar isso ruim quando ficou me pedindo para ir mais forte.

— Eu não tinha experiência com selvagens para saber que sentiria dor depois, você poderia ter tido essa consideração.

— Se quer ser fodida com delicadeza, volte para meu irmão.

Abro a boca para responder, mas não consigo mais, começo a rir. Logo, Theo também está rindo.

— Como você se sente? Além de dolorida, claro. Como se sente sobre tudo? Sobre o que nós fizemos? Sobre como ficaremos agora?

Não preciso pensar muito para responder a palavra exata de como me sinto agora.

— Livre. Não sei explicar, apenas me sinto livre. Leve, acho. Como se algo que pesasse por dentro houvesse desaparecido.

Seus olhos estão focados nos meus, ele tem um sorriso tímido no rosto que não é característico dele.

— Então, você não me odeia? — pergunta.

— Por que eu o odiaria? Por acabar com minha lhama?

— Mesmo porque a coisa presa na sua alma era tesão reprimido, você gozou algumas vezes e já se sente livre — responde se levantando. — Vamos, diga.

— Dizer o quê?

— Que foi o melhor sexo da sua vida.

— Nem morta vou dizer algo assim.

— Qual é, Bruna? Olha o quanto da nossa sanidade arriscamos por essa foda. Você tem de admitir que valeu a pena.

— Foi apenas uma foda — afirmo, mas seu sorriso apenas aumenta.

— Foi a única — diz um tempo depois, o sorriso bobo sumindo.

— Não pensei o contrário nem por um segundo. Matamos o desejo, podemos seguir em frente.

Ele assente, seu celular vibra no bolso e ele o pega, vejo a foto de Otto na tela e me sinto estranha. Theo tem os olhos cravados em mim, avaliando minha reação. Ele parece ver o que não digo em meus olhos, já que recusa a ligação e fala um palavrão ao guardar o celular no bolso.

— Eu vou embora, Bruna. Amanhã mesmo. Vai ser melhor para nós dois se realmente seguirmos em frente.

Ele não olha para mim ao dizer isso, seus olhos estão nos meus pés. E não sei o que poderia dizer a ele, então não digo nada. Ele se despede novamente e sai pela porta.

Dessa vez não volta atrás.

Mas por toda tarde fico pensando e tentando entender como me sinto. Por toda noite me pego desconcentrada em tudo, esperando a culpa que eu deveria sentir. A mesma que ele sente, isso ficou claro, Theo se sente culpado. Nem sequer conseguiu atender o irmão. Penso que a melhor saída para o relacionamento deles seria mesmo Theo ir embora e não devo me meter nisso. Devo deixar que eles, irmãos, se resolvam, uma vez que também fui culpada por um ato que vai abalar a relação já bagunçada deles.

Ligo para Olivia e conto tudo e também como não consigo entender como me sinto, o quanto estou preocupada por não saber de mim diante de algo tão sério. Mas minha amiga apaixonada, relaxada e positiva, apenas diz:

— Você não precisa saber como se sente o tempo todo. Pare de tentar rotular cada dia que vive. Tem dias em que a gente nem sente, Bruna, a gente só sobrevive. E tem dias em que gente vive, sente, sente mesmo quando não deveria. Não se preocupe tanto. Se você não está sentindo culpa já é um grande passo. Se não se arrependeu, quer dizer que se libertou. Se libertou daquele relacionamento tóxico, daquele homem escroto, do amor que só te fez mal. Não transforme isso em um drama, mas se é tão importante saber como se sente, se sinta grata. Você é livre, agradeça.

E por mais que eu a tenha mandado tomar em alguns lugares indevidos, ela estava certa, constato quando são 4h da manhã e vou fazer chocolate quente. Não posso me meter nas decisões de Theo, menos ainda se elas envolvem Otto. Ainda assim, vou ficar aqui acordada esperando por ele, nem que seja para tomarmos chocolate quente, juntos, uma última vez.

Se ele for embora por conta do que aconteceu, que pelo menos estejamos em paz um com o outro. Que a culpa que ele sente seja apenas por ele, pois eu estou livre.

CAPÍTULO 10

Theo

Mil pensamentos desordenados têm rondado minha mente desde o final desta tarde. Desde que os olhos dela, os mesmos que estavam acesos enquanto eu a fodia, pareceram pesados ao ver a foto de Otto na tela do meu celular. Mais uma vez, evitei as ligações do meu irmão por ter agido errado com ele. E há algo ainda mais grave, algo que eu deveria sentir, mas parece que estou me tornando alguém como ele, alguém que não se importa com o que os outros sentem.

Ir embora é a melhor opção para todos nós. E Bruna será apenas minha mais deliciosa lembrança.

Abro a porta do apartamento e me surpreendo por encontrá-la acordada, jogando no celular, sentada na bancada, em frente à ilha. Ela sorri quando me vê e pega as canecas fumegantes de chocolate. Estende uma para mim e se senta no sofá, como na outra noite. Sento-me então na poltrona.

— Eu te esperei porque precisava falar com você. Passei o dia todo tentando entender como me sinto, tentando sentir o que deveria sentir. Eu nunca quis machucar ninguém.

Assinto, posso entender como se sente, talvez até melhor do que ela entende.

— Se Otto ficar sabendo o que fizemos, isso o destruiria — admito.

Ela deixa a caneca sobre e a mesa de centro e se senta também nela, bem de frente para mim, de forma que seus joelhos tocam minhas pernas.

— Theo, você acha que eu devia me sentir culpada? Isso o machucaria, eu sei que sim, não apenas a ele. Então eu devia sentir culpa?

— Não, Bruna. Ele não se importou com culpa quando a deixou às vésperas do casamento. Não se importou quando você se demitiu. Você tem todo direito de apenas não se importar também.

Ela assente, parece pensar por algum tempo, depois dá de ombros. Sua expressão é calma, relaxada.

— Eu me sinto livre desde que acordei. Assim que abri os olhos pensei que me sentia livre. Esperei a culpa, mas ela não veio. Me senti estranha quando vi o rosto dele na tela do seu celular e esperei essa culpa, mas estou livre dela. Estou cansada de me sentir culpada, Theo. Por expectativas não atingidas, por atitudes não esperadas, até mesmo por sentimentos não planejados. Não quero mais sentir culpa. Você deveria fazer o mesmo. Não sei o quanto se sente culpado, já que quer ir embora, mas saiba que não precisa se sentir culpado por mim. Porque eu não me sinto. Se isso vai ferir seu irmão, foda-se! Eu não ligo. Não sofra pela minha parte, porque não me arrependo.

Ela se levanta, pega sua caneca e se senta de novo no sofá. E me pego rindo, entre aliviado e assustado, por ter passado todo o dia procurando uma resposta, para encontrá-la em Bruna. Assim, no meio da madrugada, como se ela soubesse o que eu precisava ouvir. Penso em mil coisas que poderia dizer, de como eu queria me sentir culpado e não me sinto. De como me sinto mal por não sentir essa culpa.

Mas a observo, tão calma depois do que fizemos. Tão madura, percebo. O que digo é:

— Não me arrependo de ter seduzido você, menos ainda de me afundar incontáveis vezes nessa sua boceta deliciosa.

Ela engasga com o chocolate e derrama um pouco do líquido quente na blusa. Levanta-se, tirando o tecido e limpando onde queimou. Usa um top branco que cai bem nela. Mas tudo parece cair bem nela.

— Não me arrependo porque passei dias em claro desejando ter você, me perguntando como seriam seus gemidos quando eu a penetrasse, se me pediria para ir com calma, se me pediria mais. Eu fantasiava você como alguém que pediria mais e você foi bem mais do que eu esperava. Então não me arrependo.

Levanto e paro diante dela, seus olhos estão em mim e ela fica parada, ansiosa, esperando o que vou dizer.

— Passei o dia todo me sentindo culpado. Culpado por não sentir culpa. Acho que sou um monstro, um ser sem coração, por apenas não me importar. Ao contrário de você, eu não tenho direito de não me importar. Ainda assim não consigo ver o que fizemos como algo errado. Não consigo me arrepender. E quando penso nisso o que me vem à mente é o quanto você é gostosa.

Bruna não diz nada, seus olhos estão nos meus e ela fica em silêncio, tiro a blusa de sua mão e verifico que não queimou sua pele. Toco o local avermelhado com cuidado, mas ela não parece sentir dor.

— Você me faz revelar coisas que eu nem sequer sabia que sentia a cada dia, Bruna, e são coisas que não mostram um lado bom meu.

Agradeço sua preocupação, que tenha me esperado para dizer que não me culpe por você. Fico feliz que esteja livre. Mas ir embora ainda é o melhor para nós dois, o mais seguro.

Devolvo sua blusa e me afasto, digo sem olhar para trás:

— Vou sentir falta dos seus chocolates quentes.

— E eu vou morrer de fome sem você — responde provocando e me pego rindo.

Quando acordo, as malas estão prontas e não tenho porque prolongar isso. Decidi esta manhã que não preciso de um jantar de despedida, nem nada assim. Bruna não está em casa, deve estar no trabalho, vai ser melhor assim, apenas sair sem me despedir, vai ser mais fácil. Algo parece pesar nessas malas enquanto as arrasto pelo corredor. Não estava brincando, vou mesmo sentir falta dela. Dos chocolates, das roupas atrevidas, das provocações, das brincadeiras. Ela tem um jeito de tornar tudo mais leve, o ambiente onde está é sempre o mais agradável.

Otto é mesmo um otário.

Meu telefone toca quando entro o elevador, um número que não conheço.

— *Theo? Sou eu, Bruna*.

Ela não precisava dizer seu nome, pois reconheci sua voz no momento em que disse o meu.

— Está tudo bem?

— *Sim, mas você já foi embora?*

— Estou indo neste momento.

— *Então, eu queria dizer que você não deveria fazer isso, não devia ir embora*.

Não digo nada, não faço ideia de como ela conseguiu meu número, mas acredito que isso não importa. O elevador chega ao térreo e não dou um passo para fora. Ela diz:

— *Não vá embora, Theo. Você não tem de ir, não pelo que aconteceu*.

Acabo apertando o número do nosso andar, as portas se fecham e o elevador sobe de novo.

— Achei que quisesse se livrar de mim. Não foi por isso que ficou dando em cima de mim quando me mudei? Não foi o plano infalível que bolou com sua amiga?

Uma risada gostosa é ouvida e sua voz não parece mais tensa quando volta a falar.

— *Você sabia sobre isso?*

— Descobri na manhã seguinte ao seu primeiro ataque.

— *Ah, por favor! Parece supererrado com você falando assim*.

— Você me deixou de pau duro por dias seguidos, isso é muita maldade, Bruna.

— *Eu compensei cavalgando nele por bastante tempo...* — Ela para de falar e nós dois rimos. — *No nosso segundo sonho compartilhado. Enfim, não vá. O que aconteceu entre nós aconteceu, podíamos ter evitado, mas não evitamos. Não precisamos nos repudiar por isso. Fica. Isso não vai mais acontecer, então não tem porque você ir embora*.

— Ah, Bruna, já estou aqui no elevador com as malas cheias e a decisão tomada. Estou subindo e descendo como um bobo desde que atendi sua ligação. Parece que tenho dificuldade em te dizer não.

— *Não posso concordar com isso*.

— Por que quer que eu fique?

De repente ela fica calada e sua resposta parece importante demais. Espero ansioso, até mesmo contando os segundos para que responda.

— *Porque eu não conseguiria me virar aí sozinha, financeiramente falando. Preciso de você*.

Ela está certa e me sinto desapontado. Ela teria de sair do apartamento se eu me mudasse.

— Tudo bem, vou ficar e pagar seu condomínio supercaro.

— *Não fale como se fosse um sacrifício, é justo que você pague o condomínio já que é você quem usa a piscina e a academia. Pague suas próprias mordomias, Theo D'Ávila*.

Há um riso ao final de sua frase e me pego rindo também.

— Vou te esperar com o jantar, Bruna Vidal.

— *Isso era tudo o que eu precisava ouvir. É sério, eu morreria de fome sem você. Até mais tarde.*

Ela encerra a ligação e salvo seu número.

Por alguns segundos me pergunto como deveria nomeá-la na minha agenda, até voltar a mim e nomeá-la da única maneira possível: A Bruna.

Mais uma sexta de movimento na Casa, e parece que por causa de Bruna, temos uma nova atração: a pista de dança. Há mais mulheres aqui hoje do que me lembro de já ter tido, e dançam animadas na pista enquanto o DJ faz tudo piscar. Elas dançam, divertem-se, suam e bebem bastante.

— O consumo dobrou — comenta Júlio, animado.

— Por que nunca pensamos em uma pista de dança antes? Essa pista estava ali sem ser usada.

— Porque você precisava de um incentivo para ter essa ideia — retruca.

Clara, uma cliente assídua da casa, pede outro drinque para mim e passa as unhas por meus braços quando vou entregá-lo a ela. Finjo não ter percebido e me afasto. Estou cansado, é sexta, a semana foi puxada e não quero transar esta noite. Meu telefone toca, mas dessa vez não é Otto, é Dario, o corretor responsável pelo *food truck* abandonado do outro lado da rua. Ele me pergunta se amanhã ao final da tarde posso receber alguém interessado em comprá-lo e aceito. Ele vai deixar as chaves aqui de manhã e só preciso mostrá-lo. Não custa fazer isso.

Pensar em Otto me faz acessar seu contato na agenda. Eu deveria ligar para ele após tantos dias recusando suas ligações. Deveria. Para mim, é perigoso ignorá-lo. Ele tem metade do que possuo, metade do que tenho ralado para manter. Para acabar com ela não lhe custaria nada. Ainda assim, guardo o celular no bolso e deixo para ligar outro dia.

O *food truck* é mais arrumado do que eu teria imaginado. O fogão é dos melhores possíveis, o freezer espaçoso, há uma coifa para tirar a gordura e fumaça do ambiente e muito mais armários do que eu julgaria possível em um espaço tão pequeno. Bartô era mesmo cuidadoso. O cliente que Dario enviou parece realmente interessado. Mais do que ele, minha companhia inesperada mexe em tudo, encantada.

— Isso é muito legal! Vou pedir as contas e vir trabalhar aqui.

— Vai vender o quê? Chocolate quente? — provoco.

— Querido, se eu vendesse chocolate quente à noite, usando as roupas certas, faliria seu barzinho.

Eu me pego rindo e o cliente de Dario concorda com ela. Ele se despede em seguida e Bruna e eu vamos para a Casa. Viemos mais cedo para receber o cliente interessado e Bruna quis vir comigo por se sentir entediada. Ela cumprimenta os meninos e os ajuda com as mesas.

Quando a noite cai, a Casa lota. Bruna dança por algum tempo, mas está realmente cheia. Desse jeito teremos de começar a barrar entradas, aqui não vai suportar a quantidade de pessoas que querem frequentar aos finais de semana. As pessoas não conseguem chegar até o bar, são muitas, elas se aglomeram, mas é impossível atender a todas. Então Bruna começa a ir até as mesas e pegar os pedidos. Ela os passa a Samuel que está por conta dela, preparando o que ela pede para que ela leve até as mesas. Isso é devagar no começo, mas logo as pessoas estão esperando nas mesas para que Bruna os atenda e ela manda os pedidos para Samuel pelo WhatsApp.

— Bem inteligente a garota do seu irmão — Júlio comenta.

— O nome dela é Bruna, não a limite como propriedade de ninguém.

— Também ficaria irritado se eu dissesse "a sua garota"?

— Eu já disse que foi só uma noite. Agora pare de conversar e vá trabalhar, este lugar está cheio.

— Tem pessoas saindo pelas janelas, eu diria — brinca voltando ao trabalho.

Ao final da noite, quando a Casa está mais vazia e Bruna se joga cansada na banqueta em frente de onde preparo uma porção, sou obrigado a admitir.

— Você nos salvou hoje, advogada. Quem diria que se sairia tão bem em um puteiro?

— Essa frase ouvida por alguém desavisado me colocaria em problemas.

— Está cansada? Quer que eu ligue para o Fabio vir buscá-la?

— Você não o chama de tio?

— Chamo, na presença dele. Tivemos pouco contato durante minha infância, ele não é mencionado pela família. Nossa relação se estreitou nos últimos anos, não tenho o costume de tratá-lo como tio quando falo dele, apenas com ele.

— Otto o chama de tio. Ele o chama de fracassado tio Fabio, o exemplo usado por seu pai do que ele não deve ser. — Ela me observa por um tempo e diz: — Acho que você está meio que seguindo os passos dele. Do tio a quem não deviam imitar. Como seu pai lida com isso?

— Como qualquer péssimo pai lidaria.

— Ele compara você ao perfeito Otto D'Ávila?

— Acredito que desde o ventre.

— Sinto muito.

— Não é nada com o qual eu não possa lidar.

— Nem sempre é fácil lidar com algo, ainda que possa, é difícil.

— Acho que você e eu temos bagagens parecidas, Bruna. Estamos nos saindo bem, você não acha?

— Minha avó não concordaria se ouvisse você falar que me dei bem em um puteiro.

— Sua avó mandaria me prender se descobrisse que eu a trouxe a um lugar como este.

— Você é uma péssima influência, Theo D'Ávila.

Pisco para ela que é chamada em uma mesa e vai imediatamente. E meus olhos a seguem em cada passo.

— Você também é uma péssima influência, Bruna Vidal, pois é perigosa — constato.

Na segunda-feira, ouço algum movimento pelo apartamento. É de tarde e Bruna não está a essa hora. Levanto-me alarmado, pensando ser Otto. Finalmente ele voltou. Veio recuperar seu lar, sua noiva. Abro a porta e o que encontro na sala é Bruna. Ela tem os olhos vermelhos, como se tivesse chorado. O cabelo está se soltando do coque perfeito, alguns fios bagunçados em volta do rosto. Ela olha para o nada e parece perdida.

— Ei, o que houve? Você está bem?

Sento-me ao seu lado e ela nega com a cabeça.

— Por que está aqui à essa hora?

— Porque fui demitida.

— Como foi demitida? Por quê?

— Não faço a menor ideia.

— Bruna, você está me deixando confuso.

— Bem-vindo à minha cabeça então. Fernanda Meireles me chamou em sua sala para dizer que adora meu serviço, que sou competente e ágil, mas teria de me dispensar.

— Por qual motivo?

— Por nenhum motivo, inicialmente. Disse apenas que sentia muito, mas não precisava mais dos meus serviços.

— Bem, você não gostava desse emprego mesmo. Talvez a vida esteja lhe dando um empurrão, não acha? — Tento animá-la.

Ela se vira no sofá em minha direção, solta o cabelo do coque, parece se sentir aliviada por isso. Seu cabelo agora é uma cascata marrom bagunçada em volta de seu rosto. E a maldita fica linda assim.

— Então o que a vida está fazendo ao me oferecer isso?

Ela me entrega seu celular e vejo o e-mail que recebeu. Um e-mail de Alonso D'Ávila, o sócio do Otto. Ele está oferecendo a ela a vaga de volta, com um salário três vezes maior. Eu a observo e ela parece irritada, perdida.

— Então você vai voltar à empresa do Otto. Pelo menos vai ganhar o suficiente para pagar seu condomínio caro — respondo.

— Não brinca comigo. Não vou voltar. Ele acha que pode me comprar? Não sei como ficou sabendo tão rápido que fui demitida, mas não é difícil imaginar. Fernanda e Alonso já tiveram um caso, devem manter contato. Mas se ele pensa que por estar desempregada e sem condições de bancar este lugar, vou abandonar meu orgulho e voltar a trabalhar para ele, está muito enganado! Não importa o quanto ele me pague, Otto D'Ávila não vai me dar ordens nunca mais.

Lágrimas escorrem por seus olhos quando diz isso e ela as seca, determinada. Pega o celular da minha mão e diz que vai se deitar. E não digo a ela o quanto a admiro por sua determinação.

Assim que ela entra para o quarto, percebo o que aconteceu. Vou direto para o terraço, a raiva parece me deixar quente. Otto atende na terceira chamada.

— *Olha quem está vivo afinal de contas. Resolveu falar comigo, irmão?*

— Você tirou o emprego dela. O que pensa que está fazendo?

— *Não sei do que está falando.*

— Não tente me enganar, Otto, você a fez ser demitida e fez a ela uma oferta absurda para que volte para a D'Ávila. O que pretende?

— *Não é óbvio? Bruna é minha, não pode simplesmente me ignorar como tem feito. Se não me atende por bem, vai atender por mal.*

— Você é doente! Foi você quem terminou, foi você quem a deixou. Por que acha que tem o direito de...

— *Você já a convenceu a vender sua parte, Theo? Você não me atende, a defende mais do que já o vi defender alguém, até mesmo para alguém com sua formação. Você se tornou o guardião dela? Será que é amiguinho dela finalmente?*

— Vai pro inferno! Não, não a convenci. Ao contrário do que pensa, ela não é manipulável.

— *Ou você não sabe como convencê-la*.

— Então venha e a convença você.

— *Eu incumbi você de fazer isso, estou cansado de fazer o seu trabalho*.

— Me pergunto por que você precisaria pedir a mim, quando teria conseguido tão rapidamente. Por que não pode ser você a convencê-la? O que há de errado com esse apartamento?

— *Não desvie o assunto, Theo. Acabei de ver a contabilidade do puteiro, o que está fazendo lá para dobrar assim o faturamento? Não me diga, não me interessa. Sabe quem mais parece desconfiado com a quantidade de dinheiro que tem entrado no seu puteiro? O papai. Comecei a dividir as contas com ele*.

Ele não diz mais nada, mas não precisa. Sua ameaça ficou clara.

— *Faça o que tem de fazer, Theo. Não tenho todo tempo do mundo*.

Encerro a ligação e sei exatamente o que fazer. Algo está errado no apartamento, tem de haver um motivo para Otto ter ido embora de repente e não poder ser ele a convencer Bruna a vender sua parte. Ele a teria feito assinar qualquer coisa quando estavam juntos, então por que tudo isso?

Ligo para Júlio, ele conhece todo tipo de pessoas, por conta de seus anos trabalhando em bares pela cidade.

— Júlio, você conhece um bom detetive? Ótimo! Vou precisar de um.

Vou descobrir o que Otto está escondendo por trás de sua chantagem.

Bruna passou a semana procurando outro emprego, mas cada vez que vai a uma entrevista, retorna com um *não* e um engradado de alguma bebida. Ela não entende o que está havendo, uma vez que seu currículo é impecável. Sua avó é alguém importante e sua formação é das melhores.

— Parece que você não tem saída a não ser voltar para a D'Ávila — comento enquanto tomamos uma cerveja horrível no terraço, após mais uma entrevista fracassada dela.

De repente, ela dá um pulo e me encara com raiva nos olhos.

— Que merda! Ele está fazendo isso, não está? Otto está impedindo que eu consiga emprego.

Não digo nada, não é preciso. Ela se perde em pensamentos depois disso, não sei se com raiva ou se pensando em ceder à pressão dele. Talvez ela pense que esse é o jeito dele de ter contato com ela, de mantê-la em sua vida. Talvez veja isso como uma ajuda dele, já que o salário que ele prometeu permitiria que ela mantivesse o lugar onde mora. Então não digo mais nada, deixo que ela tire suas conclusões, que viva o que sente por ele da maneira como tem de viver. Não vou interferir a menos que perceba que ela vai se machucar.

Mais uma semana se passa e Bruna ainda não conseguiu um emprego. Em uma tarde, ao me levantar, encontro-a somando contas. Ela já fez o almoço e parece desanimada.

— Você quer um empréstimo? — pergunto e ela me olha imediatamente, parece desconfiada.

— Você pagou as duas taxas de condomínio altas e está me oferecendo dinheiro. Como tem tanto dinheiro? Tem certeza de que não é um puto?

— Você acha que eu ficaria rico se fosse um?

— Ficaria mais rico se os ensinasse. Você poderia abrir sua própria empresa de entretenimento, o que acha?

Ela tem um sorriso zombeteiro e me sinto aliviado que tenha se distraído das suas contas.

— Acho que essa é sua maneira de dizer que fui o melhor sexo da sua vida.

— Foi tão bom que eu nem quis fazer de novo.

Atrevida! Adoro isso nela! Esses momentos em que me surpreende. Deixo o copo de lado e me apoio na mesa, diante de seu rosto divertido.

— Você não quis porque eu não pedi. Se eu tocar minha boca na sua pele, Bruna, você vai abrir as pernas sem ao menos se dar conta.

— Com essa imaginação você poderia escrever roteiros de filmes pornôs. Uma empresa de entretenimento diferente. Mais rentável, até.

— Você seria a minha musa inspiradora? Posso descrever o que fizemos em um roteiro desses, as pessoas pagariam milhões pelos detalhes.

Ela sorri.

— Mesmo porque elas não saberiam quanto do que você descreveria foi verdade e quanto foi criado por seu ego, que é tão grande. — Ela olha em direção ao meu pênis quando diz isso.

— Quer mesmo jogar esse jogo?

— Não é o que estamos fazendo?

Aproximo minha boca do seu ouvido, falo baixinho, meus dentes roçam em seu lóbulo e ela treme levemente.

— Se eu enfiar um dedo na sua calcinha agora ela não estará molhada? Se eu tocar você com a língua, não vou sentir seu suco? Será, Bruna, que você me diria não se eu te jogasse nessa mesa pra te foder como um selvagem que está morrendo de saudade do seu gosto? Não me deixaria me afundar em você até que estivesse delirando cavalgando no meu pau?

Afasto meu rosto e seus olhos estão fechados, a respiração acelerada. A minha também está. Porque tudo o que quero é jogá-la sobre essa mesa e fodê-la de novo.

Seus olhos se abrem, o castanho parece alaranjado, refletindo o fogo que parece queimar em nós agora. Não dizemos nada. Nosso jogo foi por aquele caminho que não devia ir, o caminho perigoso.

E que se foda! Seguro seu rosto e a beijo.

Assim, de repente, antes que o tempo passe. Ela corresponde, sua língua dança com a minha. O contato parece pouco, ela se levanta e seu corpo está no meu, meus braços à sua volta, prendendo-a a mim. Seus seios cheios pressionando meu corpo, deixando-me duro com a rapidez que só ela é capaz de despertá-lo. Nossas respirações falham, mordisco sua língua, seu lábio inferior e beijo seu pescoço enquanto a mantenho em meus braços.

— Desculpa — digo ainda a prendendo a mim.

— Não se desculpe se não se arrependeu.

— Quer que eu a solte?

— Não, mas você deveria.

— Não sei se é mais arriscado mantê-la aqui ou apenas olhá-la agora. Se você se afastar o bastante alcançarei suas pernas e a jogarei sobre meus ombros para fodê-la nessa mesa.

— Como um selvagem.

— Com você? Sempre, delícia.

Ela ri baixinho, nossas respirações se acalmam aos poucos. A contragosto, meus braços a libertam e ela se afasta. Não olha em meus olhos, senta-se de novo e tenta se concentrar nas suas contas enquanto vou comer o almoço que deixou para mim. Não nos falamos por um tempo, mas nossos olhos entram em uma batalha de provocações. Não conseguem se manter distantes por muito tempo.

À noite, estou passando pelo corredor quando a escuto dizer:

— Não, Olivia, você não vai me dar dinheiro, ficou maluca? Se não tem uma vaga para mim em um dos seus salões, vou fazer a única coisa que me resta. Vou voltar para a D'Ávila.

Paro onde estou pensando que Otto venceu mais uma vez. Vai tê-la sob seu controle de novo, não por escolha dela, mas porque não está dando a ela outra opção. Bato à sua porta e entro no quarto. Ela encerra a ligação com um sorriso triste. Tento não me concentrar em sua figura de moletom jogada sobre a cama nem no quanto ela é sexy bagunçada desse jeito.

— Você estava disposta a trabalhar no salão da Olivia?

— Estou disposta a fazer qualquer coisa, mas acho que não sei fazer nada. Desde que me entendo por gente soube que seria advogada. Não consigo pensar o que poderia fazer de diferente.

— Por que não experimenta algo divertido até que encontre outro emprego na sua área?

— Me surpreenda, Theo, diz um trabalho divertido que não envolva sexo.

Sorrio.

— Assim você limita muito minhas opções.

Ela sorri de volta.

— Venha trabalhar na Casa. Tem estado lotada mais do que o normal nos últimos dias. Você poderia servir as mesas, como fez naquela noite. Tem sido um inferno atender aos pedidos sem você lá. Você pode ficar quanto tempo quiser, como *freelancer*. Quando se cansar, ou encontrar coisa melhor, pode sair sem problemas. E claro, todo o valor das gorjetas será seu. Se você for com a roupa certa, vai ganhar mais dinheiro do que o dono.

Um sorriso enorme surge em seu rosto e ela se levanta, animada.

— Você faria isso por mim? Pediria ao Júlio para me contratar?

Ela acha que Júlio é o dono. Eu deveria dizer a ela que eu sou o dono. Otto e eu. Ela ainda assim estaria trabalhando para ele. Mas ele nunca saberia disso, ele nunca daria uma ordem a ela lá. Isso a ajudaria com suas contas, uma vez que ela não aceita qualquer ajuda financeira que não seja em troca de serviço.

— Claro! Vou falar com ele hoje mesmo, tenho certeza de que ele vai adorar ter você lá.

— Obrigada, Theo! Se ele me quiser lá, eu vou. Você está certo, vai ser diferente e divertido. E vou conseguir pagar as contas. Obrigada!

Ela me abraça de repente e me sinto feliz que esteja bem, animada, confiante de novo. É por pouco tempo, logo vou descobrir alguém a quem Otto não manipule no Direito e vou conseguir um emprego em sua área para ela. Mas por ora, deixarei que se divirta fazendo algo diferente. E, claro, que me ajude com os pedidos na Casa.

CAPÍTULO 11

Bruna

Esses saltos ainda vão me matar, mas me mantenho neles enquanto levo o pedido da mesa que chamo de cinco. Como Júlio nunca pensou em ter pessoas servindo mesas aqui? Pouco depois, Caralho me explica que o motivo é porque a Casa nunca ficou tão cheia quanto tem estado. Quando as dançarinas sobem nas barras a atenção se dispersa para o palco e finalmente consigo me sentar por alguns minutos. Caralho me serve algo para beber e para comer, já que estou faminta.

Observo Theo trabalhando, chacoalhando algo antes de servir a bebida a uma mulher muito bonita. Ela arrasta as unhas gigantes por seu braço, que responde algo sorrindo para ela, ele deve flertar muito aqui. Quando Caralho se aproxima de novo, também descansando um pouco da noite intensa, pergunto como quem não quer nada:

— Theo pega muitas mulheres aqui, não pega?

— Bem que elas queriam, mas não. Ele não sai com clientes da Casa.

— Sério? Isso é inesperado. Achei que fosse um pegador.

— Ele é, só não sai com as clientes da Casa, mas sempre tem alguma mulher esperando por ele em algum lugar. Até ir morar com você, acredito que ele nem tinha casa, dormia cada noite em uma cama diferente.

— Hum... — murmuro e volto a observá-lo.

Seu porte alto e forte chama atenção, ainda que em um lugar tão cheio de luzes e copos coloridos. Ainda que atrás dele haja tantas garrafas e decorações, algo nele atrai a atenção unicamente para ele e imagino que se isso acontece aqui, quando há tantas outras coisas para se olhar, ele deve ser o centro das atenções por onde passa.

Será que já teve namorada? Será que se apaixonou muito? Onde será que vivia antes de ir morar comigo?

As dançarinas se despedem, o movimento volta, agora os homens sentem ainda mais sede do que antes de forma que trabalho o dobro nas duas últimas horas antes de não conseguir mais dar um passo com esses saltos. Eu poderia tirá-los, mas o peso das notas que recebi de gorjeta na minha pochete não me permite.

— Como está se saindo? — Theo pergunta parando atrás de mim enquanto espero que Caralho termine um pedido.

— Bem, eu acho. Não derrubei nada e ninguém reclamou.

Ele me observa dos pés à cabeça com seu sorriso de lado e diz:

— E parece que você não se machucou hoje.

— A noite ainda não acabou — respondo.

— Você está deliciosa com essa roupa. Se algum desses babacas a aborrecer, me avise, está bem? — fala antes de se afastar e voltar para trás do balcão, para as mulheres grudentas que bebem todas apenas para ficar vendo-o chacoalhar aquela coisa com seu braço forte.

Quando a Casa finalmente fecha, tenho tanto dinheiro que nem sequer consigo acreditar. O táxi do tio Fabio nos aguarda à porta e ele sorri quando me vê.

— Você está mesmo trabalhando aqui. Quem diria, Srta. Advogada?

Estendo a ele o leque de notas que recebi.

— Olha isso. Ou os clientes desse lugar não têm família ou são podres de ricos.

Tranquilo, Theo está rindo ao meu lado. Converso um pouco com tio Fabio, e meus pés vão mesmo me matar. Quando chegamos à frente da entrada do condomínio, despeço-me do tio, desço e quase caio. Não consigo pisar, as solas dos meus pés parecem queimar e latejar ao mesmo tempo. Por alto vejo que meus dedos parecem inchados e a tira da sandália feriu a pele. Vou caminhando devagar e gemendo a cada passo, quando Theo se abaixa de repente diante de mim.

— Vamos, suba. Você precisa de uma carona.

— Eu não vou retrucar — respondo subindo em suas costas, mesmo ciente que meu vestido não é exatamente comprido e que minha calcinha pode estar aparecendo.

Em todo caso, apenas o porteiro vai ver. Quem sabe assim não começa a me tratar melhor.

— Vou começar a cobrar essas caronas — Theo diz quando entramos no elevador.

— Então, começarei a chamá-lo de Uber. E a exigir mordomias.

— Quer mais mordomia do que ser carregada?

— Se vou pagar, obviamente. Você não é exatamente confortável. Além do mais, quando estou de vestido, como agora, seu transporte me expõe de maneiras vergonhosas. Você vai descontar isso no preço da sua corrida?

Ele ri alto e não responde mais.

Descemos no nosso andar e Theo consegue abrir a porta, mesmo comigo pendurada em suas costas, ele se aproxima do sofá e me deixo cair sobre ele. Tiro os saltos gemendo e analiso o estrago.

— Você não vai conseguir ir trabalhar sempre nesses saltos, Bruna — ele diz o óbvio.

Pego meu leque de notas e exibo a ele.

— Vou ter de conseguir. Acredite, esses saltos me renderam ao menos metade dessas notas.

— Você tem muitos atributos para exibir, caso queira distrair seus clientes — provoca.

— Onde você morava? — pergunto de repente e ele parece confuso.

Mas não me responde, levanta-se rindo e vai tomar banho. E, pisando em cacos de vidro, vou fazer o mesmo.

Mas a água quente não alivia a dor. Tomo um analgésico e me jogo sobre o sofá enquanto o sol nasce, sofrendo pelos meus pés moribundos. Theo deixa o banheiro vestido, o que lamento por alguns segundos antes de encontrar a minha vergonha na cara.

Ele me observa com uma careta divertida e vai se deitar. Só que pouco depois retorna com meu óleo da *Victoria's Secret* na mão. Senta-se próximo aos meus pés, com a perna dobrada, de frente para mim.

Segura minhas pernas e as afasta, apoiando cada uma em uma coxa sua. Arqueio as sobrancelhas, curiosa sobre o que vai fazer e aquele sorrisinho de lado parece que vai me derreter por dentro.

Palmas, controlem-se palmas.

Ele lambuza as mãos com meu óleo e toca meu pé, massageando. Meus olhos se fecham e um gemido me escapa, de alívio. A dor parece sumir quando ele me toca com os movimentos que faz com as mãos. Sinto-me relaxar das últimas horas andando de um lado a outro em saltos enormes e gemo mais ainda quando ele pega o outro pé.

Não sei quanto tempo Theo fica aqui, massageando meus pés, mas não sinto mais dor. Nem cansaço. Ao contrário, pareço desperta e com bastante energia enquanto o observo. Seus olhos concentrados nos meus pés, em seus movimentos.

— Caralho disse que você não tinha casa. Que dormia cada noite na cama de uma mulher — comento, arrependendo-me em seguida.

Seus olhos buscam meu rosto e seu sorriso está ali. Ele deposita meu pé sobre seu pau e finjo não ter percebido enquanto massageia minha canela.

— Ele tem uma imaginação muito fértil, então.

— Você já teve namorada?

— Nenhuma com quem tenha morado, eu acho.

— Por que não sai com clientes da Casa?

— Porque elas sempre voltam na noite seguinte — responde com um sorriso e me pego rindo também.

— Sem-vergonha!

— Nunca neguei isso, delícia.

— Você tem dormido em casa todos os dias desde que se mudou para cá — observo.

Seu sorriso aumenta. Suas mãos param uma em cada perna e ele me encara. Há certa intensidade em seu olhar ou estou mesmo encrencada.

— Quer saber se eu tenho transado com outras desde que vim morar aqui? Não. Nos últimos meses você foi a única mulher com quem transei. Eu morava com o Fabio e a mulher dele, dormia lá quase todas as noites. Meu trabalho é exaustivo e não tenho muito ânimo para atividades físicas além dele.

— Mas você tem uma folga na semana, então...

— Então fazia exercícios nessas folgas, mas não desde que vim morar aqui.

— Por que não?

Suas mãos sobem por minhas pernas e me remexo, inquieta.

— Porque você começou a me dar mais trabalho do que a Casa.

Reviro os olhos e suas mãos se cravam em minha cintura. Seu corpo pende para frente, quase pairando sobre o meu. Ele crava os dedos na minha pele, seus braços se enfiam por baixo do meu corpo, como se fosse me abraçar, e ele me puxa de uma vez, levando-me para seu colo.

Seus braços me apertam presa a ele e encosto a testa na sua.

— Porque você deu em cima de mim e comecei a desejá-la com tanta força, que nenhuma outra mulher teve graça. Era o que você queria ouvir?

— Já está mentindo para me agradar?

— Não quando digo o quanto a desejo — responde e sorrio.

Seus lábios passeiam por meu pescoço, mordiscando de leve a pele, causando-me arrepios deliciosos. O cheiro doce do óleo no ar, os pássaros cantando lá fora e o sol entrando na sala. Fecho os olhos e o sinto. Seus lábios tocam nos meus, mas apenas tocam. Sua ereção pode ser sentida embaixo de mim e espero.

— Você devia ter me deixado ir embora — diz baixinho, os lábios tocando nos meus conforme ele fala.

— Não é fugindo que superamos nossas fraquezas.

— Você não é apenas uma fraqueza, Bruna. É quase uma necessidade. Perder a cabeça com você é fácil, basta um segundo, mas parar depois que a tenho assim, sobre meu colo, sobre meu pau, é um tormento.

Não estou pedindo que pare.

Não pare.

Não digo essas palavras, não digo embora queira tanto terminar isso, porque não quero que ele vá embora depois. Ele se levanta devagar, ainda me mantendo em seus braços. E me liberta sem pressa, ainda me ampara quando meus pés tocam o chão. Nossos olhos se encontram e parece que o tempo para.

Não há mais o canto dos pássaros, nem o barulho da geladeira. Há ele.

— Você consegue andar? — pergunta baixinho.

— Não se continuar presa nos seus braços.

— É difícil deixar você ir.

— Então não devia ter me deixado tão perto.

— É difícil não a querer perto assim — responde com um sorriso. — Mais difícil ainda porque você não me impede.

— Eu nunca disse que sou forte.

— Boa noite, Bruna!

— Boa noite, Theo! Obrigada pela massagem.

— Disponha.

Ele me solta então. Dou um passo para trás os olhos ainda nos dele, querendo mais do que tudo voltar para o calor do seu corpo. Mas me afasto e caminho até o quarto me sentindo estranha, leve, meio boba, excitada. Fecho a porta atrás de mim e dou tapas leves no short do pijama, sobre lhama.

— Hoje não, assanhada, pare de se desmanchar por esse homem. Ele é o homem errado.

Quando acordo já é tarde, bem tarde. Tenho pouco tempo para me arrumar para voltar a Casa. Theo está indo para o banheiro. Completamente nu. Ele passa por mim e observo o bumbum durinho enquanto ele me dá um bom-dia animado. Ele entra no banheiro e não fecha a porta o que me faz revirar os olhos.

Ele acha mesmo que vou morder a isca e ir vê-lo tomar banho? E isso acabaria em nós dois tomando banho juntos. E nos atrasaríamos. E eu seria demitida no segundo dia.

Vou até a geladeira e pego um iogurte estranho que Theo compra para suas receitas. Parece não ter gosto de nada, apenas uma textura cremosa. Ouço o barulho da água caindo, essa é a desvantagem de um apartamento em conceito aberto como este, parece que estou em todos os ambientes ao mesmo tempo. Inclusive, perto demais do banheiro onde ele toma banho com a porta aberta.

Deixo o iogurte sobre a ilha e vou a passos leves, descalça, na ponta dos pés até a porta do banheiro. Ele não vai saber que mordi a isca, mas não significa que eu não precise realmente mordê-la. Ele está de costas, ensaboando-se. A água corre por suas costas esculpidas e seu bumbum durinho.

Mordo o lábio inferior para que nenhum som de apreciação inoportuno me escape.

Theo é bonito em cada detalhe, mesmo os detalhes mais bobos, como o bumbum e o formato das costas. Ele se vira de lado e vejo seu membro molhado, descansando entre suas pernas. Vejo a lateral de seu abdome. Ele tem os olhos fechados enquanto lava o cabelo e lhama já está nadando em sua piscina particular por ele.

De repente meu celular toca e ele olha em minha direção. Viro-me para sair correndo, mas bato a cabeça no batente da porta e atendo o celular depois de tanta vergonha. Ouço a risada convencida dele lá do banheiro enquanto vou para meu quarto.

— Alô.

— *Oi, lindinha. Que bom que finalmente me atendeu.*

A voz do outro lado é uma que não ouço há muito tempo.

— Eu não vi que era você.

— *Você não precisava me ignorar desse jeito, Bruna. Eu já entendi o seu recado, fui um idiota com você e...*

— Não quero mesmo falar com você agora.

— *Espera! Estou ligando para falar sobre seu trabalho. Aceite a oferta do Alonso, recusá-la seria uma tolice sem tamanho e você sabe disso. Você é esperta, Bruna, precavida, tenho certeza de que sabe que uma oportunidade como essa não cai duas vezes no seu colo.*

Meus olhos se fecham pela maneira como fala, ela me é tão familiar! Os elogios antes de me induzir a fazer algo para que a opinião dele sobre mim não mude.

— Tenho certeza de que esse tipo de oportunidade vai cair no meu colo quantas vezes você achar necessário até me ter de novo sob suas ordens!

Ele fica em silêncio, quando volta a falar, sua voz parece falha, surpresa.

— *Bruna...*

— Não quero mais falar, Otto. Se quisesse falar comigo depois de eu recusar suas ligações por tanto tempo, estaria aqui. Se está me ligando de novo é porque não valho o esforço.

— *Bruna...*

— Eu vou desligar.

— *Você vai perder o apartamento!* — grita e continuo na linha. — *Fiz isso para que consiga manter o apartamento. Será o seu dinheiro, do seu trabalho. É um valor que você merece, que já devia estar recebendo há muito tempo.*

— Assistente nenhuma recebe tanto.

— *Então você será nossa advogada. Vou conversar com Alonso, vamos providenciar tudo, você terá uma assistente e prestará o exame...*

— Por que agora? Por que depois de tanto tempo?

— *Porque me dei conta de que a machuquei e a deixei ferida o bastante para pedir demissão. E desde então me preocupo em como está se virando. Mal consigo dormir temendo que esteja passando por problemas financeiros por culpa minha. Só estou tentando cuidar de você, lindinha, mesmo que do meu jeito errado.*

Eu me jogo na cama com o telefone à orelha, os olhos ainda fechados, perdida em sensações familiares, mas não boas, percebo com assombro. Lembranças me tomam e me sinto confusa.

Ele fez isso para me ajudar? Porque parece algo que o Otto por quem me apaixonei faria, mas não algo que o Otto de verdade faria.

Quando abro os olhos, Theo está parado à porta, a cabeça baixa, olhando o chão. Ele percebe que o estou olhando e se afasta, indo para seu quarto. Essa situação está errada, toda ela. Theo é irmão de Otto, estou ao telefone com ele quando minutos atrás estava prestes a transar de novo com o irmão dele. Tudo isso é ridículo, é inevitável e fora de controle.

Sinto-me fora de controle. Fora de mim. Perdida.

— Não aceito sua proposta — respondo enfim. — Agradeço sua preocupação, mas se quer mesmo me ajudar, me consiga um emprego onde eu ganhe o mesmo salário sem ser sua subordinada. Aí, sim, vou apreciar suas boas intenções.

— Você está com essa mania de ser teimosa, Bruna! Essa postura não lhe cai bem. Como vai pagar o condomínio sem emprego?

— Eu já tenho um emprego. Estou ganhando muito bem, portanto não se preocupe, eu consigo me virar. Nós nos falamos de novo quando você me conseguir esse emprego, tchau.

Encerro a ligação e desligo o telefone. Uma vez Theo me perguntou por que eu não o bloqueava. A verdade é que esperava que ele entendesse meu recado. Que entendesse que não conseguiria contato comigo de nenhuma outra maneira que não fosse frente a frente. Eu esperava que ele aparecesse aqui um dia qualquer, de repente, e me surpreendesse mostrando que se importa. Mas isso não aconteceu. E na verdade até acho que foi melhor não ter acontecido. Porque parece que nosso tempo passou. Parece que demorou até demais para passar. Ainda que ele aparecesse aqui agora, não mudaria nada em como me sinto. Ele me bagunçaria talvez, uma ligação me bagunçou. Mas não por ele, percebo, sim, por seu irmão.

Que merda estou fazendo?

Theo está quieto no trajeto até a Casa, tio Fabio também não está conversando hoje, talvez por ter percebido a expressão de Theo e a minha. Hoje vim de tênis para não matar meus pés, em compensação, com um decote supergeneroso. Vamos ver se consigo as mesmas gorjetas de ontem.

Theo se despede secamente do tio e desce. Penso que não quer falar comigo, mas me estende um drinque antes de se trocar.

— Beba isso, para se animar mais, parece cansada.

— Estou cansada. Minha vida era passar horas em tribunais ou sentada, não, andando de um lado a outro.

Ele observa meu tênis e meu decote.

— Esperto, mas arriscado também. Algo me diz que esse decote vai te causar problemas, o que significa que terei problemas por sua causa.

Cruzo os braços, irritada, expondo ainda mais os seios para ele.

— Eu sei me cuidar, não preciso de babá por usar um decote.

— Então boa sorte, delícia! — A maneira arrastada como ele diz isso e seu sorriso de lado fazem duas coisas baterem ao mesmo tempo no meu corpo.

— Controle-se, Bruna! Controle-se, lhama! Parem já com isso — ralho baixinho, afastando-me de Theo.

A Casa está cheia, mas menos do que ontem e, apesar de saber que não receberei o mesmo tanto de gorjeta, prefiro assim. Os clientes não tiram os olhos do meu decote, mas isso não me incomoda. Foi para ser olhada que o coloquei esta noite. Ele também está garantindo mais dinheiro do que os saltos, a julgar pelo fato do movimento hoje estar menor.

A noite parece passar mais rápido quando meus pés não estão me matando. Vez ou outra, eu observo Theo flertando com as clientes.

Por que ele as assanha se não vai sair com elas?

Ele me pega olhando e faço um gesto negativo com a cabeça, que o faz sorrir de lado e piscar para mim. Também me faz receber um olhar atravessado da cliente que ele atende.

Há apenas três mesas ocupadas agora, uma delas por três amigos que, pelo o que entendi, não se viam há anos, desde que se formaram na faculdade. Um deles está bancando tudo, disse isso para mim algumas vezes, imagino que tentando dizer que tem dinheiro. Ignoro sua arrogância e tento ser o máximo possível educada e gentil, já que é meu trabalho.

É estranho como Theo também é convencido e até meio arrogante, mas de um jeito adorável, sexy, não um babaca como esse cliente.

Fecho sua conta e levo a máquina de cobrança até ele na mesa, ele passa o cartão me dizendo que é ilimitado, ainda que eu não tenha perguntado nada. Agradeço a presença e finjo que não o ouvi me chamando quando me afasto. Mas de repente ele me pega, suas mãos seguram com força meus dois braços e seus olhos estão descaradamente no meu decote.

— A noite não precisa acabar agora, princesa. Por que não a estende comigo?

— Não, obrigada.

— Ah, por favor! Se não foi para este fim que me atendeu com esse decote, foi por qual motivo?

— Para exibir meus seios uma vez que os acho lindos. Tenho o direito de mostrar qualquer parte do meu corpo se eu quiser, mas isso não te dá o direito de colocar as mãos em qualquer parte do meu corpo se eu não quiser. — Minha voz é séria e clara para que entenda que estou falando sério.

— E se eu não quiser soltá-la?

Abro a boca para dizer que o processarei por assédio, quando a voz de Theo responde em meu lugar:

— Terei de tirá-lo à força.

Então Theo o acerta em cheio no olho com um soco.

O homem me solta e cai para trás. Os amigos que estavam com ele na mesa vêm imediatamente para cima de Theo. Caralho então pula a bancada e vem defender Theo. E de repente há muitos homens em uma pancadaria diante de mim, quebrando coisas, derrubando mesas.

Procuro por Júlio, mas ele saiu mais cedo hoje. Chamo os seguranças, mas são apenas dois, não dão conta de apartar a confusão que se desenrola. Não tenho saída. Pulo a bancada do bar, pego a mangueira do chope e atiro chope em todos eles. Rapidamente eles se afastam, então subo na bancada, ainda com a mangueira em mãos e grito:

— Fora daqui ou vou chamar a polícia! Agora! Fora daqui!

O cliente babaca e seus amigos pegam suas coisas e saem, machucados, ensanguentados e irritados. Caralho está choramingando com a mão sobre o canto da boca e Theo...

Theo está parado, olhando para mim. Há um machucado em sua boca, sangue em sua testa, mas ele sorri. Seus olhos estão vidrados em mim. Ele se aproxima devagar, sem desviar os olhos e para a minha frente. Olho para baixo, para ele, que tomba a cabeça de lado e diz:

— Você está deliciosa brava desse jeito aí em cima. Irresistível dando ordens como uma advogada. Tentadora segurando com tanto afinco essa mangueira, mas parede desperdiçar nosso chope, delícia.

Sorrio, não consigo evitar. Tiro o dedo da válvula e o líquido amarelado já escasso para de cair. Jogo a mangueira para dentro do bar e quando me viro para descer por onde subi, Theo me puxa por trás, pegando-me em seus braços.

— Seu rosto... — comento.

— Vá para a casa, Theo, nós cuidamos de tudo aqui. Vamos acionar o seguro, a polícia deve chegar em breve, vamos dizer que alguns arruaceiros bêbados começaram a brigar. O seguro vai cuidar de tudo — um dos seguranças diz.

Theo agradece e me coloca no chão. Certifico-me de que Caralho consegue ir embora sozinho e vou com Theo para casa.

— O que quer que o tenha acertado aí fez um belo estrago na sua testa — tio Fabio comenta olhando Theo pelo retrovisor.

— Foi uma cadeira — Theo explica.

— Uma cadeira? — pergunto, assustada.

Ele sorri de lado e brinca com meus dedos, como se não fosse nada demais.

— Eu disse que esse seu decote ia me meter em problemas.

— Theo, você não será demitido, não é? Ou o Júlio pode querer descontar do seu salário o prejuízo? Porque você agiu como um troglodita, ainda assim me sentirei culpada.

— Mas o Theo não pode ser demitido, ele... — tio Fabio diz, mas Theo o interrompe.

— Aquele lugar não sobrevive sem mim. Relaxa, delícia, estou bem.

Sinto-me corar por ele me chamar assim na frente do tio.

Quando descemos o ajudo a andar, o que o faz rir.

— Tenho quase certeza de que não acertaram minhas pernas, Bruna.

— Desculpe. Estou preocupada, você está sangrando.

Entramos no elevador e ele avalia o estrago no espelho com um sorriso.

Um sorriso.

Eu o acerto imediatamente.

— Seu babaca, troglodita! O que tinha na cabeça? Vou usar essas roupas todas as noites porque me dão gorjetas e você não vai ficar brigando com cada imbecil que ultrapassar um limite ou dentro de um mês não terá mais ossos!

Ele me avalia sério, não diz nada.

— Eu sei me cuidar. Não possuo músculos, mas possuo conhecimento da lei. E sei usá-lo de forma que assusta qualquer homem babaca e bêbado, então não se meta mais em uma briga por minha causa!

— Não achei que fosse voltar à Casa — diz quando descemos do elevador, num tom sério demais para ele.

— Por que eu não voltaria?

— Não é um ambiente que Otto aprovaria para você.

Ele abre a porta e entra, indo direto para o banheiro e me deixando de fora.

Tomo um banho rápido e encontro o kit de primeiros socorros que Olivia deixou aqui quando me mudei, no que ela chama de kit necessidades para Bruna. Theo sai do banheiro com a toalha apenas enrolada na cintura. O cabelo molhado fazendo que gotas escorram por seu peitoral, que possui alguns hematomas.

— Venha, deixe-me fazer um curativo — peço.

— Não é necessário, vou me deitar.

— Você ainda está sangrando. Isso pode infeccionar, será melhor se eu limpar direito e...

— Não finja que se importa — responde me dando as costas.

— O que há com você? Estava brincando com meus dedos minutos atrás e agora está aí, agindo como um idiota!

Ele para de andar e se vira em minha direção.

— Me desculpe. Não precisa se preocupar, delícia, estou ótimo.

Então segue pelo corredor e entra em seu quaro.

— Você não vai bater a porta na minha cara! — grito correndo atrás dele, entrando em seu quarto com ele.

— Eu não ia fazer isso — comenta com um sorriso de lado. — Por você, sempre deixo as portas abertas.

— Sente-se aí e me deixe limpar isso ou vou ficar no seu quarto a manhã toda e não te deixarei dormir.

Ele se senta e me encaixo entre suas pernas para limpar o corte que parece bem feio na testa. O cabelo molhado fica pingando gotas geladas em minhas mãos e Theo percebe que está me incomodando.

— Se quiser secar meu cabelo a toalha está logo aqui abaixo — provoca.

— Agora está brincando comigo de novo?

— Você o atendeu, finalmente. Percebi que ficou tocada.

Paro de limpar seu machucado e o observo. Então é isso o que o está incomodando.

— Eu fui pega te olhando tomar banho pelo toque do celular e atendi apenas para que parasse de tocar. Não notei que era ele.

— O que ele queria? Dizer para você aceitar a vaga na D'Ávila e que está fazendo isso para ajudá-la?

— Você conseguiu ouvir o que ele disse, da porta?

Ele sorri, mas não é um sorriso característico dele. Coloco o curativo e acaricio seu rosto, seus olhos estão nos meus.

— Está finalmente se sentindo culpado? É por isso que está agindo assim? — pergunto.

— Não. Você está?

Nego com a cabeça e seu sorriso agora é verdadeiro.

Duas mãos pousam em minha cintura e tento ignorar que ele está nu, deliciosamente molhado, sobre sua cama, neste momento.

— Vai voltar para ele? Ele está vindo vê-la? Entendeu finalmente o que você queria deixando que ele ligasse ainda que não o atendesse?

— Não faz diferença. Nenhuma dessas respostas. Finalmente fiz o que devia ter feito, bloqueei o número dele. Somos adultos, Theo, dormimos juntos sabendo das consequências. E contra tudo que imaginamos, não nos sentimos culpados. Talvez não aja culpa a ser sentida aqui. Talvez não tenha sido errado.

Seu sorriso some e seus olhos parecem tão intensos, que me perco neles por algum tempo, mas volto a mim e tiro suas mãos do meu corpo.

— Vá dormir e à noite, antes de irmos, vê se toma um calmante.

Ele sorri de lado, mas não diz nada. E preciso ralhar com lhama para que se comporte.

Não demoro a pegar no sono por conta do cansaço físico e emocional das últimas horas. Mas parece que não dormi nada, quando Theo chama meu nome. Ainda me sinto cansada e com sono. Abro os olhos e ele está parado à porta. Usa uma boxer preta, apenas. Imediatamente desperto.

— Bruna, desculpe incomodá-la, mas não consigo dormir.

— Está sentindo dor?

— Um tipo diferente de dor, mas sim.

Franzo o cenho e ele fecha a porta atrás de si.

— Será que posso deitar com você um pouco? Antes que negue, devo lembrá-la de que ainda me deve algumas.

— E você usa disso para me chantagear, estou vendo. Não ia dizer não, esta cama é enorme. Desde que se mantenha a uma distância segura, fique à vontade.

— São duas frases que não andam juntas, essas — provoca, deitando-se ao meu lado.

Ele se cobre e fica de lado, olhando para mim, a cabeça sobre o braço, um sorrisinho safado nos lábios.

— Você é bonita — diz. — Mesmo quando é acordada.

— Esse foi um elogio estranho. De preferência, não me acorde mais para ter de repeti-lo.

Ele se arrasta na cama para mais perto de mim e sua mão toca a minha, casualmente, as pontas dos dedos brincando na minha palma. Meu corpo todo está aceso agora e minha respiração acelerada.

— Vou te desafiar — diz.

— Meu cérebro não está exatamente acordado para vencer qualquer desafio, não é justo da sua parte.

Ele se aproxima mais, agora sua respiração está em meu rosto.

— Repita o que disse no meu quarto. Repita, ciente que estou aqui, na cama com você. Ciente das consequências sabendo que a desejo ainda mais do que antes. Repita.

Sua mão segura a minha agora, como se me pedisse para repetir. E sei que estou agindo errado quando abro a boca, mas o faço assim mesmo:

— Não foi errado. Somos adultos, não é errado.

Sua boca toma a minha e o peso de seu corpo sobre o meu faz q lhama começar sua festa molhada.

CAPÍTULO 12

Theo

Sinto seus seios pressionados em meu peito. Seus lábios cheios se abrem para receber minha língua, e a dela corresponde à dança que proponho com paixão. Meu joelho pressiona o meio de suas pernas e Bruna geme em minha boca. Solto suas mãos para tirar sua camisa. Ela me ajuda a despi-la. Não está usando sutiã e abocanho seu seio enquanto ela ainda está se despindo. Ela grita quando chupo o mamilo e o mordisco.

Empurro seu tronco de volta à cama e minha boca desce por seu corpo, sentindo sua pele na ponta da língua, seus gemidos baixos soam como música quando alcanço o tecido da calcinha que usa.

Ela disse que não é errado. E só posso acreditar nela. Não há mais nada que eu possa fazer com esse desejo que me toma cada vez que a vejo, senão saná-lo.

Toco seu clitóris pela calcinha, pressionando enquanto suas pernas se movem agitadas. Bruna belisca os mamilos enquanto faço movimentos ininterruptos em seu centro. A visão é dolorosamente quente. Liberto meu pau da boxer e o acaricio olhando para ela, para as unhas compridas nos pequenos botões dos seios, apertando-os, para sua boca aberta em gemidos baixinhos, deliciosos. Meu dedo em sua calcinha está molhado e meu pau lateja entre meus dedos. Preciso estar nela desesperadamente.

Quando paro os movimentos ela abre os olhos, confusa. Tiro sua calcinha devagar e, ainda sob seu olhar atento, tiro minha boxer. Bruna lambe os lábios quando volto a acariciar meu pau, olha para ele fixamente enquanto me posiciono entre suas pernas e olha finalmente meu rosto quando estendo a mão e, com a voz mais rouca do que poderia prever, peço:

— Me empresta seu travesseiro.

— Meu travesseiro? — pergunta, confusa.

— Sim, Bruna, me dê ele.

Ela o tira de trás de sua cabeça, entregando-o a mim, curiosa sobre o que pretendo fazer com ele.

— Agora levanta o quadril.

Ela o faz e posiciono o travesseiro sob sua bunda, mantendo sua boceta molhada aberta diante de mim. Guio meu pau até sua entrada, tocando-o primeiro em seu clitóris. Paro então em sua entrada e seguro suas pernas, abrindo-as o máximo possível, apoiando-as com meus próprios braços.

Bruna me observa atentamente, a boca entreaberta, os olhos contêm um brilho de excitação que a tornam ainda mais deliciosa. Meus braços apoiam suas pernas, meus dedos afundando em sua pele ao passo que me afundo nela. Devagar, sentindo-a me receber, sentindo-a me acomodar dentro de si. Ela fecha os olhos e morde os lábios, contendo um grito. Fico parado um tempo dentro dela, sentindo-a.

Quero me mover, mas também quero ficar aqui, dentro dela, tanto quanto possível.

— Theo — choraminga movendo o quadril e dou o que está pedindo.

Eu me movo, saindo e entrando nela, estocando fundo, rápido. Seus gemidos se misturam aos meus próprios, seus seios sacudindo conforme nossos corpos se encontram. Suas mãos apertam o lençol, sua boca aberta, os olhos fechados. O suor começa a surgir entre seus seios, meu próprio peito parece derreter agora.

É tão bom estar dentro dela!

Meus olhos se fixam em seu rosto, em sua expressão de prazer, na maneira como seus olhos se abrem e buscam os meus. Parece mais intenso com essa conexão, mais profundo. Intenso até demais. Paro de me mover e saio dela.

— Vire-se — peço.

Ela se movimenta rápido, tenta tirar o travesseiro para ficar de quatro, mas não permito.

— Isso, delícia, fica. Deite-se sobre ele.

Ela obedece. Acaricio sua bunda e a penetro devagar, ela apoia os braços na cama, deitando o torso sobre o colchão, a bunda mais para cima por conta do volume do travesseiro embaixo.

Bem embaixo.

Quando meto com força seu centro pressiona no travesseiro e ela grita. Meto mais uma vez e outro grito. Uma das mãos pousa em seu quadril, marcando-a com os dedos, afundando em sua carne enquanto a outra segura seu cabelo comprido. Os fios marrons se enrolando em meus dedos.

— Mova-se, Bruna, busque seu prazer.

Ela atende prontamente, pressionando a boceta no travesseiro, sendo fodida por mim quando se movimenta. Puxo de leve seu cabelo e volto a entrar nela, estocando forte e ela rebola. A visão do meu pau sumindo dentro dela, de sua bunda se encontrando com meu corpo é tão quente quanto a de antes, dos seus seios suados balançando com nossos movimentos.

Ela diz coisas ininteligíveis. Choraminga, chama meu nome. Até que se move mais rápido, alcançando o que buscava, desmanchando-se em gemidos e me perco nela.

Não queria que acabasse ainda, não agora, mas parece perigoso demais ficar aqui. Seu corpo saciado cai sobre a cama, sobre o travesseiro. Saio dela e tiro a camisinha que trouxe na esperança que ela repetisse o que disse, indo descartá-la.

Quando volto, o travesseiro está no chão, ela está deitada de costas, olhando o teto com o corpo suado e a respiração acelerada.

— Você vai lavar isso — ralha apontando o travesseiro encharcado.

Sorrio.

— Vamos limpar você, delícia?

— O que quer dizer com...

Pego-a nos braços interrompendo sua pergunta e a levo ao banheiro. Não arrisco soltá-la quando seus pés alcançam o chão, porque não parece ser capaz de se manter em pé sozinha. Ela deita a cabeça em meu peito, molhando seu cabelo, os braços em volta da minha cintura. Fico parado sem saber como agir. É terno, carinhoso, é delicioso tê-la assim, quietinha e saciada em meu corpo, em um abraço repentino sob a água quente. Eu a abraço de volta. Fecho os olhos enquanto a água molha meu rosto e sinto seu corpo, cada centímetro dele no meu.

Quando me afasto ela tem os olhos fechados, não os abre quando desligo o chuveiro.

— Será que você dormiu mesmo em pé? Vou virar a chave da temperatura...

— Não se atreva! — responde arrastado. — Chuto seu pau se fizer isso, e não estou nem um pouco a fim de machucá-lo.

Um riso me escapa, eu nos seco rapidamente, o que é difícil quando ela está usando meu peito como travesseiro e a levo para a cama. Não perco tempo nos vestindo de novo. Talvez, com muita sorte, eu esteja dentro dela outra vez em poucas horas.

— Não tenho travesseiro — ela resmunga quando a acomodo na cama e a cubro.

— O que acha que estou fazendo aqui? — retruco, deitando-me ao seu lado, puxando-a para meus braços.

— Esperando para me comer de novo — responde, sonolenta.

— Isso também, delícia, mas por ora, serei seu travesseiro.

Ela tem um sorriso quando observo seu rosto e não demora a dormir. E eu continuo observando seu rosto.

Bruna não está ao meu lado quando acordo. O sol sumiu atrás de prédios e presumo que o dia esteja se despedindo. Não encontro a boxer, tampouco procuro direito. Sinto o cheiro de bacon assim que abro a porta de seu quarto. Ela está em frente ao fogão, com meu avental, meu chapéu de chef e me observa com uma expressão séria, conforme seus olhos baixam para meu pau.

— Estou atrasado? — pergunto, sentando-me diante dela.

— Depende de para o quê — responde, percebendo tarde demais o que disse, mordendo a língua, o rosto se tingindo de vermelho.

Sorrio e a observo com a cabeça tombada.

— Bruna, sobre ontem... — Meu celular toca, interrompendo o que eu ia dizer.

A contragosto, vou até o quarto pegá-lo, apenas porque pode ser do seguro.

Meu rosto está dolorido, mas não vou comentar isso para que a cozinheira não se zangue esta tarde. O nome na tela me faz pensar por três segundos antes de atender, mas o faço.

— Oi, pai.

— *Theo, como tem passado?*

— Bem, eu acho. Por que está ligando? A mamãe está bem?

— *Está tudo bem. Estou ligando porque vamos comemorar trinta anos de casados e sua mãe resolveu fazer um jantar para amigos íntimos e família. É algo singelo, mas foi noticiado nos jornais locais. Enfim, esperamos que venha*.

Demoro um pouco a processar o que ele disse. Meu pai, aquele que me expulsou de casa anos atrás, quando me formei e não quis ingressar em sua empresa para seguir seus passos, que não fala comigo há exatos três anos, desde quando abri a Casa, está me convidando para voltar ao lugar onde fui proibido de entrar?

— Então? Você vem?

— O Otto também irá?

— Não, ele está nas Maldivas agora, não voltará a tempo. Mas você virá, certo? Não queremos passar essa data sem nenhum dos filhos presente.

— Claro, diga a mamãe que eu irei — respondo, enfim.

Ele encerra a ligação e me sinto estranho, meio confuso até. Jamais esperaria que fosse ele a dar o primeiro passo para uma reaproximação. Visto outra boxer, uma bermuda e me junto de novo a Bruna, que come sentada à mesa. Ela colocou comida para mim em um prato e aponta para ele quando volto.

Comemos em silêncio, mas desde certo momento, seus olhos castanhos estão nos meus.

— Era o Otto ao telefone? — pergunta e tenta se justificar. — É que você parece chateado.

— Era meu pai.

— Isso é uma coisa ruim? É cansativo como quando minha avó me liga?

— É diferente. Aliás, sua avó é sempre cansativa, até mesmo por telefone e ela me liga bastante.

— A minha avó te liga? — Confirmo com a cabeça e seu cenho está franzido, ela fica uma graça confusa. — Por que caralho ela te liga?

— Porque acha que sou o Otto. Pediu meu número quando esteve aqui e não pude negar isso a ela. Desde então ela me liga para ditar sua rotina e me pressionar a te pressionar a prestar logo o exame.

Sua boca está aberta e o garfo parado no ar.

— Quer merda! — diz enfim, tirando-me um sorriso. — Sinto muito? Você sempre pode trocar de número, eu imagino.

— Um dia desses vou enviar um nude para ela, como que por engano. Tenho certeza de que ela nunca mais vai me ligar.

Ela sorri e volta a comer.

Meus pensamentos voltam à ligação do meu pai, ao convite feito. Eu não deveria ir, sei que não. Saí de lá humilhado, eles não trocaram uma palavra comigo nos últimos três anos. Em nenhum Natal ou aniversário. Deveria ser necessário mais do que uma ligação e um convite para eu esquecer isso.

— Meu pai me expulsou de casa alguns anos atrás, assim que me formei, porque não quis seguir o destino perfeito que ele traçou para mim — digo de repente. Isso é algo do qual nunca falo. — Há três anos, desde que comecei na Casa, ele não fala comigo. Eu fui um pária, esquecido por todos da família desde então. E hoje ele me ligou para me convidar para o aniversário de casamento deles.

— É na semana que vem — ela diz. — Sua mãe me convidou quando fui lá, uns meses atrás, no aniversário do seu pai. E você vai?

— Sinto que não devia.

— Mas quer ir?

— Mas quero ir. Apesar de tudo, sinto falta deles. Família é cansativa, mas às vezes ser sozinho é bem mais.

— Então vá.

— Ele me expulsou de casa.

— E agora o está convidando a voltar. Pelo que conheço do seu pai, essa ligação foi a maneira dele de te pedir desculpas.

— Eu sei. Só que sinto que não é só isso, sinto que é uma desculpa para conseguir falar comigo. Mas não vou saber se não for até lá, não é?

Ela assente e terminamos o almoço em silêncio. A noite dá o ar das graças através das janelas enormes do apartamento. Olho o céu escurecendo lá fora, e essa menina linda à minha frente.

— Bruna, sobre esta manhã...

— Eu sei, não vai mais acontecer — diz imediatamente olhando em meus olhos.

Nossos olhos se mantêm um no outro e rimos juntos. Nós dois sabemos que vai acontecer de novo. Vai acontecer em breve, porque o desejo que sinto por ela ainda não foi saciado. Parece estar bem longe de estar saciado.

Júlio parece bravo quando Bruna e eu chegamos.

— Que merda aconteceu aqui, Theo? Você nunca brigou aqui antes. Vocês destruíram mesas, taças, garrafas. Tem ideia do prejuízo?

Abro a boca para responder, quando o responsável pelo seguro chega. Ele trata com Mauro, o segurança, e Júlio. Bruna me ajuda a colocar as mesas e cadeiras em seus lugares e limpar a bagunça que está aqui. As bebidas derramadas parecem coladas ao carpete.

— Não poderemos abrir hoje — Júlio fala o óbvio. — Não sem antes uma faxina neste lugar.

Sinto seu tom de reprimenda e a curiosidade quando seus olhos passeiam de mim para Bruna e faço um gesto rápido afirmativo com a cabeça. Ele entende, pois parece mais calmo. Eu me troco rapidamente, ainda que hoje não abramos, porque aqui é quente e o calor parece insuportável com roupas de manga.

Assim que me aproximo de Júlio, ele repara o hematoma em meu braço.

— Isso está feio, quase tão ruim quanto sua cara.

— Ah, isso? Foi a Bruna. Ela me castigou por ter brigado, mas como pode ver, tem a mão pesada de um boxeador.

Bruna revira os olhos, caindo na minha provocação e se aproxima, avaliando o estrago. O hematoma não foi causado por ela, claro, mas ela bateu exatamente sobre ele no elevador. Ela franze o cenho e diz calmamente:

— Que bebê chorão! Eu devia ter batido mais forte!

— Atrevida!

— Se voltar a brigar aqui vou bater mais forte em locais mais doloridos — ameaça baixinho para que o pessoal do seguro não ouça e Júlio ri alto.

Ela se vira com a vassoura em mãos e fico um tempo a observando, um sorriso bobo nos lábios, até que meus olhos encontram Júlio me avaliando com uma careta.

— Eu nem vou tentar lembrá-lo de que esta é uma péssima ideia.

— Não é o que está pensando.

— Não minta pra mim, Theo, eu o conheço como a palma da minha mão. Eu não quero gostar de vocês dois juntos, mas é difícil quando parecem brilhar perto um do outro.

— Acha que ela brilha perto de mim? — pergunto imediatamente.

Ele não responde, apenas me encara e percebo meu vacilo.

— Acho que você está encrencado, mas sabe disso e que é tarde demais para conselhos agora, mas você também sabe disso. Espero que a guerra em que vai se meter valha a pena, Theo. Eu gosto dela, mas não sei se gosto do que ela vai fazer você passar.

Ele se afasta e até abro a boca para repetir que não é o que está pensando, mas desisto. Estamos transando. Vai acontecer de novo, isso é fato. Enquanto estivermos sob o mesmo teto, estarei também dentro dela, sei disso. Talvez a realidade não seja tão diferente do que Júlio pensa.

— Senhor Theo, assine aqui, por favor! O valor calculado do prejuízo estará em sua conta em até quarenta e oito horas, senhor. Mas sugerimos mais uma vez que o senhor instale câmeras de segurança aqui — o responsável pelo seguro ralha.

— Claro, eu fico adiando, mas vou pensar sobre isso — minto.

Câmeras acabariam com a privacidade dos clientes.

Ele se afasta e meus olhos pousam em uma Bruna confusa olhando de mim para Júlio com a vassoura em mãos.

— Por que você assinou o seguro? Por que o dinheiro vai cair na sua conta? — ela pergunta, desconfiada.

— Porque sou o dono deste lugar — respondo.

Ela fica em silêncio. Em completo e total silêncio. Também fica parada, olhando para mim. Seus olhos desviam para Júlio, que confirma.

— Você mentiu! — esbraveja.

— Não menti. Você deduziu sozinha que eu era um funcionário e Júlio o dono.

— E você não desmentiu. Ah, meu Deus, eu trabalho pra você. Você é o meu chefe!

Sorrio.

— E você me agrediu, mas vou desconsiderar, já que não sabia disso.

— Estou trabalhando para o homem com quem estou dormindo, de novo! Isso deve ser uma sina!

Um sorriso está em meu rosto, mas ela se dá conta do que acabou de gritar e olha para Júlio, em choque. Gagueja alguma desculpa, mas desiste. Vem até mim e me acerta outro tapa no mesmo lugar.

— Babaca!

— Ei! — ralho, mas ela já se afastou.

Ficamos ainda algumas horas arrumando tudo e Bruna nem sequer olha em minha direção. Parece realmente irritada. Ela também não responde às minhas provocações e me ameaça com a pá quando tento me aproximar. Já é madrugada quando fechamos a Casa, depois de uma faxina que nós mesmos fizemos.

Ela entra no táxi do Fabio em silêncio e dá a ele um boa-noite seco. Depois de alguns minutos diz:

— Você tentou me avisar. Esse babaca o interrompeu.

Fabio entende tudo, pois está sorrindo.

— Descobriu finalmente que esse babaca é o seu chefe?

— Pois é, você acha que eu devia dobrar o valor que cobro? Não sei se gorjetas apenas são suficientes para trabalhar para o babaca que me enganou — pergunta a ele.

— Ah, sem dúvidas! Cobre um salário dele. Ou dois. Ele é o dono, parece um moleque, mas tem muito dinheiro.

— Eu pagaria a você o valor que quisesse — entro na brincadeira, mas ela nem sequer olha em minha direção.

Isso porque nem faz ideia que Otto é meu sócio, e não me atreverei a contar, pois temo que ela possa me enforcar aqui mesmo, com meu tio de testemunha.

Subimos em silêncio no elevador, eu me pego rindo baixinho, o que parece irritá-la ainda mais. Quando entramos em casa, digo.

— Você deveria ir à festa dos meus pais comigo.

Ela para onde está e finalmente olha em meu rosto.

— Vai me apresentar como o quê? A ex do seu irmão ou sua funcionária?

— Que susto! Achei que a segunda opção seria a minha atual. Já pensou? Fernando, Clarissa, esta é a Bruna, vocês a conheceram como namorada do Otto, mas agora ela mora comigo e estamos transando. Isso seria inesquecível.

Ela tenta segurar, mas um sorriso surge em seu rosto.

— Você é um idiota, Theo D'Ávila! Neste momento, eu realmente o odeio.

— Eu sei, sinto muito! Eu não disse antes, porque...

Ela se vira e entra em seu quarto e me pego rindo. Acostumei-me a ser sozinho. O era mesmo quando vivia em família, Otto nunca foi um amigo, eu sempre fui sua sombra. Acostumei-me a não me importar demais em relacionamentos ou me esforçar o suficiente. Até prefiro ser sozinho na maior parte do tempo, mas ela parece mexer em algo que não controlo. Algo que me impede de tomar um banho, comer algo e ir para meu quarto. Algo que me faz parar à sua porta e bater.

Porque não quero que durma com raiva de mim.

Não quero que pense que a enganei. Quero apenas explicar porque não contei a ela e me desculpar. Quantas vezes forem necessárias. Quero que ela olhe em meus olhos de novo, sem qualquer raiva neles.

— Que merda... — murmuro baixinho. — Acho que não me importaria em apresentá-la como minha atual, Bruna. Ao menos valeria o show. Você devia ter me dado essa opção.

Viro-me para ir ao meu quarto, de jeito nenhum entrar no dela é uma boa ideia agora. Mas, foda-se! Não vou deixar que durma aborrecida comigo. Entro em seu quarto para resolver isso de uma vez por todas. Ela só dorme esta noite depois que disser que me desculpa.

CAPÍTULO 13

Bruna

Sinto-me irritada pela mentira de Theo. Não, é mais do que isso. Eu me sinto decepcionada. Trabalhando na minha área e tendo visto as coisas que já vi pessoas confiáveis fazerem, poucas pessoas conseguem de fato me decepcionar. Otto conseguiu. E agora, Theo. Deve ser algo de família, algo no gene dos D'Ávila, são todos babacas. E eu acabei indo trabalhar para o homem com quem durmo, de novo. Parece que nasci para receber ordens daqueles que também controlam a lhama. É como uma sina.

— Você é amaldiçoada — ralho com ela.

Termino o banho, estou cansada e nem ao menos sinto fome. Ou só não quero ver Theo e suas desculpas agora. Preparo-me para desligar o chuveiro quando alguém me abraça por trás. O susto dura segundos, pois reconheço o cheiro dele, reconheço seu toque em minha barriga, os dedos firmes passeando por minha pele molhada. Reconheço o corpo firme em que minhas costas se apoiam agora. Ele me abraça e diz baixinho:

— Se eu contasse a verdade, você não iria trabalhar lá e realmente precisava disso, Bruna.

— Está se referindo a quem? Eu ou você?

— Nós dois. Você precisava do dinheiro, da distração e eu precisava de você. Ainda preciso.

— Você poderia contratar qualquer uma daquelas mulheres que frequentam seu bar todas as noites, como garçonete. Não minta para me agradar.

De repente me dou conta de que ele está fazendo isso, está mentindo para me agradar. Então ele se importa?

— Fiz isso quando ocultei que era seu chefe, farei de novo se for preciso. Espero não mentir, mas o farei se for para o seu bem. Mas não estou mentindo quando digo que preciso de você. Quando abro meu peito para confessar que muito mais do que gostaria.

Seus braços me apertam de encontro ele e seus lábios tocam de leve meu pescoço, enviando arrepios por todo meu corpo.

— Sim, Bruna, eu minto para agradá-la, me importo o bastante para isso, me importo muito mesmo. Mas espero poder apenas agradá-la, sem mentiras. Eu sou o dono da Casa. Não contei antes porque sou egoísta. Mas não quero mais ser assim, então você precisa saber que tenho um sócio...

Viro-me em seus braços e me afasto, olhando seu rosto. Gotas de água já deixaram seu cabelo úmido, ele está nu, o que não é surpresa alguma, pois senti sua pele na minha quando me abraçou. Ele me observa de uma maneira terna, carinhosa. Tomba a cabeça de lado, tem um sorriso tranquilo no rosto.

— Você não vai dormir enquanto não disser que me perdoa — diz.

— O que eu ganho se perdoá-lo? Porque isso não está me parecendo benéfico.

Seu sorriso aumenta e algo em meu peito acelera. Gosto disso. Da maneira diferente como ele faz minha pele aquecer, ainda que com um sorriso.

— Eu não conto a ninguém... — diz apenas e espero que conclua, ele o faz pouco depois de seus olhos passearem vagarosamente por todo meu corpo. — Que você conversa com a lhama. Ela não é amaldiçoada, a propósito. Não fale assim da minha refeição favorita.

Meu rosto queima, agora ainda mais do que toda a pele. Ele me ouviu falar com lhama. Ele sabe que chamo minha boceta assim. Abro a boca, mas nada sai. Ainda bem que não é preciso, pois ele dá um passo rompendo a distância entre nós e toca minha boceta devagar. Contornando-a, acariciando, meus olhos se fecham e um gemido baixo me escapa.

— Faz amor comigo — pede baixinho. — Diz que não perdi você por ser um babaca. Me mostra que pode me perdoar, delícia, gozando na minha boca agora.

Meus olhos se abrem e ele olha para mim, os dedos se movimentando levemente lá embaixo, esses olhos verdes intensos me prendendo aqui em cima. Assinto, nem sequer me vejo fazendo isso, mas sei que fiz. Porque o quero. Muito mesmo. Acho que entendo o que ele quis dizer com o quanto se importa, e o quanto gostaria de não se importar tanto. Porque também me sinto assim sobre ele, eu sinto demais sobre ele.

Sua boca toca a minha e não tento resistir, jogo-me em seu corpo, tocando seu peito, beijando-o de volta. Ele está completamente molhado agora e preciso admitir que o adoro molhado assim. Também estou sempre molhada perto dele. Penso que vamos fazer isso aqui, sob a água quente, contra a parede fria do banheiro, mas ele desliga o chuveiro e me pega nos braços. Do jeito dele, com minhas pernas em volta de seu corpo e meus seios diante de sua cara.

— Você podia ser mais romântico. Se vai me levar para a cama para fazer amor e não foder, segundo suas próprias palavras — provoco quando suas mãos apertam a carne da minha bunda, uma vez que é assim que está me sustentando em seu corpo enquanto meus pés se cruzam em suas costas.

— Queria ser carregada de outra maneira? Tem sorte por eu não a levar até a cama com meu pau já dentro de você, porque delícia, ele está pronto para fodê-la.

— Você disse que vou perdoá-lo gozando na sua boca.

— E cumprirei minha palavra com prazer — responde me jogando de costas na cama.

Ele pega um travesseiro e, em vez de colocá-lo sob minha bunda, coloca-o sob minha cabeça. Observa, mas não parece satisfeito, então pega outro e fico com o pescoço em uma posição estranha. Estou deitada sobre a cama, as pernas abertas, molhada, excitada e quente. Minha cabeça agora vê com clareza todo meu corpo, com a altura dos travesseiros que ele colocou sob ela.

— O que é isso? — pergunto, curiosa.

— Para você ver... — responde apenas.

Ele se move na cama, encarando-me, seu rosto paira acima da minha boceta.

Ainda com os olhos nos meus sua cabeça abaixa e sua boca encontra meu centro. Então ele desvia o olhar e entendo o que quis dizer. Eu o vejo. Vejo lambendo minha boceta devagar. Vejo seu cabelo negro se movendo no meio das minhas pernas, suas mãos apertando minhas coxas. Vejo seu corpo caindo sobre a cama quando ele me chupa com força.

Vez ou outra ele lambe, os olhos encontram os meus, ele exibe um sorrisinho de lado enquanto me lambe antes de voltar a chupar e não sei dizer se estou mais excitada com sua língua ou com a visão de tê-lo entre minhas pernas assim. Quero fechar os olhos, mas não consigo. Porque quero vê-lo. Ver o sorriso safado, o brilho nos olhos, até a provocação deliciosa neles. Ver seu cabelo negro entre minhas pernas, sua cabeça se movendo quando me chupa mais forte. Ver sua boca brilhando quando a afasta o bastante para me olhar.

É diferente vê-lo assim, é mais intenso de alguma maneira, como se nos conectássemos além do seu membro dentro de mim, é uma conexão mais completa. Seus dentes arranham meu clitóris, a língua me penetra e seus dedos apertam minha pele e me perco, gemendo alto, o quadril se movendo involuntariamente contra sua boca. E ele continua ali, chupando, lambendo, tirando de mim cada gota de prazer que me proporciona.

Estou mole quando ele se afasta. Sua boca toca minha barriga e seus lábios sobem passeando por minha pele, passam por meus seios e os contornam, sobem então para meu pescoço, queixo e lábios. Ele me beija, não é do jeito desesperado de sempre, não é com o desejo nublando nossos pensamentos e tirando nosso juízo. Nós queremos isso, nós nos entregamos assim, percebo. Meus dedos passeiam por seu cabelo, nós nos beijamos por muito tempo. Até o peso do seu corpo sobre o meu me deixar excitada de novo. Até seu membro rijo tocando minha coxa me fazer ansiar por senti-lo em mim. Minhas mãos passeiam por suas costas e descem ao máximo, arranhando sua pele. E ele se move finalmente.

Ele me penetra devagar no começo. Para dentro de mim e permanece assim. O corpo sobre o meu, a boca na minha, a respiração acelerada. Ele sorri. Sinto seus lábios se movendo nos meus. E então me fode do seu jeito delicioso e desesperado me fazendo gritar e cravar as unhas em suas costas. Estoca com força, seu membro me preenchendo completamente repetidas vezes. Os travesseiros sob minha cabeça já se foram com nossos movimentos e assim ele tem acesso ao meu pescoço. Mordisca-o enquanto mete mais forte e mais rápido e não consigo manter os olhos abertos, embora queira tanto vê-lo.

Seus dentes arranham minha pele, seus braços me aquecem de uma maneira deliciosa, seu pau me preenche e atinge um ponto que quase me leva à loucura. Quando abocanha um seio, sugando-o com força, gozo, perdendo-me com ele. Ele vem junto, geme enquanto sinto seu líquido quente em mim.

Nossas respirações estão aceleradas, seu corpo cai sobre o meu, seu pau ainda dentro de mim e me pego rindo.

— Por que está rindo? — pergunta, sua voz rouca falha.

— Estou me perguntando se a camisinha aperta a cabeça do seu pau, porque me pareceu bem maior agora.

Ele ri alto, relaxando, vira para o lado e me leva com ele, deixando meu corpo em cima do seu. Ajeito-me sobre ele, deitando em seu peito, ele me abraça para que não caia para o lado. Não precisamos nos cobrir porque estamos quentes.

— Desculpe, esqueci de colocar.

— Então não lembre mais, foi bem melhor assim. Eu tomo anticoncepcional — aviso.

— Eu sei.

— Então, por que usou camisinha nas outras vezes?

— Nunca transei sem camisinha. Até agora.

— Teme um golpe da barriga ou uma DST? — provoco.

— Temia me sentir como estou me sentindo agora. Vá dormir, delícia, não pense que vou deixar que saia desta cama sem que eu goze dentro de você de novo. Da próxima vez, quero ver meu gozo em sua boceta, acho que lhama precisa ser alimentada.

— Cale a boca! Você não pode chamá-la assim, só eu posso! — ralho fechando os olhos.

— Mas vou chamar, é um nome fofo. Meio que combina com você.

— Babaca!

— Gostosa!

Fico quietinha para que pense que dormi, mas a verdade é que demoro a pegar no sono. Isso porque não sei o que quis dizer com temia se sentir como está se sentindo agora. Será que isso é bom ou ruim? De repente é tão importante saber essa resposta, não ouso perguntar, mas espero que ele a mostre quando me acordar com seu pau dentro de mim, daqui a algumas horas.

— Temos um problema — ele diz quando me sento à mesa e levo a primeira garfada à boca. — Eu quero você.

Arregalo os olhos e engulo a comida depressa, assustada.

— Theo, você por acaso é uma máquina? Já fizemos três vezes hoje, se contarmos a da manhã. Não sei como funciona com esse monstro que você tem entre as pernas, mas lhama é delicada, precisa descansar.

Ele ri alto e come, os olhos verdes calorosos sobre meu rosto. Parece com um humor excelente, diminuindo minha preocupação sobre seu medo misterioso.

— Vou querer foder você quando formos dormir de novo. Quando voltarmos do trabalho e quando acordarmos. Vou querer fodê-la no nosso dia de folga. Ah, vou fodê-la muito nesse dia. Mas eu quero mais.

— Não estou pronta para inaugurar a traseira.

Ele ri alto e engasga com a lentilha que, aliás, eu detesto, mas estou comendo porque ele me pediu com promessas e não pude recusar.

— Deus, Bruna, eu não estava falando disso. Ainda não. Eu quero tocá-la sempre que sentir vontade. Quero beijá-la também, quando estivermos no elevador, por exemplo. Quando nos esbarrarmos por acaso no beco da Casa. Quando estivermos lá fora, esperando Fabio para virmos embora. Eu quero ter acesso a você, não gosto de me controlar tanto para que não pense que estou apaixonado.

Eu engasgo dessa vez, uma risada que faz a lentilha sair pelo meu nariz, tenho a sensação.

— E você por acaso já se apaixonou?

— Por muitas coisas.

— Achei que diria algo assim. Theo, nem se você me pedisse em casamento eu acreditaria que está apaixonado por mim, então se quer ficar me agarrando pelos cantos, fique, não vou confundir as coisas. Podemos ser amigos coloridos.

— Lá vem você com essa palavra. Não sou seu amigo, Bruna. Mas fico feliz que possa beijá-la sempre, o tempo todo, a cada segundo de cada dia...

— Eu não disse isso — corto e ele ri.

Sua mão toca a minha por cima da mesa, apenas as pontas dos dedos provocando os meus.

— Vamos fazer um acordo, então — propõe.

— Que tipo de acordo?

— Do tipo gostoso.

— Isso é muito vago. Não temos acordo nenhum e isso está delicioso no momento.

— Você será uma boa advogada, preste o exame.

— Não me enrola.

Ele tem aquele sorriso de lado que faz meu coração pular.

— Do tipo que me fará ficar apenas com você. Não vou tocar nenhuma outra mulher enquanto puder tocar você.

— Você já foi fiel, Theo?

— Eu nunca fui um traidor, Bruna.

— Em troca da sua fidelidade eu também não posso ficar com outra pessoa, suponho.

— Você acabou de dizer que a lhama precisa descansar. Eu a usarei bastante, então, não quero desculpas quando quiser fodê-la. Você fica só comigo.

Algo parece agitar meu ventre, como uma cólica leve. Algo que me faz ter medo, não o bastante para sequer considerar negar isso, mas o bastante para me fazer perceber que preciso de Olivia com urgência. Ela vai ser contra isso e vai me dar um milhão de motivos válidos pelos quais esta é uma péssima ideia.

— Não vou transar com outro homem, mesmo porque, você me cansa bastante, parece uma máquina. Mas não temos um compromisso, Theo.

— Nem de longe estou sugerindo isso. Pensou isso só porque moramos juntos, trabalhamos juntos, transamos muito e estou pedindo fidelidade? — provoca com um sorriso de lado e não sei se está falando sério ou não.

Mas não preciso saber, deixa como está. Está bom assim, leve assim.

Minha mãe dizia para não estragar o presente leve com a expectativa de um futuro pesado. Não é como se eu conseguisse desviar meus olhos dele quando ele está em um ambiente. Qualquer ambiente que seja. Não é como se eu desejasse outro homem me tocando como ele toca, fodendo como ele fode. Não é como se eu quisesse qualquer outra pessoa à minha frente agora, comendo uma comida estranha depois de um sexo delicioso, sabendo que mais tarde teremos mais disso.

Percebo que sou fiel a ele, fiel ao que ele me faz sentir, ainda que não estejamos em nenhum relacionamento. Porque ele me basta de muitas maneiras, maneiras que nem ao menos quero começar a entender agora.

Olivia tem o rosto rosado e um brilho diferente nos olhos. Faz uma careta quando me jogo na cadeira à sua frente e observo o local onde estamos.

— Você sabe que vai bancar esse rodízio, não sabe? Não tenho dinheiro para um lugar assim. Por que não quis ir à cafeteria de sempre?

— Porque queria comer sushi.

— Se cansou da linguiça por quem tem me trocado? — provoco.

— Não, não sentei nela o bastante ainda e você? Parou de abrir as pernas para o gêmeo do seu ex?

— Sabe, acabei de tomar uma séria decisão. Theo é meu melhor amigo, ele não me julga, está disponível vinte e quatro horas por dia e...

— Te come, não posso competir com isso — completa.

O garçom parece, pálido, pigarreia sem graça e serve a mesa, os hashis e molhos sendo colocados à nossa frente antes que o rodízio comece.

— Não está na hora de você ter acesso à herança do seu pai? — Tenta, como já tentou diversas vezes me convencer a lutar por isso.

— Só quando eu estiver com a carteirinha da ordem, vestida de estresse e comandando a Volpato Advogados & Associados. Você sabe que não vou brigar por isso, prefiro ser independente. Além do mais, tenho uma melhor amiga rica.

Ela ri, concordando, não seria louca de negar.

— Já que a sedução ao seu intruso deu mais certo do que esperávamos, pode devolver minhas roupas?

— Não. Você é rica, compre outras.

— Você também, corra atrás da sua herança e compre suas próprias roupas.

— A festa de casamento dos D'Ávila é no final de semana — digo de repente.

Ela para metade do salmão na boca, metade para fora e me observa. Suga o bicho rapidamente e deixa o hashi de lado. Sei que vai me dar bronca, mas foi isso que vim buscar com ela.

— Você não está pensando em ir, não é?

— Não?

— Está me perguntando? Ótimo! Não!

— Theo foi convidado. Ele foi expulso de casa há alguns anos e não tinha mais contato com a família. Agora foi convidado pelo próprio Fernando, mas ele acha que é uma armadilha.

— Então ele é mais esperto do que você. Óbvio que é uma armadilha. E ele a convidou para ir junto, não foi? Assim, ele não cai sozinho na armadilha.

— Theo não é assim.

— Otto não é assim — diz com uma voz infantil repetindo algo que eu disse três anos atrás, quando começamos a nos envolver e ela me alertou de que ele era egoísta e controlador.

— Não é a mesma coisa.

— Engraçado, porque para mim parecem exatamente iguais. A embalagem pelo menos é a mesma.

— Olivia...

— Bruna, se você quer ir, vá, não posso impedi-la, eu acho. Se quiser minha opinião, será uma das maiores burrices que cometerá na sua vida. Lá não é seu lugar, você não pertence a essa família. O que pretende? Perguntar se eles sabiam sobre o seu casamento cancelado nas vésperas?

— Não disse que pretendo ir, e Otto nem tinha passado pela minha cabeça.

— Você quer ir pelo Theo? Então é mais idiota do que eu pensava.

— Vai ser difícil para ele. Ele saiu de lá humilhado, nem sequer pediram desculpa, só deram uma ordem e ele vai como um cachorrinho atender porque é a primeira migalha de atenção que teve do pai. Não sei, só não queria que passasse por isso sozinho. Não quer dizer que eu vá, só que alguém deveria ir com ele.

Ela não diz nada. Volta a comer e, vez ou outra seus olhos se focam nos meus. Entramos em uma batalha e ela perde, para voltar a comer e fazer isso de novo. Por fim, quando ela pede a conta, nós duas tão cheias que mal conseguimos falar, ela diz:

— Clarissa vai dizer que você quer entrar para a família de qualquer jeito, sabe? Vai dizer assim: *Bruninha, querida, não foi com o Otto, agora você tenta com o Theo.*

— Vou responder que espero que pelo menos um dos filhos dela tenha caráter.

— Ela vai te colocar na cadeia.

— E eu serei minha própria defesa.

— Vou acreditar que está indo a esse aniversário como advogada do Theo, porque sei que quando você gosta de alguém, faz de tudo para defender essa pessoa. Foi isso o que me fez amar você quando nos conhecemos. É sua característica que me faz acreditar que será uma advogada brilhante.

— Pensei que fosse minha esperteza.

— Sua esperteza me irrita.

— Você me irrita — retruco e ela ri.

— Vá defender seu amigo, Bruna. Eu te dou a minha bênção. Mas esteja preparada para o constrangimento que isso será, não que você se importe, mas eu me importo. Não permita que nenhum D'Ávila a fira novamente ou você vai mesmo prestar o exame às pressas para me tirar da cadeia.

— Não vou me apaixonar de novo — garanto.

— É exatamente o que alguém diz antes de se apaixonar.

— Você está apaixonada?

— Completamente e isso é uma merda. Lutei para não permitir que meu pai traçasse meu caminho e estou namorando um herdeiro que ele arranjou para mim em uma aliança comercial gigante. Não é uma merda?

— Sua vida no momento está mais interessante do que a minha. Eu leria seu livro.

— Isso, querida Bruna, nunca vai acontecer. Sua vida é um livro pronto. Não sei se desses com final feliz, já que você quer entrar de todo jeito para aquela família estranha.

— Olivia, querida — chamo baixinho e ela me observa. — Vá à merda.

A mochila de Theo está sobre o sofá, ele viaja de manhã e desde ontem está me olhando com olhos de cachorro pidão, num pedido mudo que eu vá com ele. Mas decidi não ir, embora queira muito proteger Theo, ele não me pediu ajuda. Talvez não precise dela. Talvez eu aparecer com ele apenas vá tornar uma situação que já é desconfortável em algo impossível de lidar. Eu já disse isso a ele, mas continua me lançando esses olhos verdes pidões e está começando a me irritar. Ou a me confundir.

— A viagem é longa — ele diz, bebendo o chocolate quente que ele fez; e que ficou muito melhor do que o meu, o que me deixou indignada.

— Fabio vai levar você?

— Não, vou no meu veículo.

— Você tem um veículo?

— Tenho alguns.

— Ah, verdade. Esqueço que você é meu chefe. Babaca!

— E já a teria demitido se não fosse tão gostosa.

— Então eu te colocaria na rua.

— Venha comigo. Vamos entrar naquela casa e dizer a eles que nos casamos em Vegas.

Eu me pego rindo ao imaginar a cena.

— Sua mãe morrerá do coração e seu pai nos colocará na cadeia por homicídio doloso.

— Eu preciso de você lá — diz baixinho e o observo.

Ele não torna a dizer isso. Desconversa, penso que lhe escapuliu. Ainda insiste algumas vezes que eu vá, mas não mais com a mesma intensidade.

Minha mala está aberta sobre a cama enquanto penso e repenso se devo fazer isso. Quando meu celular vibra, penso ser Olivia, mas é alguém que nunca me ligou antes. Atendo até meio receosa de que algo tenha acontecido.

— Bruna, meu bem, que bom que você me atendeu. Não tinha certeza de que esse era mesmo seu número, Otto deixou anotado aqui quando

vieram, meses atrás. Você vem amanhã, certo? Vai ser um final de semana espetacular, tenho tudo planejado. Será um grande evento.

— Eu agradeço o convite, Clarissa, mas Otto está viajando e nós...

— Eu sei, estão dando um tempo, ele me disse. Isso é uma tolice, mas homens jamais vão entender isso. O que podemos fazer? Somos mais evoluídas que eles, podemos aceitar suas criancices de vez em quando, certo? Bem, de toda forma quero você aqui comigo. Não pelo Otto, mas por você. Você é parte da família, Fernando e eu fazemos questão que venha. Podemos mandar um motorista buscá-la pela manhã, se você preferir.

— Obrigada, Clarissa, mas eu...

— Bruna, por favor! Você é como a filha que eu não tive, foi a única das namoradas que esses meus filhos arrumaram de quem gostei tanto. Não me deixe sozinha com os homens D'Ávila por todo final de semana, venha, por favor! São só dois dias.

— Tudo bem — cedo. — Mas não precisa mandar me buscarem, eu vou com Theo — digo para avaliar sua reação.

— Ah, claro, Theo também vem. Ótimo! Vocês vêm juntos, bem melhor assim. Estarei esperando vocês. Não deixe o Theo se atrasar ele não é muito responsável. Cheguem antes do almoço, tudo bem?

— Estaremos aí — garanto e ela encerra a ligação.

Bem, não é como se eu precisasse de um motivo para aparecer na casa da família do meu ex, acompanhada do irmão dele.

Quando abro a porta do quarto de manhã, arrastando minha mala, o sorriso de Theo parece iluminar a sala ainda mais do que o sol que entra pelas janelas.

— Percebeu que não conseguiria ficar dois dias sem mim? — provoca.

— Percebi que você precisa de uma advogada se vai reencontrar sua família depois de tantos anos. E é você quem não conseguiria ficar dois dias sem mim.

— Então, está indo só para me defender?

— Eu poderia dizer que estou indo porque sua mãe me chantageou, mas a verdade é que estou indo só para te defender. E você vai precisar de defesa. Seus pais já viram suas tatuagens?

Ele ri alto.

— Vou precisar de defesa, Srta. Advogada, você está certa.

Vou andando até a porta com minha mala, quando ele diz.

— Você está certa de novo. Eu não conseguiria ficar dois dias longe da lhama. Acho que estou viciado nela.

Paro onde estou e o encaro.

— Quer que eu vá por causa da minha boceta?

— Sinta-se lisonjeada.

— Pois eu vou deixar seu pai comer seu couro e não irei defendê-lo, seu imbecil.

— Vai mudar de ideia quando eu achar seu quarto e entrar pela janela, à noite.

— Nem pense nisso.

— Não pensei — responde com um sorriso de lado e sorrio de volta.

— Você me irritou, vai carregar minha mala — decreto e a deixo para ele, abrindo a porta do apartamento.

Sem reclamar, ele a pega e vamos para o elevador. O tempo todo fica com esses sorrisinhos de lado para mim.

Descemos no estacionamento dessa vez. Vou seguindo-o, já que não faço ideia de qual seja seu carro. Mas o imbecil vai direto até uma moto. Não sou a maior fã de motos, mas reconheço uma Harley Davidson. Ela é preta e prata, possui um baú na lateral, onde ele coloca sua mochila e o banco do carona é mais alto, atrás. Observo a coisa barulhenta e gigante, ela ocupa o espaço de uma vaga quase inteiro.

— Por que não desconfiei de que você possuía algo assim quando se referiu a ela como veículo e não automóvel? — resmungo baixinho.

— Cuidado com o que vai falar da Harley, ela é sensível — avisa e coloca minha mala no lugar onde eu deveria ir, no assento mais alto atrás.

— Ei, está ocupando meu assento.

— Ah, você pensou que iria aqui? Tão distante e desconfortável por quatro longas horas? Jamais faria isso com você, delícia.

— Então, onde é que eu vou? — pergunto não vendo nenhum outro lugar onde poderia me sentar.

Ele bate nas coxas com seu sorriso irritante.

— No meu colo, você vai montada em mim.

— Só se você me deixar pilotar essa coisa.

— Você tem habilitação?

— É claro!

— Jura? Bruna, você não para de me surpreender.

Ele me observa com um sorriso de lado, estendendo um capacete que pego e coloco. Ele coloca o dele e bate de novo em sua perna.

— Venha, delícia, monta em mim e pilota essa coisa.

— Por que tudo o que você diz parece sexual? — resmungo e ouço sua risada.

Eu me pego rindo também e excitada por poder realmente pilotar essa moto gigante. Subo com sua ajuda, sentando-me quase em cima de suas pernas, como ele sugeriu. Minhas mãos se apossam do guidão, giro e acelero só para sentir a vibração. Ele vai mesmo me deixar pilotar isso. O espaço para o piloto é amplo, mas não o suficiente para que eu não precise ficar completamente em contato com ele.

Seus braços contornam minha cintura, ele me recosta em seu peito e me sinto segura. Ele me dá algumas instruções e acelero a moto. Saímos do estacionamento e descemos a rua da entrada do condomínio. O vento no rosto, o sol na pele. Não dá para costurar com essa coisa, ela é gigante. Sempre quis pilotar uma moto em uma estrada vazia e quando chegamos à BR e vejo que está mesmo pouco movimentada, acelero e me sinto livre como nunca me senti.

Também me sinto feliz e completa como nunca me senti.

Seus braços à minha volta, seu corpo colado ao meu, seu cheiro de alguma forma vem até mim ainda que eu use o capacete. Ele não tenta me limitar, não me diz aonde ir, ele me deixa seguir meu caminho. Mas está aqui, protegendo-me do seu jeito. Fazendo com que me sinta segura e talvez isso nem seja proposital e ele sequer tenha se dado conta, mas percebo o quanto aprecio poder ser livre com ele.

A cidade de Ouro Velho está logo à nossa frente, finalmente.

Já passa das 2h da tarde, Clarissa não vai ficar feliz comigo, já que não chegamos no horário. Olho a cidade relembrando a outra vez em que estive aqui, no carro seguro de Otto, não na garupa de seu irmão. Depois de algumas horas, meus braços não aguentaram mais e Theo assumiu a direção de sua moto, mas não posso negar que apreciei pilotar essa coisa tanto quanto aprecio agora viajar grudada nele.

Ele para a moto em frente ao imponente portão da residência D'Ávila, suas mãos apertam as minhas. Estão geladas, ele parece estar encontrando coragem para entrar. Como se estivessem nos esperando, impacientes, o que não duvido que seja mesmo o caso, o portão é aberto e Theo entra. Subimos a entrada em curvas permeada por um esplêndido jardim. Lembro que fiquei boquiaberta quando estive aqui pela primeira vez. Theo não segue até a garagem, como Otto fez, ele vai direto até a porta de entrada, onde Clarissa nos aguarda.

Tiro o capacete já me desculpando pelo atraso:

— A culpa foi minha, Clarissa, Theo me deixou pilotar e atrasei nossa viagem.

Ela desvia os olhos verdes de mim para ele com uma expressão confusa, que rapidamente disfarça, prendendo-me em um abraço desajeitado. Em seguida, vai até Theo e o abraça por muito tempo.

— Venham, meninos, estão todos esperando.

— Estão nos esperando para almoçar? Vocês podiam ter comido, Clari — Theo comenta e estranho que não chame a mãe pelo nome, mas ela não parece se aborrecer.

— Claro que esperaríamos! Você não pisa nesta casa há anos, não permitiria que comessem sem você. E me chame de mãe, seu malcriado.

Ele sorri de lado e ela avalia seu braço coberto por tatuagens com uma careta.

— Seu pai vai surtar por isso, você sabe, não é? Mais parece um quadro desenhado do que um braço. Espero que Selena não se importe.

Theo para de andar e esbarro nele.

— O que você disse? — pergunta à mãe, seu tom de voz tenso.

Ela não responde, mas não é preciso, uma mulher corre em sua direção e se joga sobre ele, que a abraça.

— Theo! Não acreditei quando Clarissa disse que viria! Como você está diferente! — Ela se afasta olhando para ele com evidente aprovação.

— Olá, Selena! Como tem passado?

— Mais linda e mais rica, claro. E você adotou um ar perigoso, gostei disso.

Ela me olha com uma careta e Clarissa rapidamente me apresenta.

— Selena, esta é Bruna, a namorada do Otto.

— Ex-namorada — corrijo tocando a mão estendida da patricinha.

Ela é bonita. Tem o cabelo negro pouco acima dos ombros em um corte chamado *Long Bob*, sei disso porque Olivia tentou me convencer a fazê-lo em um de seus salões por muito tempo. É alta, vestida de seda e tem traços refinados. Incluindo um nariz tão pontudo que penso que fez plástica para parecer mais metida do que já é. Acho que não gosto dela. E nem tem a ver com suas mãos na de Theo como se o estivesse marcando para si.

Clarissa nos guia até o jardim, onde os D'Ávila costumam fazer suas refeições. Noto que Fernando não está, há apenas mulheres à mesa.

— Fernando e os homens famintos não conseguiram esperar por vocês, mas os aguardam para um drinque após o almoço — Clarissa explica.

Três mulheres com cara de ricas estão à mesa. Elas se levantam e, animadas, cumprimentam Theo. Todas comentam sobre sua aparência e, exceto uma mais velha, todas parecem aprovar seu ar perigoso.

— Imagine Theo D'Ávila tatuado desse jeito em um tribunal? Vai fazer os adversários tremerem — Diana, que me foi apresentada e é a mãe de Selena, comenta.

Theo ri sem graça e meu cenho está franzido. Ele bagunça meu cabelo e puxa uma cadeira para mim. Sento-me e ele puxa a do lado, que Selena ocupa rapidamente. Ele tem um sorriso sem graça quando se senta do outro lado da mesa, de frente para mim. A comida é servida, eu a como igual a uma desesperada tentando esconder meu lado faminto, e Theo faz o mesmo. Pouco depois, o pai de Selena se aproxima e cumprimenta Theo, ele parece aprovar sua aparência, que percebo, deixa Clarissa com um sorriso aliviado.

— Eu sempre disse o Fernando que você tem muito mais personalidade que Otto, sem ofensas, querida — Edgar, o pai de Selena, diz para mim e nem me dá temo de dizer que nenhuma ofensa a Otto me ofende porque não somos nada; uma vez que Clarissa me apresentou a todos como a namorada dele. — Vai ser brilhante ocupando a cadeira do seu pai no lugar do seu irmão nos tribunais.

Clarissa sorri satisfeita e Theo parece sem graça. Ele não retruca, tampouco concorda e quando as pessoas se dispersam e ficamos apenas nós dois e Selena, eu o chuto por baixo da mesa.

— Você é formado em Direito? — Ele assente com aquele sorriso de lado. — Seu babaca! Por que não me disse?

— Porque você nunca me perguntou. E coloque menos força nesses pés se for me chutar por baixo da mesa em cada refeição. Você ainda vai descobrir algumas coisas sobre mim.

Reviro os olhos.

— Não gosto de surpresas, me faça um relatório da sua vida, por favor!

Selena parece confusa, olhando de um para o outro.

— Eu me formei em Direito, passei no exame da OAB e fui expulso de casa. Fim.

— Fomos os primeiros namorados um do outro — Selena completa. — Perdemos a virgindade juntos, e namoramos por quatro anos.

Engasgo com a pera, que entala na minha garganta, mas consigo me livrar dela rapidamente. Primeiro, Theo não perdeu a virgindade com ela, mas não serei eu a contar isso. E o safado está me olhando fixamente, um sorriso de lado, desfiando-me a falar. Segundo, Theo namorou por quatro anos! Isso é muito tempo!

Clarissa e Diana voltam à mesa e quando Fernando vem vindo em nossa direção, Clarissa fala baixinho com Theo, em seu ouvido, mas consigo ler seus lábios.

— Seu pai vai te dar uma chance aqui, querido. Uma ótima oportunidade de sermos de novo uma família. Por favor, Theo, não a desperdice! Você já é homem agora e Selena é uma mulher incrível...

— Do que está falando? — Theo pergunta num tom mais alto que o da mãe, afastando a cadeira.

Mas já entendi tudo. O convite de Fernando não foi um pedido de desculpas, foi uma chance para que Theo se desculpe. Theo caiu em uma armadilha.

CAPÍTULO 14

Theo

— Não é sacrifício algum! — mamãe insiste, exasperada. — Por Deus, Theo, tem ideia de como seu pai cedeu dando esta oportunidade a você? Já se passaram quatro anos! Você cresceu, se encheu de tatuagens, abriu um negócio apenas para afrontar seu pai e o fez ter êxito. Você é brilhante! Não precisa viver à sombra de Otto para sempre!

Reviro os olhos e não respondo. Não respondo mais, desde os meus dezoito anos. Não explico que são eles quem me colocam sob essa sombra, não eu. Não quero ser ele. Não quero ser nada parecido com ele além do que não me foi dado como opção.

— Clarissa, você não pode estar falando sério! Não vou me casar com a Selena, já faz anos! Nem sequer a conheço e nem quero me casar agora!

— Me chame de mãe! — ela ralha.

— Você me disse para não a chamar mais assim, foi a última coisa que me disse quando saí daqui, ou se esqueceu?

— Será possível que você ainda é a mesma criança de antes?

Ela para de falar quando meu pai nos alcança, não há um sorriso sequer, um lampejo de saudade na maneira como me avalia. Há apenas a costumeira reprovação.

Por que mesmo aceitei passar por isso?

— Precisamos falar, Theo — meu pai diz sem ao menos me cumprimentar.

Mas o faz com Bruna. Vai até ela, que esteve calada nos últimos segundos, sem qualquer expressão, ouvindo minha discussão baixa com a mamãe. Ele a abraça e comenta como está mais linda e o quanto Otto soube escolher. Bruna tenta dizer que não estão mais juntos, como tem feito desde que chegamos, mas ele não permite.

Eu o sigo até seu escritório, antes olho para Bruna, mas mamãe a tem pelos braços, levando-a para seu quarto. Sufocantes, autoritários como sempre. Não dá para ter voz nesta casa a menos que você seja Otto D'Ávila.

— Estou surpreso que sua casa esteja se saindo tão bem — comenta, surpreendendo-me enquanto nos serve uma dose de seu apreciado *The Macallan*. — Otto não dá o devido crédito que você merece por ter conseguido ousar em algo tão comum. Seus números nos últimos dois anos foram incríveis. O que tem feito com todo esse dinheiro?

— Investido.

— É claro. Você aprendeu, no final das contas. Então você conseguiu o que prometeu, construiu seu próprio império, se virou sozinho.

— Eu não chamaria o que possuo de império, mas, sim, me virei sozinho.

— Oras, Theo, sabe que odeio falsa modéstia. Em poucos anos você levantou uma quantia inimaginável com aquele lugar e nem vou perguntar que meios usou para isso, já que essa casa e tudo o que ela representa ficarão para trás.

Ele se senta em uma poltrona de couro, e bebo o líquido âmbar todo de uma vez. Ele desce queimando a garganta, mas precisava disso para encarar a guerra que se iniciará agora. Sento-me de frente para ele e meu pai tem os cotovelos apoiados nos braços da poltrona, as mãos cruzadas à altura de seu queixo, os olhos cinza demonstram um ultimato. Como sempre. Essa postura me é tão familiar e não de um jeito bom. Ela me faz sentir pequeno.

— Edgar Villarreal quer comprar a mineradora.

— Imagino que seja um investimento alto demais.

— Não se comprarmos em conjunto, dois sobrenomes conhecidos nossos, Edgar e eu.

— Entendo, seria arriscado, mas nada que vocês não possam pagar para ver. Se der certo...

— Seremos os donos do estado, talvez? — Seu sorriso de lado demonstra sua animação em ser mais admirado e poderoso do que já é.

Ouro Velho é uma cidade relativamente grande. Ela é bem desenvolvida, fica a quatro horas da capital e possui muitas indústrias. A maior delas é a mineradora. Ela foi privatizada há algumas décadas e pertence a um grupo de empresários turcos e árabes. Seu valor comercial é bilionário. Imagino que também seu lucro. O que não consigo imaginar é o que tenho a ver com isso.

— Temos conversado com nossos contadores sobre esse investimento, Edgar e eu. Mas bem, dias atrás ele me fez uma proposta interessante. Comprando a mineradora em quatro, cada um teria 25% das ações. Mas, e se um de nós puder ter 50% delas?

— Imagino que não esteja empolgado pelo lucro em si, mas pelo status.

— E não deveria? Ser dono de metade da mineradora mais rentável do país é pouca coisa para você?

— Não foi o que eu disse. Mas não acredito que ele vá ceder sua parte para você após um investimento bilionário.

— Sim, ele vai. Porque as ações continuarão em família. Isso, claro, supondo que você e Selena se casem.

— Ele está pagando um valor alto demais para se livrar dela. — É tudo o que respondo, mas há um nó na minha garganta que não consigo engolir.

— Você voltará à D'Ávila, assumirá meu posto e se casará com Selena Villarreal. Será um homem respeitado e milionário em um ano, Theo. Você trará ao nome dessa família o maior prestígio que poderíamos imaginar.

— Está tentando fechar um negócio com o irmão errado, pai. Não sou o filho que se importa, lembra-se? Ofereça isso a Otto.

Sua expressão é séria, mas a maneira como seus dedos baixam para seu colo e ele cruza as pernas, indica seu descontentamento.

— Não seja tolo! Otto se casará com Bruna Volpato, isso já está decidido. Constanza vai ceder a ele toda a Volpato Advogados & Associados, isso tornará a D'Ávila e a Volpato uma firma apenas. A maior firma de advocacia do país.

— Bruna e Otto nem estão mais juntos.

— Otto cometeu um pequeno deslize, que irá corrigir. E isso não é da sua conta, de toda forma, visto que não foi capaz nem mesmo de convencê-la a vender aquele apartamento medíocre onde vivem.

— Pai, nós não estamos...

— Você, até então, apenas foi uma vergonha para a família, Theo! Você se formou com a maior nota, ultrapassou Otto, tirou o momento que era dele! Porque você não se importava, mas ele se esforçou por isso!

— Não se esforçou o bastante, se fui eu quem conseguiu, não é mesmo?

— Não me desafie! — grita.

A porta do escritório é aberta e mamãe entra com Bruna a tiracolo. Ainda a arrastando pelos braços. Vejo que Bruna trocou de roupa, colocou algo mais confortável para o tempo frio que temos aqui.

— Fernando, nossos convidados estão aí fora, não exalte seu tom de voz! — mamãe ralha com ele.

Bruna tem os olhos sobre mim. Com certeza ouviu o grito do meu pai, é como se ela dissesse que sente muito.

— Você não vê seu filho há anos, Fernando. Imagino que esteja exaltado de alegria, não é mesmo? — Bruna desafia e meu pai apenas concorda.

— Claro, estou mesmo muito contente, peço desculpas por minha empolgação.

— Que bom! Por um momento pensei que não fosse humano — ela

retruca e meu pai tem um sorriso quadrado para ela, mas não responde mais.

Eu me pego sorrindo sem perceber. Bruna peita meu pai. Já fez isso outras vezes se nem ele, nem mamãe parecem surpresos. Bruna sempre é surpreendente.

— Você pode vir comigo, Theo? Gostaria de algo no centro, mas prefiro ir de moto. Se preferir, pode me dar sua chave e...

— Eu levo você — respondo imediatamente me levantando.

Espero papai dizer o quanto é perigoso e inadequado que sejamos vistos pelo centro em uma moto, mas não dizem nada. Quando nos afastamos o bastante, eu me aproximo mais dela, caminhando ao seu lado e pergunto baixinho:

— Por que você manda neles?

— Não mando neles, está maluco?

— Ah, para com isso! Deixaram você sair de moto.

— Você está agindo como um irmão mais velho ciumento.

Sorrio.

— Se eu a visse como uma irmã, não estaria prestes a te perguntar em que quarto está, para entrar lá durante a noite e fodê-la toda ela, Bruna.

— Nem pense nisso — retruca parando de andar, mas ajo como se não fosse nada demais e passo pela porta lateral, saindo no jardim.

Olho para trás, para chamá-la, quando Selena entre em sua frente e segura minha mão.

— Preciso da sua ajuda, Theo. Meu chapéu ficou preso na macieira e não consigo pegá-lo.

— Na verdade, estava indo levar a Bruna ao centro agora, você pode pedir para o...

— É o chapéu que compramos na França. É especial para mim, venha.

Ela me arrasta e vejo Bruna revirar os olhos enquanto tento me desvencilhar de uma insistente Selena.

— Selena, não sei o que pretende...

— Janta comigo hoje à noite — diz. — Só nós dois, sem o resto das nossas famílias, como antigamente.

— Não acho que seja uma boa ideia.

— Mas você vai assim mesmo.

— Selena...

— É sério que está transando com a namorada do seu irmão? — pergunta e noto a mágoa em sua expressão.

— Claro que não! Quem te disse isso?

— Não tente me enganar, Theo. Eu ouvi o que você disse a ela. Vai procurar seu quarto durante a noite para fodê-la. Ela é a namorada do seu irmão! O que está havendo com você?

— Fale baixo! — ralho, pegando-a pela mão e levando-a até a maldita macieira. Certifico-me de que não há ninguém próximo a nós antes de falarmos. — Não é o que parece. E Bruna e Otto não estão mais juntos há alguns meses.

— Não é o que parece? E, ainda que estejam dando um tempo, para toda família ela é a namorada do seu irmão.

— O que você quer, Selena? Quer entrar lá e contar tudo para a família? Faça! Acho que não tenho mesmo nada a perder.

— Nem ela?

Observo seu rosto decidido. Selena sabe o que está fazendo, sempre foi ardilosa e boa com as palavras de uma maneira assustadora.

— Você vai jantar comigo hoje. Naquele restaurante de sempre. Um jantar romântico a dois, só nos dois. Esteja pronto às dezenove horas, sabe que não suporto atrasos — diz e se vira para se afastar.

— Por que isso, Selena?

— Porque você parece ter fechado os olhos para o futuro perfeito que teríamos juntos, mas eu não fechei. Eu ainda sonho com ele. Todas as noites. E vou fazer o que for possível para vivê-lo em breve. Às dezenove, Theo.

Ela se afasta então e constato mais uma vez a péssima ideia que foi ter vindo até aqui.

Estou pronto, trajando uma calça jeans comum e blusa social de mangas, já que o outono em Ouro Velho é conhecido pela ventania fria, esperando que Selena apareça, entediado. Com o olhar procuro por Bruna, mamãe a tem sob seus olhos o tempo todo, não consegui mais falar com ela desde que Selena nos atrapalhou mais cedo. Finalmente a vejo sozinha e corro até ela.

Ela observa meu visual e morde o lábio inferior enquanto seus olhos castanhos analisam tudo.

— Pareço outra pessoa? — brinco.

— Não, parece o Theo se esforçando por algo. Aonde vai vestido assim?

Antes que eu tenha a chance de responder, a voz da minha mãe o faz por mim:

— A um jantar românico com Selena. Ah, filho! Fico tão contente que tenha reconsiderado! Você e Selena nasceram para esta união, vai perceber isso.

Bruna tem uma careta agora, cruza os braços e desvia os olhos, não os focando em meu rosto mesmo quando falo com ela.

— Quer vir junto, Bruna? Conhecer o centro à noite? — chamo.

— Não tenho vocação para vela, obrigada — responde ainda sem olhar para mim.

— Não seja bobo, Theo, é um jantar romântico, claro que a Bruna não quer ir junto. Aliás, Selena chegou. Veja como está linda.

Selena usa um vestido curto, leve, num tom rosa claro.

— Você é gentil, Clarissa. Acha que estou bonita, Theo? — pergunta.

Bruna revira os olhos e mamãe me pressiona a responder:

— Claro, está muito bonita, Selena.

Ela segura minha mão e se despede de mamãe, ignorando a presença de Bruna. E me sinto péssimo por sair com Selena e deixar Bruna pensando que quebrei o acordo que eu mesmo insisti que fizéssemos. E me sinto mal durante todo o jantar em que Selena insiste em relembrar momentos do passado. Momentos vividos com um Theo que não sou mais, um Theo que tentava a todo custo ser amado pelo pai que só tinha olhos para o irmão. O Theo que sou agora não se importa mais.

Acho que não me importo com quase nada. Exceto, com aquela menina chateada que nem sequer olhou em meus olhos ao me despedir. Sim, eu me importo com ela. Tanto, que assim que voltamos do jantar longo demais e tenho a palavra de Selena de que não irá contar nada sobre Bruna, vou direto à sua janela. Mamãe a colocou no quarto de Otto, não sei dizer o quanto isso é ridículo e a maneira como está tentando manipulá-la, mas espero que Bruna seja esperta o bastante para perceber.

Não há uma árvore em frente à janela do quarto de Otto, este é o quarto com a melhor vista do lado esquerdo da casa, tem vista para o lago artificial no centro do campo de golfe. De forma que preciso entrar pela porta, torcendo não ser visto. Por sorte, Bruna não trancou a porta e a encontro observando fotos de Otto quando criança com um sorriso bobo.

— Então está funcionando, estão mesmo convencendo-a de que é a namorada do Otto — digo e ela se assusta.

Quando vê que sou eu, devolve a foto à cômoda e cruza os braços, seus olhos ainda não estão sobre mim.

— E você o noivo da Selena, pelo que entendi. Vai se tornar juiz, herdar a cadeira do seu pai, se casar com uma herdeira. Devo te dar os parabéns?

— Deve olhar para mim, para começar. Ou será que sente tanto ciúme que nem consegue? — provoco.

— Ciúme? Eu? De você? Vá à merda, Theo. Vai se foder se acha que pode chegar aqui depois de passar horas só Deus sabe onde com sua futura esposa e agir como se eu devesse sentir ciúme.

Seus olhos finalmente estão nos meus e há tanta fúria neles, que me pego rindo; o peito parecendo mais leve de repente.

— Achei que estivesse olhando uma foto do Otto — respondo.

Ela desvia o olhar e desconversa.

— Mas era uma foto minha, não era?

— Eu não saberia diferenciar, vocês eram iguais.

— Então você dobrou a foto em que estávamos nós dois e me deixou por minutos diante dos seus lindos olhos sem saber que era eu?

— Vá para seu quarto, você não deve ser visto aqui.

— Eu não planejei nada disso, Bruna.

— Você caiu em uma armadilha, mas acho que é fraco demais para escapar dela.

— É o que você pensa?

Ela assente, parece triste por constatar isso. Aproximo-me num rompante e seguro suas mãos.

— Olha pra mim, Bruna. Não fale comigo como se não suportasse olhar em meus olhos.

— Você não merece minha atenção esta noite, Theo. Como foi o jantar?

— Chato. O fato de eu estar aqui implorando sua atenção deveria ter te mostrado isso.

— *Ah, como você está linda, Selena! Vamos sair para um jantar romântico*! — debocha com uma voz engraçada e tira as mãos das minhas.

— Isso é você não sentindo ciúmes? Eu não queria ir ao jantar, Bruna.

— É claro que não.

— Selena me ouviu mais cedo. Ouviu quando disse que viria ao seu quarto para fodê-la. Não tive escolha a não ser ir a esse jantar. Mas isso acaba amanhã. Amanhã vou decepcionar meus pais mais uma vez e ir embora. Não acho que haverá volta depois. Tampouco que verei Selena de novo um dia. Você não tem motivos para ter ciúme.

Ela fica calada, seus olhos estão sobre meu rosto e não diz nada por algum tempo. Não sei se está com medo por termos sido descobertos, se está chateada por isso. Se está se sentindo culpada por toda essa situação ridícula em que nos metemos.

— Parecemos dois amantes — comenta um tempo depois.

— Impossível, quando nenhum de nós é comprometido.

— Não é o que somos, mas o que parecemos. Com o medo que sentimos, a culpa que esperamos sentir a cada dia, a cada toque. Você não devia estar aqui e sua ex-namorada apaixonada pode abrir a boca a qualquer momento. Não acha que seria mais fácil se casar com ela e voltar ao amor da sua família?

— Não tenho certeza de que está sendo irônica ou se não percebeu que não há amor nesta família. Não há nada pelo que valha a pena eu me sacrificar aqui.

Ela assente.

— Sinto muito! Pensei mesmo que fosse um pedido de desculpas.

— Eu também.

— Você está bem? — pergunta, preocupada.

— Estarei melhor quando beijar sua boca e entrar em você de novo — respondo me aproximando, mas ela se afasta.

— Não, Theo, ficou maluco?

— Ninguém vai nos pegar, Bruna. Tranque a porta. Não há outro acesso a este quarto.

— Não se trata disso.

— Se trata do que então?

Há um vazio na maneira como me olha. Um vazio que me assusta, que me desespera.

— Seus pais estão tentando casá-lo com sua ex e sua mãe me apresenta como a namorada do Otto para todos os cantos, então parece errado...

Minha boca cobre a sua, calando-a.

Meus braços a cercam, prendendo-a a mim. Nós nos beijamos com saudade, com sofreguidão. Nos últimos dias nos beijamos o tempo todo e é leve, gostoso, certo. Mas agora, parece haver dúvidas, culpa, todo um clima que nunca deixa de existir nesta casa. Mas também há a paixão, essa mesma pela qual arriscamos tanto, está na maneira como ela me beija de volta e como a prendo a mim numa tentativa de não a deixar afastar. Nossas respirações falham e mordisco seu pescoço de leve, ainda mantendo-a nos meus braços.

— Só vamos embora amanhã, está bem? Não vamos tomar nenhuma decisão sobre nada enquanto estivermos aqui — peço.

Ela assente, o que me alivia e é difícil para caralho deixá-la aqui, no quarto dele e voltar ao meu. Porque não sei quanto do que ela sente por ele ainda existe nela.

Quanto do que ele matou pode ser recuperado enquanto ela estiver aqui? Então decido, amanhã vamos embora logo após o almoço. Quanto antes eu tirar Bruna desta casa, melhor.

Não me surpreende encontrar Selena à mesa no café da manhã. Preciso conseguir falar com Bruna a sós para pedir para partirmos mais cedo. Consigo me sentar de frente para ela, pois Selena muda seu lugar à mesa, sentando-se ao lado dela. Uma de suas mãos toca meu ombro e meu pai faz um gesto rápido com a cabeça para que o siga. Não vamos ao seu escritório dessa vez, ele fala baixo e mantém uma expressão neutra, como se estivéssemos em uma conversa normal entre pai e filho.

— Fico feliz que tenha reconsiderado.

— Eu não reconsiderei.

— Não aja como um adolescente, Theo, você não é mais um! Tudo o que fez não foi para chamar a atenção? Você conseguiu! Estou te dando todo o reconhecimento pelo quanto lutou a vida toda. Não desperdice esta oportunidade. Se não quiser continuar com ela, se preferir voltar para seu puteiro depois, tudo bem. Você só tem de se casar com ela, trazer seu sobrenome para nossa família e esperar alguns anos, poucos, e então você...

— Pai, você está se ouvindo?

— Talvez eu esteja perdendo o meu tempo tentando consertar você, seu moleque!

Há uma decepção incompreensível no seu tom de voz e me irrita que eu ainda permita que ela me machuque. Essa decepção me é familiar também.

— Nunca disputei sua atenção com Otto, não desde que cresci o bastante. Não fiz nada para chamar sua atenção eu apenas tentei me encontrar.

— Seguindo os passos daquele homem?

— Aquele homem é seu irmão e foi a única família que eu realmente tive! Você não sente falta dele? Nunca? Nem uma vez sequer? Sei que eram amigos, a maneira como ele fala de você, apesar de tudo, demonstra seu carinho, sua saudade. Será que você não é mesmo humano?

Então, acontece. Seus olhos se desviam, ele não responde por alguns segundos. É a primeira vez que ele demonstra um lampejo que seja de arrependimento. De saudade. Abre a boca para retrucar, mas somos interrompidos pela risada de mamãe e uma comoção que se inicia à mesa.

Mal posso acreditar quando o vejo. Otto abraça mamãe e deixa sua mala de lado, indo até uma Bruna atônita. É ele quem a levanta da cadeira e abraça. O maldito a mantém em seus braços por muito tempo, como se estivesse com saudades. Não percebo quando meu pai se afasta, mas o vejo se aproximando de Otto, e ele deposita um beijo rápido nos lábios de Bruna antes de abraçar papai.

Ele a beijou. Como se tivesse o direito de fazer isso. Minhas mãos estão cerradas em punhos e dou alguns passos em sua direção, a raiva que sinto parece deixar minhas veias em chamas. Mas não chego a ele, pois Selena se encontra comigo no meio do caminho e me arrasta para dentro da casa.

— O que está fazendo? Quer provocar um escândalo? Quer arruinar sua cunhada?

— Ela não é nada do Otto!

— Não foi o que pareceu. De qualquer forma, respire primeiro, vá lavar esse rosto e tomar um copo de água antes de se aproximar dele. Não faça nada que vá colocar o nome da sua família em sites de fofocas, Theo, principalmente se não quiser sua cunhada metida nelas.

Apenas por Bruna me obrigo a subir ao meu quarto, a tentar me acalmar.

Da janela, tenho a visão dele sentado à mesa ao lado dela. Seu braço em volta de sua cadeira. Sinto uma raiva que não sei explicar. E medo. Sinto medo de que ela o perdoe agora que está aqui, que volte para ele. É um medo tão incomum e tão intenso que não sei como lidar com ele. Parece me tirar o ar, parece tirar até mesmo minhas forças.

Fico horas dentro do quarto esperando me reencontrar antes que alguém bata à minha porta para que vá rever Otto. E quando isso acontece, ainda não me sinto mais calmo. Desço atrás de uma mãe claramente animada e vamos direto à biblioteca. Ela fala o caminho todo sobre a chegada de Otto, até que diz algo que chama minha atenção:

— E nós pensamos que não daria tempo, mas parece que tudo está se encaminhando.

— Pensaram que não daria tempo? Vocês sabiam que ele vinha?

— É claro! Tudo está saindo conforme o planejado, Theo.

Ela abre a porta da biblioteca e me sinto confuso. Eles sabiam que Otto viria, mamãe chantageou Bruna para que ela viesse. Papai tem absoluta certeza de que Otto e Bruna irão se casar. O que estão planejando? O quanto sabem sobre o que Otto fez a Bruna?

Eu a encontro ao lado de Otto, sentada no pequeno sofá. Ele possui um sorriso estonteante enquanto nosso pai fala algo animado com ele. Já Bruna... Bruna parece morta. Não há expressão em seu rosto, não há brilho algum em seus olhos, ao contrário, ela parece ferida. Perdida. Tem agora o mesmo olhar que tinha quando nos conhecemos. O que fez com que me lembrasse de uma promessa.

— Otto — chamo e ele se levanta, um sorriso fingido no rosto, estendendo os braços em minha direção.

Decidido, caminho até ele e o acerto com um soco na boca. Ouço os arquejos de espanto, mamãe e Diana se aproximam dele para acudi-lo, meu pai tem a boca aberta e está petrificado. E Bruna... Bruna está sorrindo. Seus olhos encontram os meus e ela tenta disfarçar, tem a boca aberta, em choque, e sorri.

— O que pensa que está fazendo?! Você se tornou um selvagem? — mamãe ralha, realmente irritada, mas Otto intervém.

— Deixe, mamãe, eu mereci. Estou em dívida com Theo, ele está apenas descontando. Venha, irmão, acho que precisamos conversar.

Ele passa por mim com a mão sobre o sangue na boca. Meus olhos ainda estão em Bruna, o sorriso sumiu, ela parece tensa. Quando estou prestes a seguir meu irmão, ela diz sem emitir som algum: "Obrigada".

Sorrio como resposta e sigo meu irmão para resolvermos de uma vez por todas isso.

— Por que está aqui? — pergunto me aproximando.

— Olá, irmão! Não sabia que era assim que demonstrava sua saudade depois de se tornar um cafetão.

— Por que está aqui, Otto? Por que escondeu que vinha e está agindo como se vocês ainda estivessem juntos?

Ele parece confuso, seu cenho está franzido e vejo sua expressão amenizando e, aos poucos, ele parece entender.

— Está agindo assim por ela? — pergunta, mas sua pergunta soa como uma acusação.

— O sangue na sua boca agora é por ela. Pelo estado em que a encontrei quando a conheci. Pelo que você fez a ela. Agora me sinto mais leve. Por que você está aqui agindo como se ainda estivessem juntos?

Ele tem um sorriso enquanto limpa novamente o sangue que escorre.

— Então minhas desconfianças estavam certas, afinal. Não se meta nisso, Theo. Bruna é minha, eu sempre disse que era, deixei claro desde o início que estávamos dando um tempo. O tempo está prestes a acabar, ela vai se casar comigo e você nunca mais vai chegar a menos do que dois metros de distância dela.

— Ela não é sua propriedade — retruco.

— O que disse? O que está insinuando?

Ele dá um passo em minha direção, a raiva tomando seus olhos. Não consegue mais fingir ser cordial.

— Você não tem o direito de se impor e se retirar da vida de alguém quando bem quer, não tem o direito de brincar assim com a mente e com o coração de uma pessoa. Principalmente alguém igual a ela. Você, Otto, não a merece.

Ele ri. Um riso sem graça alguma, carregado de escárnio, tenta me provocar.

— Não é você quem vai decidir isso, é ela. Você não é nada dela, nem sequer devia estar falando seu nome com tamanha autoridade, seu miserável filho da mãe!

— Eu gosto dela o bastante para protegê-la. E vou fazer isso, Otto. Não pense que vai manipulá-la como fez antes, porque eu estou aqui agora e vou fazer o que for preciso para protegê-la.

— Protegê-la? Você dormiu com ela? — Ele está gritando agora. — Colocou as mãos nela, seu imundo!

Ele tenta me acertar, mas sem qualquer dificuldade seguro seu punho e viro seu braço para trás, prendendo-o.

— Sim, eu dormi e ela não foi mais uma em minha cama, mas você já percebeu isso.

— Você está dizendo que está apaixonado pela minha noiva?

— Estou dizendo que estou apaixonado pela mulher que você deixou. Pela mulher incrível que teve em suas mãos e perdeu. Estou dizendo que você a deu de bandeja para mim e, mesmo que não fosse minha pretensão tocar nela, foi inevitável.

Eu o solto, ele se vira em minha direção, os olhos estão cheios, não sei se por mágoa ou raiva. Ele está realmente ferido.

— Você é meu irmão — diz baixinho, as palavras parecem falhar. — É a merda do meu irmão! Apesar de tudo foi o único em quem confiei para ficar perto dela. Eu te dei a chave da minha casa, te coloquei lá dentro e você dormiu com ela!

Assinto, apenas.

— Me peça perdão, Theo. Ajoelhe-se agora e me peça rendição — exige, reproduzindo algo que papai sempre fazia conosco quando cometíamos algum erro.

Nego com a cabeça, meus próprios olhos parecem marejados agora.

— Não posso, porque não me arrependo.

— Eu fui o único que não se virou contra você, fui o único a estender a mão quando você teve uma ideia absurda, apesar de tudo. Por todos esses anos eu fui sua única família e é assim que você me agradece! Você nem mesmo se importa!

— Eu me importo. Eu realmente sinto muito e sei que devia me sentir culpado por isso, mas não sinto. Não consigo, Otto. Não consigo ver isso como algo errado. Não estou dizendo que estou certo, eu entendo que você me odeie e acho que tem o direito de se sentir assim. Nunca fomos amigos, ainda assim eu sinto por tê-lo traído. Sinto de verdade. Mas não me arrependo.

— Seu traidor! Miserável! — grita e me acerta um soco.

E permito que ele me bata, porque sei que mereço. Ele acerta outro e outro, grita como um maluco, colocando para fora a mágoa que causei a ele. Fico parado, embora a dor esteja se tornando insuportável e ele só não me atinge o sexto soco porque mamãe segura sua mão.

— O que está havendo? — pergunta, horrorizada.

Abro os olhos e a vejo, vejo Bruna, ao seu lado Selena, paradas à porta de acesso ao jardim. Diana está um pouco à frente, tem as mãos à boca, horrorizada. Mamãe observa se Otto está ferido, além daquele primeiro soco e Bruna se aproxima a passos leves, os olhos cheios, a culpa que não esteve em seus olhos desde que a toquei pela primeira vez, está ali agora. Está na maneira como ela olha de mim para Otto.

Não sei quanto da nossa briga elas ouviram, não sei como Bruna está se sentindo agora.

— Bruna, me desculpe — Otto diz, segurando sua mão.

— Vamos cuidar disso, Otto — mamãe diz. — Vão se lavar e se acalmem até a hora do almoço.

— Bruna, vem comigo — Otto pede, arrastando-a, mas ela se desvencilha.

Vem até mim, toca meu rosto, parece assustada, além de culpada.

— Você não se defendeu — diz em um fiapo de voz. — Por que não se defendeu? Você achou que merecia. Theo. Você é um babaca! Se não estivesse todo arrebentado, eu juro que quebraria sua cara, você...

Ela leva as mãos ao cabelo, olha para trás, para a mão estendida de Otto e diz:

— Parece que Clarissa vai ajudá-lo agora, Otto. E, de toda forma, Theo está mais machucado. Vou ajudá-lo.

Ela me guia então para dentro da casa, vem comigo em direção ao meu quarto. Suas mãos tremem levemente e ela está calada. Aperto seus dedos na tentativa de acalmá-la, mas penso que me odeia agora.

Sento-me na cama e ela revira gavetas, nervosa.

— Está no banheiro — digo.

Ela vai até lá e retorna pouco depois com um pouco de água e algodão, molha-o ali e se aproxima para limpar o sangue em minha boca. Como na outra noite, sua perna apoiada sobre o colchão no meio das minhas pernas. Minhas mãos a tocam, temerosas que ela se afaste, ela treme enquanto limpa os machucados e quando abro os olhos está chorando.

— Bruna, não...

Eu a puxo para meu colo e ela chora. Seu corpo treme, seu rosto é escondido no meu pescoço, tento acalmá-la, mas imagino ser eu o motivo de seu choro.

— Bruna, meu anjo, não chore. Está chorando por mim? — pergunto e ela assente. — Você me odeia agora, não odeia?

Ela assente de novo e, de alguma forma, isso parece doer mais do que os golpes de Otto. Ela se afasta cedo demais, limpa os machucados com todo cuidado, os olhos turvos, tentando se controlar.

— Por que você não se defendeu? Você é idiota, Theo? Por que não se defendeu? Por que não revidou, ao menos se protegeu? Você poderia tê-lo feito em pedacinhos, mas estava parado! Ficou parado e deixou que ele o machucasse. O que tinha na cabeça?

— Bruna...

— Não me venha com essa de que mereceu. Não sou a merda de um terreno cujo dono abandonou e outro morador invadiu. Vocês dois são idiotas e eu odeio você agora, por ter ficado parado e ter deixado que ele machucasse você! Eu te odeio!

— Bruna!

Levanto-me e a abraço. Eu a abraço apertado, afundo o rosto em seu pescoço, os fios marrons grudando nos cortes em meu rosto, mas não me importo. Ela não me odeia, afinal. Está ferida, brava desse jeito porque também estou ferido. Não permito que saia dos meus braços por muito tempo.

Não tenho a menor vontade de ir ao jantar, Bruna e eu já deveríamos ter partido, mas não tivemos escolha. Quando desço, trajando a roupa que mamãe escolheu — um terno apertado e calça social —, a casa está cheia. Não sei que horas essa decoração veio parar aqui, mas como não saí do quarto por toda a tarde, não poderia mesmo ter visto nada. As pessoas me cumprimentam disfarçando suas caretas pelos hematomas em meu rosto. Avisto Otto do outro lado, conversando com papai e algum dos amigos dele. Não tento me aproximar. Viro-me para o outro lado no momento exato em que a porta está sendo aberta e Constanza entra por ela.

Ela sorri quando me vê, estaco onde estou e Otto se adianta, cumprimentando-a. Confusa, olha confusa de mim para Otto, e mamãe é quem decide seguir as regras de etiqueta.

— Constanza, estou tão feliz que tenha podido comparecer! É uma honra tê-la em nossa casa. O Otto você já conhece, claro, este é o Theo, meu outro filho.

Ela ainda me encara em choque e sorrio para ela.

— Já nos conhecemos. Olá, Constanza, como tem passado, querida? Fez a receita que mandei?

Ela assente, ainda em choque, os olhos vagando de Otto para mim. De repente ela entende tudo, entende que fui eu quem a recebeu às vésperas do casamento. Que é comigo que tem falado quase todos os dias desde então. Mamãe e Otto também parecem confusos. E a voz de Bruna é o que nos tira desse clima estranho.

— Vovó, o que está fazendo aqui?

Bruna está deslumbrante. Não há outra palavra para descrever o quanto está linda. Ela usa um vestido preto, delicado, ele possui brilho e um decote generoso que acaba pouco acima do umbigo. O tecido leve balança conforme anda, possui duas aberturas nas laterais, exibindo as pernas. O cabelo escuro está solto em ondas. Está tão linda que atrai todos os olhares dos convidados. Ela rouba toda a atenção.

— Bruna, você... — Otto diz, mas parece sem palavras.

— O quê? Estou usando algo decotado demais? — ela provoca.

— Você está deslumbrante. — Ele tira as palavras da minha boca.

Ela parece surpresa pelo elogio, seus olhos me buscam e ela sorri quando me vê de terno. Abro a boca, mas não consigo dizer nada sobre o quanto está linda. Ela nos pede licença e se afasta com a avó. E nem consigo pensar no quanto está encrencada agora.

Fico procurando por elas, para ajudar Bruna caso precise da minha ajuda, mas Constanza não tem muito tempo a sós com ela. Mamãe chama todos para o jantar e nos reunimos em volta da grande mesa.

Bruna vem também, com a avó, e se senta ao lado dela, entre ela e mamãe. Pessoas conversam, animadas, o burburinho de vozes à minha volta não tira minha atenção dela. Nada tira. Não consigo desviar meus olhos dela. É tão linda que dói não poder tocá-la neste exato instante, dói não tirá-la daqui agora mesmo para ser o único a admirá-la desse jeito. Eu a olharia a noite toda, eu a apreciaria assim por horas e horas a fio.

A sobremesa é servida e mal toquei no jantar, papai faz um discurso mentiroso sobre os trinta anos ao lado da mulher que seu pai escolheu para ele e todos aqui parecem achar bonito um relacionamento acordado. É o mundo deles, esses acordos matrimoniais milionários fazem parte dele. Selena chama minha atenção, sentada ao meu lado, para que escute as palavras de meu pai, como se nunca as tivesse ouvido antes. Ele pouco fala sobre sua esposa. Meus olhos buscam mamãe, que tem um semblante sério, tentando aparentar orgulho das palavras frias do homem que ela sabe que não a ama. Tudo o que ele diz sobre o sucesso do seu relacionamento soa como um negócio que deu certo, nada mais.

Como duas pessoas conseguem ficar juntas por trinta anos em um negócio, sem qualquer sentimento envolvido, eu não entendo. Como conseguem não sentir o coração acelerar por outra pessoa, as mãos tremerem, o sorriso involuntário apenas por vê-la. Como podem nunca sentir medo de perder alguém, sem que esse medo envolva os bens materiais, mas aquele medo que vem da alma, que faz essa pessoa por perto ter tanto valor. Eles nunca saberão como é sentir de verdade, não saberão como é amar. E eu sei. Sei disso agora porque é o que sinto quando olho de novo para ela. Quando seus olhos castanhos encontram os meus e ela sorri. É como se me encontrasse em meio ao caos, à loucura. Como o ponto de equilíbrio, de sentido em tudo.

Eu a amo. Amo Bruna Vidal. Acho que vou amá-la para todo sempre.

Eu devia dizer isso a ela.

As pessoas aplaudem o discurso frio do meu pai enquanto aqui dentro, sinto-me aquecido. Como se os aplausos fossem para mim, para essa descoberta que finalmente fiz. É quando a voz de Otto chama a atenção de todos. Ele se levanta, diz palavras semelhantes as ditas por meu pai, sobre o futuro, o crescimento, sobre a escolha certa. E assim, como se contasse aos amigos sobre uma nova empresa que vai adquirir ou ações em que pretende investir, ele tira do bolso do terno uma caixa de veludo. Abre-a, exibindo uma pedra gigante que faz algumas mulheres à mesa arquejarem e se aproxima dela.

Ele faz Bruna se levantar e se ajoelha diante dela. Esse babaca pede em casamento a mulher que amo, na frente de toda nossa família.

CAPÍTULO 15

Bruna

O tempo parece parar, o burburinho de vozes, o zumbido das pessoas, cessa. Mas há um apito em meus ouvidos, um zumbido baixo e irritante. E há as batidas frenéticas do meu coração. Otto está ajoelhado à minha frente, um diamante está em sua mão enquanto ele diz palavras que não foram ditas na primeira vez em que me pediu em casamento.

— Agora eu tenho certeza absoluta, Bruna, de que não quero passar nem um dia sequer longe de você. Case-se comigo, lindinha.

Minha avó toca em meu braço, parece emocionada, Clarissa e Fernando têm sorrisos no rosto e não sei como agir. Não digo nada por um bom tempo, as pessoas sorriem, Otto brinca, mas não parece nem um pouco preocupado. Seus dedos apertam as pontas dos meus, algo que tem o costume de fazer para me apressar, quando espera que eu decida algo. E odeio isso. Odeio esta situação, esta casa, esta família.

— Não — respondo baixinho.

Apenas ele escuta. Seu sorriso some, sua expressão finalmente é preocupada. Os olhos verdes parecem mais escuros que os de Theo, sim, é possível notar que os olhos de Theo são verdes à distância. Os de Otto parecem mais escuros, só mesmo estando assim, próximo o bastante é possível identificar a cor deles. Seu sorriso sem graça não é de lado, é um sorriso comum. Eles não se parecem.

Não me atrevo a olhar para Theo agora, pois não quero que outra briga entre eles se inicie, Otto continua aqui, as pessoas agora parecem ansiosas. Minha avó diz algo sobre a deselegância de deixá-lo esperando por uma resposta, confirmando que apenas ele me ouviu. Estou dando uma chance a ele aqui, torço muito que ele a aproveite e desista agora.

— Eu juro que nunca vou ferir você de novo — ele diz baixinho, entendo porque estou olhando para seus lábios. — Juro que você não vai ficar sozinha nem um dia mais. Juro, Bruna, que não vou quebrar nossos planos. Nunca mais. Você tem a minha palavra.

— A sua palavra não me serve de nada — digo um pouco mais alto e, alarmada, Clarissa olha para mim. — Vocês sabiam que ele me pediu em casamento meses atrás? Nós planejamos tudo, reservamos igreja, *buffet*, contratamos banda, eu comprei um vestido. Mandamos os convites e a vovó até veio de Veneza para o casamento.

Clarissa encara Otto, confusa, sorri sem graça, como se não acreditasse no que estou dizendo.

— Não sabiam, não é? Seu filho é um moleque! Não é confiável!

O burburinho aumenta, então aumento também minha voz, nem sequer escuto o que ele está tentando dizer baixinho enquanto aperta desesperadamente meus dedos. Desvencilho-me de sua mão, irritada.

— Mas não se preocupe, não nos casamos sem vocês, Clarissa, Fernando, porque ele terminou tudo trinta dias antes do casamento e foi viajar pelo mundo. Ele me deixou sozinha sem qualquer explicação, sem qualquer ajuda. Ainda tive de cancelar tudo sozinha e desconvidar todo mundo. E fiquei semanas me perguntando o que fiz de errado até entender que a errada não era eu.

Otto sorri, sem graça. Levanta-se, olha em volta, envergonhado, e seus olhos estão nos meus de novo.

— Bruna, amor, não é hora para ser vingativa. Eu entendo que esteja magoada, é que não é do seu feitio se magoar assim, eu não pensei...

— Não pensou que me magoaria por me chutar trinta dias antes de nos casarmos? Você acha que sou um robô? Claro que acha, pois você é um. Não vê sentimentos, vê oportunidades. Você não tem relacionamentos, só negócios, você é tão errado e frio!

Ele parece finalmente irritado.

— O que está fazendo, Bruna? — minha avó ralha, pegando minha mão. — Peço desculpas, minha neta está exaltada. Eles tiveram um desentendimento e está apenas colocando suas frustrações para fora. Vamos conversar um momento, nos deem licença.

Vovó me arrasta com ela e os olhos de Otto me seguem até que não o veja mais. Clarissa vem junto, parece em choque. Alguém coloca um copo de água na minha mão, vovó me senta em uma cadeira, mal escuto o que diz, mas Clarissa a interrompe.

— Ele fez mesmo isso? Otto a pediu em casamento e a abandonou?

— E mandou Theo morar comigo para me vigiar. Foi por isso que Theo o recebeu com um soco.

— Eu não... Eu não fazia ideia, eu... Ele disse que ia pedi-la em casamento. Ninguém da família soube que houve outro pedido.

— Eu sei, porque não pretendia mesmo se casar comigo. Ele só estava brincando.

— Não, Bruna, Otto não é assim.

— Otto não vale nada. É alguém tão vazio quanto seu marido.

— Bruna! — vovó ralha. — Vocês mentiram pra mim, mas estou disposta a reconsiderar se você voltar àquela sala de jantar e disser *sim* a ele. Apenas para acabar com esse clima. Amanhã vocês dois conversam direito e decidem seu futuro, mas agora volte àquela sala e diga a todos que você aceita, que se exaltou e exagerou.

Olho para minha avó, essa que poucas vezes dá uma ordem, mas quando o faz nesse tom, não existe possibilidade de não ser atendida.

— Não — respondo. — Ele me magoou, quase me tirou tudo. Tirou meus dias, meu esforço, minha personalidade. Não vou ceder e me rebaixar por conta de seu sobrenome. Eu também tenho um sobrenome de grande valia como o dele, ou não tenho?

Vovó olha para Clarissa em pânico.

— Bruna Volpato! Você não está agindo com a cabeça! Entendo que esteja magoada, devia ter me contado tudo isso antes, mas agora é tarde demais! Há pessoas lá fora que para sempre vão falar de você, da nossa família, dos D'Ávila, se você não consertar isso — ralha.

— Não tenho de consertar nada, o erro não foi meu!

— Bruna! Volte lá agora mesmo e corrija isso!

— Não! — insisto.

Meus olhos estão cheios. Vovó está vermelha, as mãos tremem, parece prestes a ter um treco.

— Eu sou sua única família, sua ingrata! Me preocupo com você! Estou velha, não tenho mais muito tempo e preciso deixá-la em boas mãos.

— Então devia ter me ensinado a me cuidar, não tentar me forçar a viver sob a sombra de um homem que não me merece.

— Não fale comigo nesse tom! A vida não funciona assim, não deixe sua mente ir para o mundo da lua, como aquela perdida da sua mãe.

— Mas eu sou exatamente igual a ela! A mulher que você chama de perdida era forte, era sincera, ela viveu um inferno e aprendeu a não se permitir mais ser rebaixada até lá. E mesmo que ela tenha partido tão cedo, antes de ir me ensinou a fazer o mesmo. Eu deixei que a senhora me desfizesse, que me anulasse para me fazer aquilo que você queria. Deixei porque a amo, porque era minha única família e eu queria seu amor, mas não mais. Se não quer me amar como sou, não preciso do seu amor.

— Você não está em si, não está dizendo coisa com coisa! Clarissa, você tem um calmante para dar a ela?

— Não estou alterada, não mais. Você sabe disso, mas quer a todo custo evitar, eu sou igual a ela, sou igual a minha mãe. E tenho orgulho disso. Não sou perfeita, mas não estou mais preocupada em ser. Não estou mais preocupada em ser a noiva que um homem espera, a neta que uma avó espera, a advogada que esperam... Eu sou eu. Quero que alguém me ame e fique comigo por quem eu sou sem tentar me fazer ser de outro jeito.

— Bruna, você não pode falar assim comigo! Se não voltar àquela sala de jantar agora mesmo e consertar isso, estará morta para mim. Você não terá mais ninguém, Bruna, pense nisso.

Levanto-me, ficando frente a frente com ela. Dói o que vou dizer, mas não tenho outra escolha, eu me escolho.

— Então isso é um adeus, vovó. Não quero passar minha vida em uma prisão. Ninguém vai aprisionar minha alma, ninguém merece que eu a sacrifique assim. Eu vou ser eu e vou mudar quando achar que preciso mudar, vou fazer o que quiser fazer e não serei mais o que esperam que eu seja.

Olho então para Clarissa, que está calada há um bom tempo.

— Não quero ser você, Clarissa, não quero estar no meu jantar de trinta anos de casamento com alguém que vai falar sobre essa data como mais um de seus negócios e que mal citará meu nome. Alguém que não vai olhar em minha direção em momento algum. Não vou passar por isso.

Ela não diz nada, seus olhos estão nos meus e não sei dizer se me odeia agora ou se me entende.

Viro-me para sair e ela diz:

— Está fazendo a escolha errada, Bruna. Escolher Theo é a pior coisa que vai fazer com sua vida. Otto é frio e parecido demais ao pai, é verdade, mas Theo é uma criança. Está perdido, não se preocupa com nada, não se apega a nada, se visse o que ele fez com a pobre Selena... Se acha que vai viver um conto de fadas com ele, vai cair feio do cavalo. Você está certa em tudo que disse e está certa em recusar o pedido de Otto agora. Ele precisa merecer seu perdão, merecer seu *sim*. Mas se escolher The oem vez de Otto, será apenas mais uma Selena, abandonada e apaixonada por alguém que por dentro não tem nada, nem mesmo planos. É a escolha errada.

Volto a andar até a saída, nem ao menos olho em sua direção outra vez. Passo por convidados mexeriqueiros como se não estivessem ali. Vou direto ao quarto dele. É ridículo que tenham me colocado justo aqui. Então desfaço sua cama, bagunçando-a. Não é o bastante, jogo fora tudo que está sobre sua cômoda. Abro seu armário, suas coisas de adolescente, troféus, medalhas, tudo vai ao chão.

Há muitas pessoas lá embaixo, elas me lembram grades. Parecem estar me prendendo e me sinto sem ar.

A porta é aberta e Otto entra, ele observa a bagunça no chão e a bagunça que sou agora e não me repreende.

— Bruna, o que posso fazer para que fique bem?

É a primeira vez que me pergunta algo assim. A primeira vez que se preocupa comigo em vez de me julgar por ofendê-lo.

— Diz, lindinha, o que posso fazer?

— Esse é um apelido terrível — digo.

— Do que você quer ser chamada?

Delícia, meu bem, Bruninha, Srta. Advogada. Não é o nome em si, mas a maneira como ele é pronunciado. A situação. A pessoa. Os sentimentos.

— Bruna, me perdoa — diz quando não respondo nada.

— Não. Não perdoo — respondo, enfim, e passo por ele.

Preciso me libertar, há uma angústia em meu peito, a angústia de um rompimento. De um rompimento gigante e inimaginável. Como se de repente eu estivesse sozinha e isso é para sempre e é culpa minha. Como se algo me dissesse que posso evitar tudo isso se voltar ao seguro, ao planejado. Preciso me libertar da culpa por querer ser livre.

Entro em seu quarto, mas Theo não está. Desço pelos fundos, saio pela cozinha, o frio toca minha pele assim que piso no jardim da entrada. Não sei para onde ir, tenho roupas de frio lá em cima e dentro da casa é quente e confortável. Ainda assim vou em direção a garagem. Só preciso sair daqui, é distante demais da cidade, não vou roubar um carro, só pegá-lo emprestado até o centro. Irei deixá-lo lá, em segurança.

E quando entro na garagem, Theo está aqui. Ele me olha preocupado, seu rosto está muito machucado e quero bater nele de novo por ter permitido isso.

— Você quer ir? — pergunta e assinto. — Foi o que imaginei — diz estendendo a chave de sua moto e uma jaqueta dele. — Acha que consegue dirigir? Quer que eu a leve a algum lugar?

Não digo nada, apenas o observo, ele está agitado, aproxima-se mais de mim, os olhos verdes tempestuosos.

— Bruna, não me olha desse jeito. Não suporto essa dor nos seus olhos. O que posso fazer para te ajudar? O que posso fazer, meu bem?

— Me tira daqui — peço baixinho. — Vem comigo, Theo, eu só quero ir embora.

Ele assente, passa a jaqueta por mim, ajudando-me a vesti-la e a fecha. Liberta meu cabelo do tecido quente e tem um elástico no pulso que usa para prendê-los, o que me faz rir. Acho fofo que tenha pensado até mesmo nisso. Ele está confuso por meu riso, observa-me, ansioso, e me lanço sobre ele. Seus braços me cercam, ele é quente, é seguro. Ele não é uma prisão.

— Me tira daqui, Theo. Para qualquer lugar, por favor!

— Vamos, delícia, eu levo você.

Subo na moto com ele, esse vestido definitivamente não foi feito para andar de moto, mas não me importo. Colocamos os capacetes e ele arranca, passa por Otto, Selena, Edgar e Fernando, que pareciam procurar por nós. Passamos direto. Nem sequer pegamos nossas coisas, mas quem precisa delas? Tudo o que preciso está bem aqui, ao meu alcance agora.

Pegamos a BR finalmente, a cidade ficando para trás e com ela, espero que o peso das pessoas que deixamos, ao menos por esta noite. Amanhã penso na família que perdi, na confusão em que me meti e no que Theo perdeu também. Mas por esta noite, só quero sentir o vento gelado nos dedos enquanto eu os aperto na roupa de Theo. À nossa volta só há estrada, está vazia à esta hora, e muitas árvores. Quando o primeiro raio se anuncia, clareando o céu silencioso, não consigo acreditar que vai mesmo chover. Em seguida um trovão faz Theo também desviar a cabeça para cima, tenho a impressão de que pouco depois que cessa, Theo está rindo.

Ele acelera a moto, pilotando como um louco, o vento agora corta meus dedos e ele grita alguma coisa, que não entendo bem, algo como: aguenta firme. Acelera tanto, que fecho os olhos, com medo da velocidade. Estou prestes a começar a gritar, quando desacelera e a chuva fria molha nossos corpos. Neste momento ele estaciona a moto e desço correndo, escondendo-me dentro do motel.

Observo a recepcionista que faz uma careta curiosa sobre minha roupa e Theo surge logo atrás, tirando o capacete e me ajudando a tirar o meu.

— Podemos ficar aqui até que a chuva pare — ele diz.

— Curioso! Havia um motel no meio do caminho.

Ele sorri de lado, acho que é o primeiro sorriso sincero que vejo em seu rosto hoje.

— Melhor do que uma pedra, não é mesmo?

— Parece que você sabia exatamente onde ele estava.

— Jura? Não, por que saberia?

Reviro os olhos e ele vai pagar o quarto. Subimos juntos dois lances de escada até um quarto pequeno, cuja cama está coberta por seda vermelha, há um espelho no teto, acima dela, um frigobar está no canto direito da cama e o banheiro no esquerdo. É minúsculo e o observo, curiosa.

— Não dá para transar neste banheiro — comento.

— Quem pensaria nisso quando há uma cama enorme bem aqui? — Eu o observo e ele sorri de novo. — Está bem, eu pensaria.

Aproxima-se, observando o banheiro e dá de ombros, percebo que parece tremer levemente pelo frio, uma vez que sua jaqueta está comigo.

— Não é impossível se a mulher estiver em cima, na altura certa — decide.

— Devo perguntar como exatamente seria isso? Porque esse teto não parece ser dos mais altos — pergunto imaginando a pobrezinha batendo a cabeça no gesso.

— Não é como você está pensando, não necessariamente sua bunda precisaria estar sobre meus ombros, digamos que eu a pegue nos braços, você passe as pernas por minha cintura, como sempre faz, apoiamos suas costas na parede e vou subi-la até a altura certa, segurando-a com meus braços.

— Altura certa? — pergunto, confusa, uma vez que seu pau está lá embaixo.

— Sim, Bruna, a altura certa, sua boceta ao alcance da minha boca.

Minha boca se abre e ele está rindo baixinho agora.

— E você pensou nisso tão rápido — observo.

— Não é como se eu não pensasse em sexo a cada segundo quando você está perto. Bem, você parece cansada, mais do que fisicamente. Posso pegar o quarto ao lado, caso queira ficar um pouco sozinha. Este lugar não parece mesmo cheio.

— Não quero — respondo prontamente.

Ele dá um passo em minha direção e acaricia meu rosto de leve, os dedos gelados arrepiando os pelos do meu corpo.

— Como você está?

— Com frio.

— Então somos dois. O que posso fazer para ajudá-la, meu bem?

Seguro sua mão, na tentativa de aquecê-la com as minhas. Seus olhos verdes estão mais escuros agora, não como os de Otto, mas como se seu brilho estivesse nublado.

— Fica. Fica aqui e faça amor comigo.

Ele liberta sua mão das minhas e me segura pelos braços, seus dedos pressionam a carne e seus olhos de repente ganham vida, brilham de novo o verde que adoro.

— Você quer fazer amor comigo? Quer que eu a toque? — pergunta, parece surpreso e assinto.

Então ele sorri, não seu sorriso de lado provocante, mas um sorriso inteiro, um sorriso completo. As mãos que estão em meus braços se movem até minhas costas e ele me puxa de encontro ao seu corpo, à sua boca. Seus lábios tomam os meus sem pressa, calmos, um sorriso insistente neles.

Sua voz é um sussurro quando pede:

— Tire essa jaqueta, delícia, vamos fazer amor. Vou amar você até que nada mais do que aconteceu fora deste quarto importe.

— Todo o resto deixou de importar quando você me explicou o que é a altura certa — sussurro de volta e ele ri baixinho.

Beija-me de novo, com mais força dessa vez e se afasta cedo demais, tirando a roupa, apressado. Faço o mesmo. Livro-me da jaqueta enorme e quente que não deixou que eu me molhasse quase nada. O vestido está molhado na barra, assim como minhas pernas, estou prestes a tirá-lo, mas Theo impede. Ele segura minhas mãos e me observa lentamente da cabeça aos pés.

— Eu não disse como você está linda nesse vestido. Não disse, porque as palavras pareceram fugir quando a olhei, porque tive medo de abrir a boca e dizer em voz alta o quanto eu queria tirá-lo do seu corpo, lentamente, enquanto meus dedos tocariam sua pele, centímetro por centímetro, acompanhando cada pedaço sendo exposto. E meus olhos a devorariam, exatamente... — Ele para de falar, está perto demais, suas mãos estão em minha pele, nas laterais do vestido enquanto o sobe lentamente, fazendo exatamente o que descreve.

O arrepio que me percorre agora é diferente, não é de frio, mas de excitação.

— Como está fazendo agora — completo por ele.

Ele assente, volta a subir os dedos por minha pele, o toque frio em contraste com o calor que sinto aqui dentro. Não fecho os olhos porque quero vê-lo, quero devorá-lo assim também. Minhas mãos alcançam a camisa social branca, encharcada, colada aos seus músculos. O cabelo negro cai sobre seus olhos. Desabotoo cada botão devagar, tocando a ponta dos meus dedos em sua pele firme, passeando conforme o tecido vai revelando sua pele, as tatuagens, as marcas. Ele se move e sinto a ereção presa em sua calça social, os olhos fixos nos meus, seus dedos gelados nas laterais dos meus seios. Abro a camisa e seu abdome está diante de mim, adoro apreciá-lo.

Penso em beijá-lo lentamente, aquecê-lo com a língua, mas Theo age primeiro. Baixa a cabeça e suga meu seio, pelo decote do vestido, afasta o tecido com a boca e seus lábios pressionam o mamilo entre eles. Meus olhos se fecham, não consigo evitar, um gemido me escapa. Theo chupa mais forte, os dedos frios passeiam por minhas costas, firmam-se em minha pele, puxam-me ainda mais de encontro à sua boca e ele chupa com mais força também. Minhas pernas fraquejam, ele passa para o outro seio, minhas mãos estão em seu cabelo, puxando-o conforme seus dentes e lábios me desmancham aqui, de pé, neste quarto pequeno de um motel de beira de estrada.

A chuva canta nas janelas, raios riscam o céu, trovões cantam em seguida e a luz apaga.

Ouvimos murmúrios e gritos de comemoração, parece que a luz acabou no estabelecimento. Theo deixa meu seio, não consigo mais ver seu rosto, mas sinto quando ele termina de tirar meu vestido. Ouço-o despindo-se e tiro rapidamente a calcinha. Suas mãos me buscam, logo, sua boca está na minha e ele me pega nos braços. Eu me pego rindo por me pegar direito dessa vez, com as duas pernas sobre seus braços, não em volta do seu corpo. Coloca-me na cama com cuidado, suas mãos acariciam meu corpo onde alcançam, seus lábios passeiam nos meus por segundos e descem por meu pescoço. Theo lambe lentamente minha pele, contornando cada seio, descendo por minha barriga, direto... Direto... até chegar lá.

Então me beija. Nos grandes lábios. Seus lábios cobrem os meus e sua língua os penetra, tocando minha língua lá embaixo, fazendo-me arquear em direção à sua boca. Esse beijo é lento, delicioso, demorado. Estou prestes a implorar por mais quando ele chupa, seu corpo cai sobre a cama, suas mãos colocam minhas pernas sobre seus ombros e ele me tem completamente aberta diante dele.

Na altura certa.

Sua língua trabalha sem pausas. Ele não pressiona, beija de leve, chupa com calma, mordisca meu clitóris com os dentes. A língua passeia por minha entrada, mas não me penetra. Volta ao meu clitóris, brinca ali, pressionando mais forte, então mais leve... Mais forte e mais leve e seus dentes pressionam então com força.

Grito. É uma sensação nova, um prazer que vem aos poucos, como uma provocação, sua língua volta às carícias leves, lentas e a expectativa de sentir seus dentes com força, somada à gentileza de suas carícias agora, parece me levar mais fundo, faz com que me perca sem ao menos me dar conta, sem estar preparada, sem aquele ápice. E cada movimento de sua boca me faz perder um pouco mais. O prazer está aqui, mas está além dos meus sentidos bagunçados, da pele arrepiada, das suas mãos frias em minha bunda e sua língua quente me acariciando para que seus dentes me torturem depois.

— Theo... — choramingo, mas não porque quero que vá mais forte ou mais devagar, só não quero que pare.

E ele me chupa, os lábios pressionam com força, o ápice me atinge tão rápido, achei que não podia me perder mais, mas nem sequer ouço a chuva agora, eu apenas sinto, eu pulso por ele. Sua língua ainda está ali, sugando o que pode, tirando de mim tudo que tenho. Movo-me com pressa, com desespero e ele chupa com força, o ápice nem havia passado, mas parece ter recomeçado. Grito, sei que estou gritando, mas não consigo controlar. Meu coração parece prestes a saltar pelo peito, minha pele parece sensível até mesmo ao vento que entra pela pequena janela.

Sua língua sobe de novo por meu corpo e seu vem se deitando sobre o meu devagar, minhas pernas estão em volta da sua cintura. Seus braços se enfiam por baixo das minhas costas e ele me beija. Beija-me e me penetra devagar, preenchendo-me toda para parar e ficar aqui dentro, o beijo também cessa, como se ele precisasse desse momento, como se precisasse se acostumar a ele.

Quero perguntar por que sempre faz isso quando me penetra, mas antes que o faça ele se move. Seu pau sai e entra, preenche-me e me deixa, não é forte e rápido, mas contínuo. Sinto-o entrando todo, centímetro por centímetro, sinto-o se abrigando em mim e saindo depois para entrar de novo. Seus dedos apertam minha pele, seus braços pressionam meus seios em seu peito firme e nos movemos um pelo outro. Parece que não existe um pedaço de pele minha que não esteja conectada à sua. Minhas mãos contornam seu pescoço, abraçando-o de volta. Ele se move mais rápido, mas não com a força de sempre, é uma velocidade deliciosa, que me permite senti-lo devagar, mas faz esse prazer aumentar rapidamente.

Ele para então, seus braços ainda presos a mim, levanta-se de repente e me leva com ele. Senta-se sobre seus pés e me mantém sobre ele. Penso que vai se deitar e me deixar cavalgar, mas não é o que pretende. Seu pau está todo dentro de mim assim, preenchendo-me sem qualquer espaço vazio. Quando me movo, ainda que minimamente, eu o sinto inteiro. Abro os olhos, não consigo ver seu rosto, mas vejo o brilho de seus olhos. Sua boca está na minha, seus braços me apertam ainda mais e entendo. Ele não vai me tirar deles hoje. Não vai me libertar agora.

— Fica aqui — pede baixinho, sussurrando aos meus lábios. — Não se afaste. Não me deixe, Bruna.

Meus dedos se enfiam em seu cabelo, acariciando-o.

— Não vou, não quero sair de você. Não me solte.

— Nunca.

Ele se move rápido enquanto me levanta por seu corpo e me desce sobre seu pau. Os braços à minha volta me levam mais alto e seu pau me preenche mais forte quando desço. Não consigo controlar meus gritos, ele faz mais rápido, minhas mãos puxam seu cabelo, nossos corpos agora são quentes, suados até. Ficamos assim por muito tempo, seu pau me preenchendo, seus braços me tomando para si. Nossos corpos colados, esfregando-se quando me movo sobre ele e seu pau indo tão fundo, que parece estar preenchendo todo meu corpo. Até que seus braços cedem.

Seus gemidos são altos, sua respiração acelerada, ele se move, deixando-se cair para trás, então cavalgo. Apoio as mãos em seu peito e rebolo sobre ele, procurando senti-lo mais, em todos os lugares possíveis dentro de mim. Seu quadril se choca com o meu quando ele arremete e me perco, eu me perco gritando seu nome, meu corpo se perde em espasmos e ainda assim não paro. Não quero, não posso, seu pau me preenche, bombeia em mim mais vezes, suas mãos se cravam em minha bunda e ele me levanta sobre ele, seu líquido me preenchendo enquanto ele chama meu nome como uma prece.

Mas não quero que saia de mim agora, também quero que fique. Deixo meu corpo cair sobre o seu e ele demora um pouco a se mover dessa vez. Parece pesado, letárgico enquanto puxa o cobertor sobre nossos corpos mantendo seu pau dentro de mim, mantendo-me sobre ele. Seus braços me cercam e descanso o rosto em seu pescoço.

Nossas respirações se acalmam aos poucos, ouço de novo a chuva forte lá fora. Percebo que gosto do cheiro da chuva. O dia está nascendo e o quarto começa a clarear. Sinto o coração de Theo pulsar em seu peito, logo abaixo do meu ouvido, é um som que adoro também. Seus dedos passeiam de leve por minhas costas, não estão mais gelados.

— Você está bem? — pergunta baixinho.

— Sim, pare de ficar me perguntando isso.

Ele ri mansamente.

— Então me diga o tempo todo como se sente. Estou preocupado, foi coisa demais de uma vez só.

— Aprendi que nem sempre precisamos saber como nos sentimos. Não estou pensando nisso agora, não estou pensando em nada agora. Você também deveria experimentar apenas não se preocupar em como se sente.

— Impossível quando o que sinto são seus seios pressionados em meu peito e meu pau aninhado nessa sua boceta quentinha.

Rio, afundando o rosto em seu pescoço, ele ri também.

— Fiquei orgulhoso de você. Das coisas que disse. Finalmente enfrentou sua avó, finalmente mostrou a ela quem você é. E você, Bruna, é uma mulher incrível.

Levanto a cabeça, procurando seus olhos.

— Você ouviu nossa conversa?

— Fui ver como estava e acabei ouvindo uma parte — explica.

Ele sorri e acaricia meu cabelo, mas a dor que vejo em seus olhos indica que ouviu o que a mãe disse sobre ele.

— O quanto você ouviu?

— Ouvi o que minha mãe disse, mas você está certa, não precisamos saber como nos sentimos o tempo todo. O dia está nascendo, porque não volta aqui para o meu peito e dorme?

— Você está bem? — pergunto e ele sorri.

— Agora? Neste momento me sinto bem como poucas vezes me senti, Bruna.

Não entendo. De certa forma, ao recusar a "oportunidade" de seu pai de se redimir casando-se com Selena, Theo também se despediu de sua família, também disse adeus a uma parte sua, como pode estar se sentindo tão bem?

Deito a cabeça em seu peito, ajeito-me em seu corpo quando seu pau deixa a lhama e fecho os olhos. Então entendo que me sinto bem. Acho que é sobre isso que ele está falando, afinal.

A semana passa rapidamente, Olivia até busca as fofocas de Ouro Velho, para se certificar de que meu nome vazou em alguma delas, mas não encontra nada. Cada dia a Casa está mais cheia e Theo, cada dia mais quente. Nesta semana, não houve uma noite sequer que não tenhamos dormido juntos. Até que na sexta, chegamos da Casa exaustos após uma quinta agitada. Ele vai tomar seu banho e faço mesmo. Termino primeiro do que ele e preparo um lanche para comermos antes de dormir, mas Theo parece estar demorando demais.

Finalmente ele aparece, comemos algo rápido e vamos para meu quarto. E ali, sobre minha cama está seu travesseiro. Olho para ele, confusa, e ele aponta o *closet*. Aproximo-me e percebo que há roupas suas aqui, inclusive as camisas grandes e confortáveis que adoro usar para dormir. Seguro o sorriso que quer se exibir e cruzo os braços, encarando-o.

— O que significa isso?

— O que acha? Estou me mudando oficialmente para este quarto.

— O quê?

— Por que a surpresa? É maior, mais confortável, tem banheiro e aquecedor.

— Theo...

— Dormimos juntos todas as noites. É cansativo ter de ir ao outro quarto antes de vir e ir ao outro quarto ao acordar. Não é mais fácil já ficar aqui?

Não consigo, o sorriso toma meu rosto. Sinto-me como uma criança animada com um brinquedo novo. Um brinquedo que ela desejou por muito tempo.

— Você está invadindo meu espaço.

— Você não parece achar ruim quando acordo a lhama com a língua.

— Não chame a lhama assim, só eu posso chamá-la assim.

— Por que eu não poderia, se sou eu que cuido dela?

— O quê? Não seja ridículo! E se eu não quiser dividir meu quarto com você?

— Tenho meios de convencê-la — responde com seu tom provocante, os olhos passeando por meu corpo e aquele sorrisinho de lado.

— Não pode me chantagear com sexo, porque tenho certeza de que se eu o expulsar daqui agora mesmo, ainda vai me comer quando eu quiser.

— Você está certíssima, vou comê-la sempre que tiver uma oportunidade.

— Fora deste quarto, Theo. Estou cansada, não quero transar hoje — provoco.

Ele se aproxima devagar, os olhos verdes fixos nos meus, tomba a cabeça de lado, segura minhas mãos, acariciando meus dedos e com voz calma, doce, diz baixinho:

— Não quer transar, entendo. Também não quer dormir de conchinha comigo? Não quer meu braço em volta do seu corpo ou meu peito de travesseiro? Não quer embolar suas pernas nas minhas enquanto acaricio suas costas até que durma? Está recusando o sexo e todo o resto?

— Você é inacreditável! — respondo.

Minha voz mal é ouvida, meu coração parece acelerado e minha respiração falha. Algo enche meu peito, um calor. Um calor delicioso e confortável.

— Posso morar em você, Bruna? — pergunta baixinho, as mãos deixam as minhas e seus dedos sobem por meus braços, ele me abraça assim, devagar, prende-me em seu corpo firme e quente.

Sinto-me em casa quando deito a cabeça em seu peito e sinto seu cheiro, o cheiro do sabonete misturado ao da sua pele. Quando sinto o calor do seu corpo aquecendo o meu, fecho os olhos, é tão natural e tão bom estar assim com ele!

— Pode morar em mim, Theo.

Ouço seu riso baixinho, aliviado.

— Não acredito que você me dobrou com um abraço — resmungo.

— Não fui eu quem dobrou você, meu bem, é você quem faz de mim o que quiser. Só não se deu conta disso ainda — responde.

Sorrio, nos deitamos e realmente só dormimos juntos. Mas dormir com Theo, ainda que nós estejamos vestidos, é delicioso.

Abro os olhos e tenho a impressão de estar sendo observada. Sorrio, sinto-me bem, leve, livre, aconchegada ao seu corpo firme. Mas Theo está dormindo. Levanto-me devagar, faço a higiene e confiro a hora. Ainda temos algum tempo antes de irmos para a Casa. Visto uma blusa sua e vou preparar o almoço. Saio do quarto e estaco. Otto está aqui, parado no meio da sala, olhando pela janela. Vira-se em minha direção ao me ouvir, percebo que sua mala está próxima a porta.

— O que está fazendo aqui? — pergunto.

Ele se aproxima, seus olhos estão vermelhos, parece cansado, destruído.

— Então vocês estão vivendo como um casal — comenta. — Dormem juntos, as coisas dele estão no *closet*, vocês... Eu o mandei aqui e vocês têm transado esse tempo todo! — Sua voz está alterada ao final de sua acusação, ele grita.

— Não é da sua conta o que faço ou deixo de fazer! Deixou de ser a partir do momento que você passou por aquela porta. Eu disse que não esperaria por você, não disse?

— Bruna...

— Você me desafiou a encontrar alguém melhor, então adivinha? Nem precisei procurar, você o mandou direto a mim. Será que eu devo agradecer?

— Não o mandei aqui para transar com você e dormirem de conchinha, ele veio para cá para manipulá-la. Para convencê-la a ceder sua parte do apartamento para mim. Foi isso o que Theo veio fazer aqui.

— Não é verdade! — grito de volta.

— Não? Então pergunte a ele.

Olho para trás e Theo está parado à porta. Ele não nega. Seus olhos buscam os meus, parecem tristes, mas ele não nega.

Que merda! Ele não tentou me convencer a fazer isso, talvez uma ou duas vezes, e foi ele o único responsável por eu não ter realmente cedido. Mas me incomoda que tenha me escondido isso.

— Não importa! — digo, virando-me para Otto. — Nada disso importa. O que você está fazendo aqui?

Ele parece atônito, olha de Theo para mim e quando penso que vai reclamar sua parte do apartamento ou partir para cima do irmão — e juro que não deixarei que ele o agrida novamente, nem que eu use uma das panelas pesadas de Theo, mato Otto antes que encoste nele —, Otto se aproxima mais e cai de joelhos. Ele se ajoelha à minha frente, seus olhos em meu rosto, seus braços abraçam minhas pernas e diz:

— Vim recuperar você. Vim me desculpar o resto da vida se for preciso. Vim te mostrar que posso mudar por você, Bruna. Posso ser o que você precisa, estou disposto a tudo para tê-la de volta, a qualquer coisa. Não vou permitir que nossa história tenha realmente um fim, não sem antes dar a minha vida para impedir.

Abro a boca, mas nada sai. Meu coração está acelerado, está ferido, como se sentisse dor.

Não sei o que dizer, o que sentir. Não sei o que fazer agora. Olivia estava certa, tudo isso foi uma péssima ideia.

CAPÍTULO 16

Theo

Quero tirar suas mãos dela e o faço. Não vou tolerar isso. Tiro suas mãos e a puxo para trás do meu corpo.

— Vá embora, Otto — peço.

Ele se levanta, nunca vi meu irmão assim, nunca o vi tão ferido. Nem mesmo quando admiti que estava dormindo com ela eu o vi desse jeito.

— Não, este lugar também é meu, é você quem está sobrando aqui, Theo.

— Não pense que...

— Eu o mandei para cá para que a convencesse a vender sua parte, apenas. Você quis ir embora tantas vezes, não foi? Precisei obrigá-lo a ficar aqui e agora você não quer ir embora. Você não cansa de ser do contra?

Bruna parece tremer levemente. Nem quero imaginar como está se sentindo agora.

— Você está dormindo com a minha noiva e nem vou me atentar a isso, uma vez que são dois adultos e conscientes. Mas este é meu apartamento, minha casa. Estou mandando que vá embora, você não tem direito de ficar se um dos donos não o quer aqui.

— Ele não tem de ir — Bruna responde.

— Não? Então você prefere assim? Porque eu não vou sair e eu vou dormir no meu quarto, naquele cômodo que nós planejamos juntos! — grita, olhando para ela.

— Não levante o tom de voz com ela, Otto, ou não respondo por mim — ameaço e ele se controla.

— É você quem sabe, Theo, mas se não sair vai sofrer as consequências. Se não sair, Bruna também vai sofrer, afinal todos saberão que nós dois vivemos aqui e que estamos brigando por ela — diz apenas.

Pega sua mala, passa por nós e entra no quarto, batendo a porta.

Isso parece um pesadelo.

Pela terceira vez desde que vim morar aqui, minhas coisas estão arrumadas e me preparo para ir embora. Bruna me espera sentada sobre a ilha, desce quando me aproximo.

— Você não precisa ir — pede.

— Preciso, esta não é minha casa, Bruna. Ele está certo.

— Então, está desistindo? — pergunta e percebo que parece tão ferida.

Eu a prendo em meus braços, beijo seu cabelo, seu pescoço, mantenho-a aqui.

— De jeito nenhum, isso nunca. Estou evitando uma situação mais difícil para você, para todos nós. Mas desistir de você? Isso não vai acontecer.

— Você pediu parar morar em mim, não pode ir embora depois que eu disse sim — reclama.

— Vem comigo — digo, pegando-a pela mão.

Ela me segue, confusa, entramos no elevador e ele vai até o andar de baixo. Desço e ela parece ainda mais confusa. Vamos caminhando até uma porta. Digito a senha na fechadura eletrônica e a porta abre. Entramos em um apartamento enorme, com janelas do chão ao teto e uma vista incrível. Exatamente embaixo do de Bruna.

— O que está acontecendo? — pergunta, ainda sem nada entender.

— Bruna Vidal, bem-vinda ao meu novo apartamento. A partir de agora estarei aqui, a um andar de distância. Como pode ver, está vazio, não possuo nada, então talvez eu vá fazer um chá de panela e você deveria me dar...

Ela pula em mim, ri alto, parece aliviada. Eu a pego no colo sem dificuldade.

— Alugou este lugar? — pergunta.

— Sim, Srta. Advogada.

— Imagino que o aluguel seja muito caro.

— Muito mesmo. Você deveria transar comigo em cada metro quadrado deste lugar para compensar pelo quanto estou pagando por ele.

Ela ri.

— Por onde começamos?

— Ah, Bruna. Você sempre me surpreende. Pela ilha, claro.

Apressado, eu a levo até lá. Não possuo cortinas e nós dois olhamos para conferir se alguém pode nos ver, mas não parece haver janela nenhuma em nossa direção.

— Esse é o lado bom desses apartamentos tão caros — explico tirando sua roupa. — Privacidade. Posso te comer agora, sobre essa ilha e ninguém vai ficar sabendo. A não ser, claro, que você grite.

— Não gritarei se você não for selvagem.

— Neste caso, eu deveria cobrir sua boca?

— Essa pedra está gelada, você vai ter que se esforçar bastante para me aquecer.

— Ah, meu anjo, tenho fogo aqui por nós dois. Deixa comigo, eu incendeio você — prometo, entrando nela.

Ela geme em meus lábios, paro assim, dentro dela, por que é sempre tão diferente entrar nela? Por que parece que nunca me canso da surpresa de como me sinto dentro dela?

— Está tudo bem para você fazermos isso agora? — pergunto baixinho, beijando todo seu rosto. Não sei como se sente sobre Otto, sobre tudo o que aconteceu hoje.

Já é noite, não fomos para a Casa hoje e aluguei este lugar tão rápido por medo de ficar longe dela e deixá-la sozinha com ele. Pelo desespero de perdê-la. Nem sequer me importei com o valor, eu daria o que o dono pedisse, daria tudo o que possuo para estar aqui, perto, à disposição dela.

— Tudo bem! Se você está aqui, tudo está bem.

— Não vou a lugar nenhum — prometo, deitando-a sobre a pedra fria.

Seu corpo nu em contraste com a pedra negra abaixo dela. Meus dedos se cravam em sua pele, levanto suas pernas em volta do meu corpo, seguro sua bunda e estreamos a ilha do novo apartamento.

A Casa está lotada. Bruna anda de um lado a outro. Ela usa uma blusa minha amarrada de lado e uma calça jeans. Usa também um *All Star*, o cabelo preso em um rabo de cavalo, um avental de bolsos amarrado na cintura para guardar o celular, onde anota os pedidos. Se sua intenção é não parecer sexy para os clientes, não está funcionando. Ela é linda, está deslumbrante assim, tão casual, meus olhos não se desviam dela, o sorriso não some do meu rosto.

— Então, ela vai morar com você? — Júlio pergunta, ele foi quem descobriu que havia um apartamento para alugar abaixo do que morávamos.

— Não, não sei. Irá se quiser ir, não vou pressioná-la.

— Como não? Vai deixar que ela decida com qual dos dois quer dormir?

— Júlio...

— Desculpe, não era para soar assim, não foi o que quis dizer. Quero dizer que admiro que esteja finalmente lutando por algum relacionamento, por algo que não seja seu trabalho. Estou feliz por vê-lo finalmente sentir, Theo. Você não podia ter feito a escolha mais difícil, claro, mas não esperava menos de você.

Sorrio, ele está certo, mas não foi como se eu tivesse de fato uma escolha. É mais como se Otto a tivesse feito por mim ao me mandar viver com ela.

— Mas eles ficaram juntos por dois anos, ele a pediu em casamento, ela planejou todo um futuro com ele. Foi mais fácil odiá-lo quando ele estava longe, mas será que ainda vai odiá-lo quando ele está ali, tão perto, lutando para ser perdoado?

O copo que estava em minha mão escorrega e, por sorte, não quebra, caindo sobre o carpete.

— Eu sei, não consigo dormir pensando nisso. Assim que ele apareceu na casa dos nossos pais e ela o viu, pensei que nunca mais poderia tocá-la, que ela voltaria para ele e eu a perderia. Entendi que a amo assim. Mas não posso forçá-la a ficar comigo, se ela não me amar de volta. Eu deixei claro que estou aqui, ao seu alcance, à sua disposição e ela pode ir e vir quando quiser, mas não vou pedir que escolha. Isso deve partir dela.

— E se ela escolher ficar com ele? Vai desistir?

— Vou fazer o possível para ao menos fingir que desisti. Não posso prendê-la, Júlio. Ela demorou muito para se libertar, não serei eu sua prisão.

Ele deposita a mão em meu ombro, seu jeito de me consolar pela situação caótica em que me encontro. Meus olhos buscam sua direção de novo e a vejo parada, à sua frente está Otto.

— Merda!

Corro até onde está e só escuto o final do que ela está dizendo a ele.

— Pare! Não vou servi-lo nada! Não pense que vai voltar a mandar em mim. Você, Otto D'Ávila, nunca mais vai me dar uma ordem!

Ele sorri, tranquilo.

— Sim, eu vou. Porque sou seu chefe, portanto você vai agora mesmo sentar e conversar comigo, e vai me servir um drink enquanto falamos. — Os olhos dele se desviam para mim e seu sorriso aumenta. — Parece que você tende a esconder as coisas, irmão, mas não posso dizer que estou decepcionado. Você nunca foi bom com relacionamentos.

Bruna me olha, seu rosto está vermelho e parece irritada.

— Do que ele está falando? — pergunta.

— Otto é meu sócio, é dono da metade de tudo isso.

Ela parece não acreditar em mim, seus olhos buscam Júlio e ele confirma. Vejo seus punhos cerrados. Ela fecha os olhos e respira fundo.

Merda! Merda! Por que não contei isso a ela antes? Otto nunca pisou aqui, o que está fazendo aqui agora?

— Sou seu chefe, não adiantou correr, Bruna. Eu disse que você não teria opção a não ser me manter em sua vida, não disse? Agora tire esse avental e venha comigo.

Ela não reage, não responde.

— Vamos, Bruna! Você vai conversar comigo, agora!

— Eu me demito — ela diz tirando o avental.

Isso está saindo do controle.

— E vai viver do quê? Caso saia deste emprego também, não vai conseguir manter nosso apartamento. Vai precisar de mim de todo jeito, por que apenas não aceita isso? — ele insiste.

Ela o observa, deve estar se dando conta neste momento de que Otto sabe o que está fazendo, e eu devia ter previsto tudo isso. O medo tem me cegado, tem me feito ficar parado em vez de apenas cuidar dela. Mas então, quando ele aponta para a porta lateral e ordena que ela vá até lá, ela finalmente reage.

— Não mande em mim, seu babaca! Nunca mais me diga aonde ir. Não pense que vou cair na sua armadilha. Se não posso me demitir, não irei, mas você não vai me dar nenhuma ordem.

Ele está atônito, olha para ela como se não a reconhecesse. Então sorri. Está sorrindo, admirado. Esse babaca nunca a viu de verdade, ele não a conhece de verdade.

— Se meu comportamento não lhe agrada, me demita! — ela o desafia.

— Eu te amo, Bruna! Você é forte, decidida e é incrível. Desculpe ter demorado tanto para perceber isso. Quanto mais eu a conheço, mais a amo.

Bruna está parada. Dou um passo em sua direção, quero jogá-la nos ombros como um homem das cavernas e tirá-la daqui. Tirá-la do país, se preciso for, fugir com ela, não deixar que ele se aproxime nunca mais. Dou apenas um passo.

É tão difícil sentir que vai perder quem você ama e ainda assim deixá-la livre para decidir isso sozinha!

Otto se aproxima dela, penso que não posso mais aguentar isso, mas quando ele está perto o bastante ela o acerta. Bruna o acerta com um tapa na cara. Há o silêncio de repente na Casa, há poucos clientes agora, tão tarde e todos estão olhando para eles.

— O que você... — ele grita e avança em sua direção, então finalmente ajo.

Entro em sua frente e o empurro para longe dela.

— Eu disse para você nunca mais elevar o tom de voz com ela — aviso antes de acertá-lo com um soco.

Bruna intervém imediatamente antes que eu acerte o segundo, segura minha mão, entra em minha frente.

— Theo, acalme-se! Acalme-se! Chega!

Olho seus olhos assustados, respiro fundo e a ouço.

— Não vale a pena — diz baixinho. — Chega.

Assinto, de repente tudo isso parece errado, parece pesado demais. Insuportável.

Não posso mais, por alguns segundos não posso mais lidar com tudo o que sinto, com o medo, a incerteza, a culpa, tudo isso me enche de tal maneira que apenas passo pelas pessoas, pela porta e vou andando sem rumo por algumas horas.

Esperamos Bruna por muito tempo, ligo para ela, mas não me atende. Por fim, Fabio entende que ela não virá e vamos para a Casa. Cheguei ao apartamento pela manhã, aquele espaço vazio. Havia um colchão de água no chão, que Bruna me fez comprar jurando ser ótimo, mas era uma porcaria e acabamos dormindo no chão mesmo, em cima de cobertores que comprei por precaução. Havia copos e pratos de plástico. O apartamento já veio equipado com armários na cozinha, fogão, forno e geladeira. E esta está lotada, fizemos uma compra que me fez ter esperança que ela ficaria comigo. Mas esta manhã, quando cheguei, era apenas um ambiente vazio. Esteve assim por toda tarde. Bruna não veio.

Chego à Casa e os funcionários estão do lado de fora. Alguma confusão está acontecendo e me apresso, Fabio desce do táxi e vem comigo.

— O que está havendo? — pergunto.

— Sr. Theo D'Ávila? — um homem pergunta e assinto. — Somos da vigilância sanitária. Recebemos uma denúncia de que o senhor estaria servindo produtos fora da validade aos clientes.

— Podem entrar e conferir, nunca fizemos isso. O chef é rigoroso quanto aos ingredientes e todo o cardápio foi montado especialmente para acompanhar a ingestão de álcool. Fazemos tudo para que nenhum cliente se sinta mal com o que ingere aqui.

— Já verificamos, foram encontradas três bandejas de camarão vencidas, uma grande quantidade de peixes fora dos freezers. Aparentemente, desde esta manhã e o seu alvará está vencido há alguns meses.

— Isso é impossível! — Júlio brada. — Diga a eles, Theo, você cuidou disso pessoalmente, está tudo certo. Isso não faz sentido.

Ele me estende uma lista do que foi encontrado em sua averiguação da Casa e quando levanto os olhos da lista absurda, eu o vejo. Otto. Está em um carro, do outro lado, próximo ao *food truck*. Ele ri, acenando quando o vejo e arranca com o carro.

— Vão para casa, tirem uns dias de folga. Vou resolver isso — aviso voltando ao táxi de Fabio.

Vou direto ao seu apartamento, entro sem qualquer aviso, Otto está colocando sacolas de mercado sobre a mesa.

— Você não usa bater? — provoca.

Eu o pego pela gola da camisa.

— Que porra é essa? Que merda você fez?

Ele está rindo, o que faz meu sangue ferver ainda mais.

— Otto, que merda você fez?

Estou prestes a perder a cabeça, mas a vejo. Bruna deixa seu quarto, usa um blusão do Mickey, tem olheiras abaixo dos olhos, como se não tivesse dormido. Confusa, ela olha a cena e solto Otto. Ela está certa, não vale a pena. Ela está em casa, ficou em casa esta manhã, ficou aqui com ele.

— Você também perde, sabe disso, não é? A Casa está indo bem, o movimento dobrou, se essas notícias vazam, vamos perder muito. E você também perde, metade daquilo é seu! — lembro-o, não entendendo aonde quer chegar fechando a Casa.

— Não perco, irmão. Acho que me esqueci de mencionar, mas vendi minha parte.

— O quê?

— Não sou mais dono da Casa, abri mão da minha parte para que Bruna possa continuar lá, sem trabalhar para mim. Fiz isso por ela — mente, só pode estar mentindo.

Eu me pego rindo, parece até difícil respirar agora.

— Abriu mão por ela? E mandou fechar a Casa por ela também?

Bruna arqueja em espanto. Parece incrédula quando fala com ele.

— Você fechou a Casa?

— Não por você — responde a ela, em seguida olha para mim. — Isso eu fiz por você, você sabia dos riscos que estava correndo, irmão. Isso é só o começo, caso não se coloque no seu lugar.

— Está falando sério? Vendeu mesmo suas ações? Para quem?

Ele dá de ombros.

— Quem liga? As disponibilizei a um preço tão baixo, que até mesmo nosso tio fracassado poderia tê-las comprado. Não foi o caso, para seu azar. Agora saia da minha casa, o que acontece no seu puteiro não é da minha conta.

Fabio toca meu ombro, nem sequer tinha percebido que ele havia entrado aqui comigo.

— Vamos, Theo, vamos embora. Vamos resolver isso, vamos dar um jeito em tudo. Vamos — repete enquanto me tira do apartamento.

Meus olhos buscam por ela, mas ela está olhando para o chão.

Eu a perdi. Perdi Bruna.

Não consigo dormir. Júlio está aqui junto a Fabio, procurando por soluções, analisando as denúncias, as sabotagens que Otto, de alguma maneira, conseguiu fazer. Alguém detém agora metade de um estabelecimento fechado pela vigilância sanitária. Ainda que resolvamos isso, se os clientes desconfiarem, não voltarão lá. Júlio repete isso o tempo todo, espera que eu encontre uma saída e eu deveria mesmo estar lutando por isso, mas não posso, não quando pareço estar sangrando por dentro. Por ela.

Observo o colchão d'água no chão da sala, é como se pudesse vê-la ali, ouvir sua risada ao constatar que fizemos uma péssima escolha.

— É melhor irmos, Fabio. Amanhã a gente resolve isso, ele precisa descansar.

Eles saem e me sento no parapeito da janela.

O dia nasce, o sol sobe no céu, o calor se torna incômodo e ainda estou aqui. E depois de horas, das minhas costas e pernas reclamarem da posição em que me encontro por tanto tempo é que vou tomar um banho, comer algo e tentar dormir. No maldito colchão d'água.

Na tarde seguinte, chego à Casa com Júlio e Fabio. O novo dono vai ter de aparecer em algum momento e espero que ao menos seja alguém decente. Alguém que saiba o que fazer para nos tirar dessa situação. E ele vem.

Estou conferindo os ingredientes, tirando os peixes que Otto não danificou para fazer uma doação antes que estraguem, quando a porta é aberta e alguém entra. Deixo o peixe de lado, tiro o avental e vou me encontrar com meu novo sócio. E encontro meu pai olhando tudo à sua volta com reprovação, no rosto a expressão é neutra, mas conheço em seu olhar quando está decepcionado com algo. Está decepcionado agora. Eu o observo e entendo tudo.

— Você comprou as ações dele, claro! Quem mais o ajudaria nessas loucuras contra mim, senão você?

— Não quis acreditar quando ele me contou, então estou aqui para ouvir da sua boca. Comprei as ações porque ele parecia exaltado e ia cometer um grande erro. Um erro que poderia prejudicá-lo, Theo. Por isso as comprei e vim aqui hoje devolvê-las a você.

— Qual a sua condição? — pergunto, surpreso.

— Não há condição. Otto não está agindo com a cabeça, parece desnorteado, perdido. Acredito que algo nunca tenha saído de seu controle como aconteceu agora, com seu relacionamento.

Ele me observa atentamente ao falar disso. Entendo tudo.

— O que quer ouvir da minha boca, pai? Quer saber se eu dormi com ela? Sim, dormimos juntos. Foi mais do que isso, eu me apaixonei por ela. Era isso o que você não conseguia acreditar?

Sua expressão se fecha, ele não consegue esconder. Fecha os olhos e respira fundo.

— Ela é a noiva do seu irmão.

— Ele a abandonou...

— Não importa! Ela é dele, o que pensou que estava fazendo? Otto teve por anos metade do que você possui e nunca tirou nada de você, ele nunca tocou em nada do que era seu e o que você fez na primeira oportunidade? Por uma mulher, Theo? Pensei que fosse mais esperto do que isso, que fosse ao menos leal. Mas esperei demais de você, não é? O que esperar de um filho que não se importa em romper com a própria família?

— Vocês nunca foram uma família! — Fabio retruca, saindo de trás do balcão.

Papai parece em choque ao vê-lo, a cor some do seu rosto, ele abre a boca, mas não diz nada.

— Não chame de família as pessoas que deram ordens a ele por toda sua vida e lhe viraram as costas quando ele deixou de obedecê-las. Não chame de família alguém que escuta um lado de uma história e vem acusar o próprio filho como se fosse um inimigo. Você não sabe ser pai, não sabe ser família. É exatamente igual a ele. Veja o que se tornou, Fernando, uma sombra do nosso pai. Do nosso miserável pai.

Meu pai engole em seco.

— A culpa disso tudo é sua, Fabio! Você o influenciou, abrigou, fez abrir este lugar e desistir de sua carreira. Ele tinha um futuro brilhante! E agora está dormindo com a mulher do irmão.

— Ela não é mulher dele! — grito.

— Então por que está sob o mesmo teto que ele até agora?

Não tenho resposta para essa pergunta. Sou eu que engulo em seco dessa vez.

— Você não cansa de me decepcionar, Theo, mas acho que não pode evitar, deve estar no seu sangue — comenta com escárnio, encarando Fabio. — Ainda assim, por ser seu pai, vou te dar outra chance. Vou devolver a você suas ações, fique com essa espelunca de volta.

— Posso comprá-las de você. Não comprei de Otto antes porque ele se recusou e vender, não precisa me ceder nada — respondo.

Ele tem um sorriso no rosto, olha para mim de maneira diferente, ele aprova minha resposta.

— Talvez haja um pouco de mim em você, afinal. Ao menos um pouco do orgulho. Eu as vendo para você, então, as vendo e ajudo com a questão da vigilância sanitária.

— Isso foi coisa do Otto.

— Eu sei, ele me disse. Situações desesperadas requerem medidas desesperadas, Otto aprendeu bem essa lição. Já você, claramente não. Vamos resolver isso, como pai e filho. E você, não se aproxime mais da noiva do seu irmão.

Uma risada me escapa, um riso nervoso, incontrolável.

— Então é isso? Está aqui por ele? Veio disfarçar sua chantagem como ajuda de pai para ver se funciona, já que essas mesmas ameaças na boca do Otto não surtiram efeito algum?

— Como ousar insinuar que estou mentindo para você?

— Não vou me afastar dela. Pode tirar a Casa, pode vazar na imprensa que fomos fechados pela vigilância sanitária, faça o que quiser. Não vou desistir da mulher que amo por chantagem nenhuma. Pode me destruir, pai, tire o que quiser tirar, mas você não vai ter de mim o que quer.

— Otto a ama, ele está destruído, não quero feri-lo, Theo, mas também não quero perder o único filho que se importa comigo. O único que se esforça para ser família.

— Se ser seu filho requer esforço, o problema não está nos seus filhos. A resposta é não.

— Está cometendo um grande erro. Amanhã você fica sabendo sobre o casamento deles pelos tabloides e estará perdido, com uma das mãos na frente e outra atrás. Estará sozinho.

— Ele não estará sozinho, estou aqui por ele. Amélia e eu sempre estaremos — Fabio retruca, citando a esposa, que me tem como filho. — Não vai ficar sem nada, porque ainda vai ter seu caráter, sua verdade. É difícil para você aceitar que um filho seu não possua um preço, não é Fernando? Assim como nunca aceitou que seu irmão também não possuía.

Meu pai não responde, penso que porque não consegue encontrar palavras.

— Você está avisado, Theo. Vai se arrepender. Vou ficar na capital até amanhã à noite. Você tem até amanhã para me procurar e dizer que mudou de ideia. Se não o fizer até lá, nunca mais pisará neste lugar, eu lhe garanto.

Ele se vira de costas e passa pela porta. Sei que suas ameaças são verdadeiras.

Olho para Júlio lamentando pelo emprego que vai perder. É mais velho, não será tão fácil conseguir outro emprego.

— Vou pagar o seguro desemprego a vocês do meu bolso. Vou recomendá-los a outros estabelecimentos e...

— Não precisa, Theo. Não vou trabalhar para outra pessoa que não seja você. Você está certo e a justiça sempre está do lado de quem age certo. Não era isso o que você dizia quando nos conhecemos?

— Aquele Theo advogado morreu faz tempo, Júlio.

— Mas suas crenças não. Esta, em particular, é certeira. Tudo vai se resolver, vamos dar um jeito — diz e deixa a Casa, assim como eu, despedindo-se dela.

Mais uma noite que passo em claro, no parapeito da janela, olhando para o nada.

Bruna não veio esta noite também. São 2h e ainda olho para a porta a cada par de segundos na esperança de vê-la parada do outro lado. Se ela aparecer e não tiver coragem para bater, o farei por ela. Abrirei a porta e a beijarei, ainda que uma última vez. Eu farei.

Mas ela não vem.

Pego o celular e penso em ligar, mas decido enviar uma mensagem.

ENTÃO VOCÊ DECIDIU VOLTAR PARA ELE.

Apago, isso vai apenas irritá-la.

NÃO SE INTERESSA MAIS PELO ANDAR DE BAIXO?

Apago de novo. Então envio a única coisa que poderia dizer a ela agora e rezo que isso a toque de alguma maneira.

AINDA ESTOU AQUI. NÃO VOU A LUGAR NENNHUM.

Envio e vou dormir, sei que não haverá uma resposta.

Na tarde seguinte, alguém bate à porta. Praticamente corro até ela, mas é Otto. Ele entra, ainda que eu não o tenha convidado, observa o apartamento, curioso, um sorriso irritante no rosto, o mesmo que já vi tantas vezes nele, nessa mesma expressão vitoriosa que tem agora.

— Você é mesmo patético. Achou que ela trocaria um apartamento com o dobro do tamanho, com todo conforto por esse buraco vazio?

— Posso dar a ela ainda mais conforto do que há naquele apartamento, Otto.

— Eu não desperdiçaria meu dinheiro se estivesse na sua situação. Você está desempregado, tem muitos funcionários para acertar as contas, boa parte desse seu dinheiro vai embora nisso. Sei que é certinho demais para se salvar, então a partir de agora, economize. A começar por este lugar. Um metro quadrado neste prédio é caro demais para alguém prestes a decretar falência. Por que você não vai embora, irmão?

— Não me chame assim. Não entre aqui e aja como se fosse família, não somos irmãos.

— Tem razão, eu fali o seu negócio e você comeu a minha noiva. Estamos longe de ser um exemplo, não é mesmo?

Sorrio. Fecho a porta, aceitando que ele já entrou e não há nada que eu possa fazer agora. Ao menos, sem acabar preso.

— Corrigindo sua informação, não comi sua noiva. Eu transei com a mulher a quem você abandonou. No momento em que nos conhecemos ela não era nada sua. Talvez você não saiba, mas pessoas não são como imóveis, que você adquire, paga o preço e é seu. Pessoas precisam de motivos para se manterem por perto, e se é você quem vai embora, passam a não ser nada suas. Apenas lembranças.

— Não importa se estávamos dando um tempo, eu nunca nem sequer olhei para nenhuma ex sua, e não foram poucas as vezes que papai insistiu que eu me envolvesse com Selena quando ela estava chorando pelos cantos da cidade por sua causa. Mas eu, Theo, jamais faria isso com você!

— Em compensação, já fez tantas coisas piores, não é mesmo? São treze funcionários, Otto, treze famílias desempregadas agora por sua causa. Sua consciência não pesa?

— Até poderia, mas entrar aqui e ver como está agora, sozinho, acabado, preso no andar abaixo do meu num buraco vazio e solitário... — Ele ri. — Não, fiz a coisa certa, talvez a coisa mais certa que já tenha feito.

Cruzo os braços, o sorriso em meu rosto parece fazer sua confiança balançar.

— Não entendo como funciona sua cabeça. Você sempre foi tão inteligente, precavido, metódico, até. Sempre calcula riscos com exatidão, cada passo é planejado e seguro. Ainda assim, cancelou seu casamento e abandonou a mulher mais incrível que poderia conhecer na sua vida, por nada. Me pergunto se você não calculou seus passos ou se pensou mesmo que ela estivesse tão sem amor próprio que esperaria por você.

Há o lampejo do medo em seus olhos. Dura segundos, antes de serem tomados pela raiva. Mas esteve ali. Otto não sente medo. De nada, de ninguém. Algo sobre esse término repentino às vésperas do casamento está errado. É algo que o assusta, o que faz com que me lembre de que o detetive que Júlio contatou ainda não me deu qualquer retorno.

— Você não pode falar de mim, quando também a jogou pelo ralo. Você a pegou na melhor fase possível, sensível, machucada, com raiva. Dormir com você foi a maneira mais fria, cruel e calculista que ela poderia usar para se vingar de mim. E você acha que a conhece, acha que ela é delicada, sentimental, mas não é. Bruna é fria como a avó. É a cópia exata dela. Calcula cada palavra, cada passo, planeja em silêncio. Age sempre da maneira mais segura para ficar bem, seja como for. Quando a levei até a casa dos nossos pais, papai *deitou* para ela. Ela fala como quer com ele, porque ele reconheceu nas primeiras horas de conversa, uma adversária superior. Ninguém faz Bruna Volpato de boba. Eu não tive escolha, sabia que estava arriscando, mas você, você caiu como um patinho em sua vingança e jogou no ralo qualquer chance de tocar nela de novo.

— Você não a conhece. Não sabe quem ela é, acho que nunca prestou atenção nisso. Seu mundo gira em torno apenas de você, não sabe sobre seu jeito desastrado, a maneira fofa como sempre se machuca, do apelido ridículo pelo qual chama sua boceta e do quanto se derrete por um abraço.

Ele se sente atingido, é nítido isso, ainda que minha intenção nem tenha sido atingi-lo.

— Acha que ela o ama? Que se apaixonou por você? — ele pergunta, calmo, com aquele sorriso de volta. — Primeiro, você tem meu rosto, minha família, meu sobrenome, sempre foi e sempre será um substituto, a sombra, esse é seu lugar. Segundo, se ela fosse alguém sentimental, se fosse a boa garota que você enxerga e se apaixonasse por você, acha que isso sobreviveria a todas as suas mentiras? Esconder que estava lá para prejudicá-la. Esconder que a empregando em sua Casa, estava fazendo de mim seu chefe. Você não faz ideia do quanto ela ficou sentida, Theo. Acredita que ela chorou?

Engulo em seco, não posso cair em sua provocação.

— Se chorou por minhas omissões não deve ser a pessoa fria e calculista que você enxerga.

— Está certo, acho que ela enganou a nós dois. Nos fez de bobos. Mas há algo sobre Bruna, a conheço há mais tempo, há tempo demais. Foram anos antes de começarmos algo, meses antes de assumirmos um compromisso, dois anos antes de marcarmos uma data e planos, irmão, muitos planos. Ela escolheu o apartamento, decorou, escolheu móveis, cores, tudo tem o dedo dela. Quando a deixei e se sentiu ferida, o que fez? Correu para lá. Porque era nosso, era nosso plano. Ela pode me odiar agora pelo que fiz a ela, mas não significa que deixou de me amar. Na verdade, ela me deu uma prova clara de que ainda me ama, de que é comigo que vai ficar no final das contas.

Ele tira o celular do bolso da calça social que usa, com uma calma que me irrita, procura por algo no aparelho e o estende em minha direção. Sua caixa de e-mails está aberta, há um e-mail de dois dias atrás de um lugar chamado Castelo nas Nuvens. Esse e-mail está confirmando com Otto a data de seu casamento com Bruna em três meses.

Devolvo o celular a ele.

— Não pense que vou acreditar nisso.

— A data foi confirmada por ela. Este lugar é disputado, não íamos conseguir, mas houve uma desistência e entraram em contato com ela. Foi Bruna quem fez a reserva. Eu soube imediatamente porque o cheque caução que deixei com eles foi descontado, liguei para lá e me informaram que ela havia confirmado. Ela deu o tempo que eu disse que duraria a viagem, o tempo exato que eu disse, e marcou o casamento para o meu retorno. Marcou no lugar mais caro e prestigiado do estado.

Não vou acreditar nele. Obviamente está mentindo.

Ele percebe que não acredito, pois disca um número e ouço o telefone chamar, ele o estende a mim. Uma voz feminina atende do outro lado e não quero cair em sua armadilha, mas o faço.

— Boa tarde, é o Otto D'Ávila — digo.

— Sim, senhor Otto, tudo bem? Espero que não haja nenhum problema com a sua data, sua noiva pareceu tão feliz em conseguir uma vaga!

Gaguejo, preciso respirar e engolir em seco para continuar a conversa.

— Qual é mesmo a data?

— Dia 16, senhor. Em exatos três meses. Como a Srta. Bruna pediu, a decoração já está acertada, o buffet, banda e convites. Ela pediu o pacote completo, então vamos cuidar de tudo.

— Entendo, foi a Bruna quem fechou com vocês, certo? Quando ela fez isso?

— *Eu não saberia te dizer com certeza, senhor, foi nossa outra funcionária que entrou em contato com ela, mas falei com ela ontem, pela manhã, para confirmar o local para seu dia da noiva e ela confirmou tudo.*

— Você disse que falou com ela? Falou com a Bruna?

— *Sim, senhor. Ontem pela manhã. Ela confirmou a data, os serviços e seu dia da noiva.*

— Tem certeza de que falou com ela?

A atendente parece impaciente. Mas diz de maneira educada o número por onde entrou em contato com Bruna. Não é o número dela, é uma armadilha. Peço que ela repita o número e disco do meu próprio aparelho, o celular chama, espero ansioso que alguém a quem Bruna nem sequer conhece atenda, que seja mais um plano de Otto.

Uma voz feminina atende, uma voz que conheço bem.

— *Pois não?*

— Olivia? — pergunto.

— *Sim, quem fala?*

— Bruna está com você? É o Theo.

— *Ah! Oi, Theo! Está, sim, quer falar com ela?*

— Não! Não, só queria te perguntar se você por acaso confirmou algo para Bruna em nome dela recentemente.

— *Não que eu me lembre. Do que exatamente você está falando?*

— Uma empresa de casamentos está procurando por ela, você sabe algo sobre isso?

Ela ri, ri alto.

— *Sim, sei. Bruna está sem celular, ligou para eles do meu e eles retornaram, acho que ontem de manhã. Mas não fui eu quem confirmou nada, foi ela. Por que não fala com ela?* — pergunta e ouço sua voz afastada do telefone quando a chama: — *Bruna, é o Theo! Você quer falar com ele?*

Fecho os olhos, o aparelho de Otto cai da minha mão, mas ele nem sequer se move para recuperá-lo. Meu peito parece apertado de repente e começo a pedir baixinho que ela não atenda a merda do telefone, que ela não esteja mesmo lá, ouvindo Olivia falar comigo sobre o casamento que ela confirmou com Otto. Espero, mas em seguida ela pega o telefone.

— *Theo, está tudo bem?* — É sua voz. É ela.

Otto não está mentindo, Bruna remarcou o casamento. Fez isso ontem de manhã.

Encerro a ligação, não digo nada, não há o que dizer. Nem sequer olho para Otto, não consigo assimilar que ele está certo sobre ela. Está certo sobre tudo. Fui sua vingança, apenas. Bruna sabia o que estava fazendo. Esse tempo todo ela estava de casamento marcado com ele, fez justamente o que ele disse que ela faria: ficou esperando por ele.

— Espero que você não vá lutar por ela. Espero que tenha ao menos a decência de se colocar em seu lugar e nos deixar em paz. Não posso mandá-lo embora daqui, nem insistir que a deixe em paz, mas quero que saiba que ela é minha. Isso já foi decidido entre nós dois. Não vou permitir que você tente tirá-la de mim, Theo. Vou fazer o que for necessário para ficar com ela.

— Não precisa se preocupar, não vou mais me aproximar dela — respondo enfim, deixando-o sozinho no apartamento, só preciso andar um pouco.

Estou no terraço, já é bem tarde, passa da meia-noite. É uma noite de outono mais fresca, o vento frio emite um zumbido baixo, mas gosto disso. Aqui está quieto, é alto o bastante para ver a cidade abaixo dos meus pés, suas luzes, cores e charme à noite. É uma vista que realmente aprecio, a deste local. É algo do qual vou sentir falta.

Não é a única coisa de que vou sentir falta, já que estou até mesmo sentindo o cheiro dela, ouvindo sua respiração. Fecho os olhos segurando a raiva, a dor, as lágrimas que não derramarei por ela.

— Theo, está tudo bem? Vim assim que você desligou, achei que algo tivesse acontecido. — Sua voz diz. — Mas não conseguia encontrá-lo.

Viro-me para trás e ela está aqui. Cruza os braços, por conta do vento frio. O cabelo está solto, o vento o agita, jogando-o sobre seu rosto. Seus olhos estão frios, ela ainda tem olheiras e parece ter chorado.

— Tudo bem — respondo de maneira seca, formal.

Ela dá um passo em minha direção, mas me afasto. Ela treme, abraça o próprio corpo e me irrita que eu tire minha jaqueta sem ao menos me dar conta e a cubra. Seus olhos castanhos buscam os meus e ela sorri quando faço isso.

— Vou entrar, está tarde e frio, fique à vontade — digo me despedindo, mas quando dou um passo em direção à saída, ela segura minha mão.

— O que houve? Não conseguiu resolver as coisas na Casa?

— Tudo está resolvido como tem de estar — respondo.

— Quer que eu durma com você? — pergunta em um tom calmo, preocupado.

Tiro minha mão da sua. Não consigo mais apenas ser frio e indiferente. Não sou igual a ela.

— Não, Bruna, não quero. Você estava com a Olivia?

— Sim, nos últimos dias estive na casa dela. Ela achou melhor, me fez desligar o celular e...

— Minha mãe estava certa — corto, interrompendo-a.

— O que disse?

— Quando disse que não tenho nada por dentro. Não faço planos, não busco relacionamentos, nem sequer me esforço para mantê-los. Rompi com minha família e isso não foi nada. Não sei fazer isso, não me apego às pessoas assim. Não sei ter uma rotina com outra pessoa da qual goste por tempo suficiente.

— O que você quer dizer com isso?

— Você e Otto nasceram um para o outro, no final das contas.

Ela reage como se eu a tivesse agredido. Seus olhos enchem e parece incrédula.

— Não precisa fazer esse teatro, isso também não é nada demais. Nem ao menos tínhamos um relacionamento, não é mesmo? De toda forma, sou o irmão errado para você, Otto é o certo. Mas acho que você sabe disso, sempre soube, não é?

Ela abre a boca para retrucar, mas desiste. Baixa a cabeça, não quer mais olhar em meus olhos. Não temos mais nada a dizer, não preciso cobrar por sentimentos que ela nunca declarou. Ela não me enganou, sempre soubemos que era só sexo, apenas um desejo desenfreado que havia entre nós. Eu fui burro o bastante para me apaixonar por ela, para fazer planos, para condicionar minha felicidade à sua presença. Eu fui o idiota que passou cada hora de cada dia nos últimos meses pensando em uma maneira de nunca ter de me afastar dela. Torcendo para que isso fosse para sempre. Eu a deixo então.

A porta bate atrás de mim com um baque. Entro no elevador, não vou derramar uma lágrima sequer por ela, repito. Mesmo quando olho no reflexo e vejo que é tarde demais para isso. Chego ao apartamento vazio, minhas coisas estão arrumadas, vou embora. Meu celular toca no bolso e não acredito ao ver o número dela.

Não vou atender, por que atenderia?

Eu o deixo sobre o maldito colchão d'água. Mas ela liga de novo e de novo e acabo atendendo.

— O que você quer, Bruna?

— *Que você abra a maldita porta deste terraço, seu imbecil! Estou congelando aqui!*

A porta não abre por fora sem a chave, uma chave que desapareceu há algumas semanas. Valdir me disse que resolveria, mas penso que seu sumiço é proposital, que está atendendo aos caprichos dos moradores do último andar. Tranquei Bruna no terraço ao fechar a porta.

Jogo o telefone de lado e volto para trás, o elevador ainda está parado no andar e subo depressa. Subo os dois lances de escada correndo e abro a porta. Bruna está de cócoras, tremendo, encolhida na minha jaqueta, que não é das mais quentes.

— Desculpe... — Tento.

Ela não diz nada, nem sequer olha em minha direção. Passa por mim, irritada, mas para de repente, vira-se para trás. Há fúria na maneira como me olha. Dá dois passos em minha direção e me acerta um tapa forte na cara.

— Babaca!

— Ei, sua maluca!

— Da próxima vez que tentar me matar congelada, vou chamar a polícia.

Meu rosto arde, seus dedos também, a julgar pela maneira como ela sacode a mão.

— Se eu estivesse tentando matá-la, não viria correndo socorrê-la.

— Ah, quanta bondade, meu Deus! Você deve ser um herói!

— Eu poderia ter feito tudo o que tinha para fazer antes de vir até aqui como um louco tirá-la do frio.

— Como se você pudesse ter muito a fazer naquele espaço vazio em que vive.

— Não viverei mais, estou me mudando.

Ela abre a boca e não diz nada. Respira fundo, fecha os olhos e quando os abre, acerta outro tapa na minha cara.

— Bruna! Merda! Você tem a mão pesada de um boxeador, sua maluca!

— E você a cara de pau de um pervertido! — reclama agitando a mão.

Abro a boca para perguntar se não vai fazer o que faz depois. O que fez depois de me bater duas vezes na primeira vez em que nos vimos, mas percebo que ela tenta segurar um sorriso.

Merda, não posso mais com isso. Eu a puxo para meus braços, aquecendo-a.

— Podemos brigar no meu apartamento vazio em vez de aqui em cima? Você vai congelar.

Ela se afasta, não diz nada, tampouco tenta me bater de novo quando entramos no elevador. Aperto meu andar, mas assim que as portas se fecham ela aperta o dela. Tira minha jaqueta e a estende para mim. Não olha em meus olhos. Não pego a peça de sua mão e quando o elevador para em seu andar, ela a joga no chão e desce. Diz apenas:

— Não espere um agradecimento.

Não olha para trás, mas não tinha mesmo porque olhar.

É o fim, afinal. E parece que meu fim ainda será sofrer por ela por um bom tempo. Pois quando ela fecha a porta sem olhar para trás, as malditas lágrimas rolam de novo.

CAPÍTULO 17

Bruna

— Arco-íris! Arco-íris! Arco-íris! — repito sem parar, não me importa que as pessoas à minha volta estejam irritadas.

— Moça, não sei de qual bebida está falando — repete pela milésima vez o barman, bartender, garçom, caralho!

— Onde está o Caralho? Eu não gosto de você! — pergunto arrastado e sinto um toque em meu ombro. Olivia está aqui, ela e seu grude, o novo namorado. Foco em seus olhos negros e seu sorriso afetado e repito o que disse ontem à noite, quando foram me buscar em outro bar. — Também não gosto de você. Há alguma coisa errada com ele, Olivia. — Tento alertá-la, mas isso apenas a irrita.

— Vamos voltar à sua fase beberrona pós-pé na bunda? — pergunta, irritada.

— Não seja insensível!

— Então não seja fraca! Você não é assim! Não vai ficar pelos bares bebendo por um D'Ávila de novo, não é possível, Bruna!

— Não posso voltar pra casa — explico. — Tem um D'Ávila lá. O D'Ávila errado.

Ela me estende seu telefone.

— Acabe com isso, liga pra ele. Vamos, ligue e diga tudo o que não disse para protegê-lo, pergunte por que, cobre uma resposta, coloque tudo isso para fora.

Nego com a cabeça e encontro um copo cheio sobre o balcão. Está em frente um homem que não faço ideia de quem seja, mas não ligo. Preciso beber. Pego o copo e o viro de uma vez. O homem se levanta, irritado.

— Mas que merda... — Seus olhos encontram meu rosto e sua expressão se acalma. — Ah! Oi, ladra de copos.

Ele sorri e quero vomitar. Devolvo seu copo vazio e tento me levantar, mas tropeço na banqueta e caio de cara no chão. Meu pé fica preso no arco que contorna os pés da banqueta e minha bunda está para cima. Ainda bem que estou de calça. Não sei quanto tempo fico aqui, vendo pés se movendo à frente dos meus olhos. Minha cabeça gira e meu pescoço está doendo. Tento me levantar, mas não consigo me mover.

Duas mãos me tocam finalmente e é Willian, o grude de Olivia, quem decide me socorrer.

— Nem sequer consegue se levantar sozinha, patética.

— Você demorou horas para ajudar uma mulher bêbada caída no chão! Você não presta. Olivia! — grito procurando por ela, que não está em lugar nenhum. — Olivia! Ele não presta! Termina com ele, estou avisando!

Ele está rindo, ajuda-me a sentar e me estende um copo. De água. Reviro os olhos e bato a mão no copo, virando-o sobre ele.

— Bruna, apesar de tudo eu gosto de você — ele diz, irritado, seu tom não combina com suas palavras, seus olhos mentem. — Mas você precisa parar de alugar Olivia. Ela tem um namorado agora, não pode ir te buscar em um bar diferente todas as noites e ficar a madrugada toda com você.

— Pode, sim, é o que amigas fazem e eu cheguei primeiro — alerto.

— Ela só vem até você por pena — diz.

— É um motivo justo, minha vida é uma merda, é de dar pena mesmo. Ela está reclamando por vir?

— Não com palavras, mas...

— Então você lê mentes? Vá à merda, seu babaca! Você não é homem para ela, ela ainda vai perceber isso.

— Você precisa crescer. Relacionamentos acabam, a vida não acaba por isso.

— Fale pela sua própria vida!

— Já se passaram sete dias. Você está conosco há dez, quase vinte e quatro horas por dia. Quando vai superar?

Olho para seu rosto anguloso, o queixo é pontudo demais, algo não está certo na cara dele. Como Olivia não vê isso? E começo a chorar. Olivia está ao meu lado em um segundo.

— Não chora, Bru. Vai passar, você sabe que vai. Encontra outro cavalo pra galopar e tudo passa. Não foi assim que você superou da primeira vez? — provoca.

— Sabe, Olivia, não vou mais defendê-la dele, você merece esse monstro — constato.

Quando Otto fechou a Casa de Theo por minha culpa, mudou-se para o apartamento e Fernando apareceu, eu soube que Theo terminaria comigo. Soube que era questão de dias. Otto disse com todas as letras que tiraria tudo de Theo até que ele desistisse de mim. Ele achou que eu fosse ver isso como um ato romântico de luta, mas vi com o desespero de perder Theo, porque eu sabia, ele não tinha como resistir. Para evitar esse término, fugi para a casa de Olivia e desliguei o celular.

Também tinha esperança de que Otto entendesse o recado e desistisse, mas ele nunca entende.

Faz uma semana que Theo terminou comigo e não parece que eu vá superar dessa vez. Porque dessa vez dói mais fundo, não é o desespero de um plano sendo desfeito, mas a dor de planos que não precisei fazer, porque simplesmente parecia certo nosso futuro juntos. Era leve, natural, não tínhamos de nos preocupar com nada. É mais difícil quando você apenas sabe, não planeja. Agora nem sequer consigo entrar naquele prédio, amanhã vou assinar os papéis e vender minha parte a Otto. Ele vai me pagar um valor absurdamente maior do que ele vale, mas não vou impedir. Ele que me dê todo seu dinheiro, é o mínimo. Que compre assim sua consciência tranquila.

— Podemos ir agora? — Willian pergunta e concordo.

Levanto-me desanimada, meu pé fica preso na merda do arco da banqueta e caio para afrente, de cara no chão.

— Porra! Merda! Porra! — grito abafado com os lábios no piso gelado.

Imediatamente sou levantada dessa vez. Pelo menos na frente de Olivia, Willian finge ter decência. Mas quando a mão toca minha testa, bem no ponto onde está doendo, abro os olhos. Devo estar vendo coisas.

— Eu assumo daqui, Olivia, pode ir — Theo diz me mantendo em pé em seu braço.

Encaro Olivia em pânico e ela balbucia um mudo: "Sinto muito, estou apenas ajudando você".

Então some entre as pessoas com seu namorado maléfico e me deixa nas mãos dele.

— Vai ficar um galo aí — ele diz. — Vou levá-la para a casa, está bem?

— Não, não precisa. Olivia é uma traíra, eu posso ir sozinha, me solta.

— Primeiro tire o pé de dentro do arco ou vai cair de novo.

Tiro o pé com dificuldade, ele parece pesado. E eu nem bebi tanto assim. Belisco a mão de Theo até que ele me solte e quando vou dar um passo, o teto gira, as pessoas também. É uma dança nova, meio maluca. Suas mãos estão em mim e me sinto cair, mas é apenas o babaca me levantando em seus braços.

— Vou levá-la para a casa, delícia — diz.

— Não, não tenho casa. Me leva para um hotel! — peço, embolado.

— Para um motel? Não sei se é uma boa ideia com você bêbada desse jeito — provoca.

— Hotel! Não banque o engraçadinho. Me coloca no chão e saia de perto de mim! — Começo a gritar e acertar tapas nele, que apenas ri.

Ele me coloca em um táxi e diz ao motorista:

— Leva pra minha casa, tio.

Abro os olhos tentando enxergar melhor e é o tio Fabio.

— Tio Fabio!

— Olá, querida! Como está?

— Uma merda! Pare de ser motorista particular desse marmanjo! Não fique à disposição dele, quando você fica à disposição dele, ele se cansa. Rapidinho ele se cansa — alerto.

Ele não diz nada, Theo também não, apenas me puxa para seus braços e acaricia meu cabelo e quero sair daqui, mas não quero. Não quero sair daqui nunca mais, por que o carro chega tão rápido? Ele me ajuda a descer e quando vejo a entrada do prédio, estaco.

— Não, não quero entrar aí. Me leva para outro lugar. — Olho para trás, para o táxi do tio Fabio descendo. — Ei, espera, me leva daqui!

Mas ele some e não consigo dar um passo atrás dele porque Theo está me segurando. Percebo que ele toca o interfone.

— Essa porcaria estragou de novo? — pergunto quando vejo Geraldo se aproximando.

— Ah, ela voltou a beber? — o porteiro mexeriqueiro pergunta com pesar e tento pegá-lo pelo cabelo, mas Theo impede.

— Não, ela está ótima. Boa noite, Geraldo! — Theo responde me arrastando até o elevador.

— Não quero entrar aqui — choramingo. — Não quero me lembrar de você.

Ele me pega nos braços tão rápido, que minha cabeça gira de novo. Não diz nada e não abro os olhos para ver seu rosto. Não quero vê-lo, não quero me lembrar dele. Apago e acordo com sua voz chamando meu nome baixinho.

Resmungo, recusando-me a abrir os olhos. Ele caminha comigo, ouço-o fechar uma porta, então diz:

— Segura a alma.

Acho que estou mais bêbada do que havia imaginado, porque essa frase não faz sentido. Mas então o imbecil me arremessa como se eu fosse uma boneca de pano. Grito enquanto meu corpo voa e cai com tudo no colchão d'água, que me arremessa para frente em um solavanco e acho que meu cérebro bateu no crânio, está doendo para caralho. Não caio pela terceira vez na noite de cara no chão, porque Theo está me segurando. E minha alma volta aos poucos para o corpo, percebo. Abro os olhos e ele tem um sorriso irritante, de lado, embora seus olhos estejam tristes.

— Seus olhos mentem — acuso. — Ou esse seu sorrisinho de lado irritante. Por que rir pela metade? Se vai mostrar os dentes, faça isso direito. Faça as coisas por inteiro.

— Está com fome? Parece que se esqueceu das nossas aulas.

— Estou me esforçando para esquecer tudo o que diz respeito a você. Então, não, não comi e não quero comer. O que você tem aí para comer?

Seu sorriso está ali, ele acaricia meu cabelo e deposita um beijo terno em minha testa. Pega-me nos braços e me deposita sentada sobre a ilha.

Minha cabeça dói, quero dormir, mas meu estômago ronca. Ele coloca algo salgado na minha boca. Está quentinho e delicioso, não abro os olhos, não quero vê-lo, não quero novas lembranças de seu sorriso de lado e seus olhos tão verdes. Deixo que me alimente, acho que vou dormir antes mesmo de terminar de comer. Mas a comida acaba, resmungo, eu comeria mais.

Ele diz que acabou e me pega de novo nos braços.

— Por favor, minha alma ainda não voltou totalmente ao corpo, tente não me arremessar, está bem? — peço.

— Você não segurou sua alma — ralha.

— Como é que alguém segura a alma, seu panaca?

— Assim — diz apenas e me obriga a abrir os olhos, por conta da curiosidade. Ele está olhando para mim, o sorrisinho de lado, os olhos tristes. — Estou segurando a minha agora, nos meus braços.

Pisco os olhos, quero me derreter por ele, mas não vou.

— Safado! Não vou transar com você, você não vai colocar as mãos em mim nunca mais! — afirmo fechando os olhos, porque se continuar olhando esses olhos verdes não poderei afirmar isso com tanta certeza.

— Há quanto tempo você não vem ao apartamento? A fechadura está com defeito há três dias e você só descobriu agora.

— Não moro mais aqui, estou vendendo minha parte para o Otto.

Ele para de andar e não diz nada por algum tempo e sou obrigada a abrir os olhos, estou começando a ficar irritada.

Estamos em um quarto e há uma cama.

— Bruna, você não pode vender sua parte para o Otto. Me diz que não assinou documento algum. — Não digo nada e ele insiste: — Bruna, você assinou algum documento?

Ele parece desesperado e está me assustando.

— Não vou dizer nada, não é da sua conta.

Ele me coloca com cuidado na cama, sentada. Caio para trás para dormir, mas ele não deixa.

— Ei, não durma, fale comigo, isso é importante. Não assine nada do que ele der a você, Bruna. Preciso de mais tempo. Está me ouvindo?

— Não — respondo arrastado.

Meus olhos se fecham e apago, e de repente água gelada cobre meu corpo. Estou no chão do banheiro, Theo está por perto, os braços cruzados, recostado na porta do boxe e estou encharcada embaixo do chuveiro frio. Levanto-me em um pulo, detesto água fria.

Quero matá-lo e beijá-lo, cerro os punhos tentando me controlar, mas não consigo. Eu o pego pelo cabelo e puxo sua cabeça de uma vez para debaixo da água fria. Ele grita, mas está rindo. Ri tanto que demora a ter forças para se livrar de mim e acaba encharcado também.

Por fim se desvencilha, segura minhas mãos e me prende em seus braços. A água está quente agora e ele ainda está rindo.

— Você fica uma bêbeda agressiva, sabia? Uma hora dessas vai acabar presa.

— Sou advogada, nunca vão me pegar — retruco.

— Eu sinto tanto a sua falta! — diz de repente.

Quero fechar os olhos e fingir que não ouvi o que disse, mas não consigo, então apenas os desvio dele.

— Não sente, não. Você não se apega a rotina de relacionamentos, não tem nada por dentro — repito suas palavras e me afasto.

Ele não tenta me prender.

Vou pingando por seu quarto, percebo que ele tirou as roupas da mala, estão organizadas no *closet*. Entro nele à procura de algo seco e confortável e Theo vem atrás de mim, passa uma toalha por meu ombro, seca meu cabelo.

Está doendo estar aqui com ele, ouvir sua voz, sentir seu cheiro, seu toque. Está doendo porque sei que vou embora e isso vai acabar. E quero acusá-lo por ser fraco e fazer o que Olivia insiste que eu faça nas vinte vezes por dia em que me manda ligar para ele, mas não posso. Não é culpa dele. Saber disso não faz doer menos.

Encontro uma camisa qualquer, tiro minha roupa rapidamente e a visto. Viro-me para trás e ele está nu, procurando algo para vestir. Passo por ele, não olho seu pênis porque já está difícil resistir aos seus olhos verdes, não sou feita de aço. Penso para onde poderia ir, mas minha cabeça dói, não estou exatamente sóbria agora e estou tão cansada!

Subo na cama que há aqui, não havia uma cama aqui antes. Enfio-me debaixo do cobertor e deito no travesseiro.

— Achei que estivesse de mudança — comento.

— Sim, mas não consegui sair. E você nem precisou me ligar dessa vez.

Não caio em sua provocação, finjo estar dormindo. Ouço-o mover-se pelo quarto, logo, sinto seu peso sobre o colchão. Ele apaga as luzes, o clarão some das minhas pálpebras. Deita-se comigo, não tenho forças para pedir que me deixe aqui e vá dormir no maldito colchão d'água. Não tenho forças para nada.

— Quando você acordar preciso falar com você. É muito importante. Se não estiver aqui quando eu acordar, vou atrás de você, Bruna. Vou achá-la onde estiver. Serei grato se não me fizer ter o trabalho.

Com muito custo movo minha mão e mostro o dedo do meio para ele. Ele ri baixinho.

— Você pegou meu travesseiro — reclama.

E você pegou minha paz, meu coração, meu sono, meus risos, não estou cobrando isso de você.

Finjo não ter ouvido e ele insiste:

— Quer usar meu peito como travesseiro?

Meu coração acelera, bate devagar, acelera de novo. Tenho arritmia, minha respiração falha. Mas não digo nada, não vou cair em suas provocações baratas. De repente ele puxa o travesseiro de baixo da minha cabeça.

— Ei! — reclamo abrindo os olhos.

Não vejo nada, está escuro, mas ouço sua risada baixinha.

— Meu quarto, minha cama, meu travesseiro, minhas regras.

Sinto-me tão irritada, tão cansada que parto para cima dele com os punhos cerrados, mas ele previu isso. Segura-me sem dificuldade, ainda que no escuro, e me prende em seus braços.

— Estou te dando uma opção melhor de travesseiro, delícia. Durma.

Não retruco, porque está quente e confortável. Mas quando o dia amanhecer, antes que eu suma daqui, vou deixar uma mordida em seu mamilo que o fará nunca mais se oferecer como travesseiro para nenhuma outra mulher.

Sinto tanto a sua falta!

Fecho os olhos com mais força e espero dormir rápido o bastante para não ficar ouvindo sua voz na minha cabeça dizendo essa mentira.

Acordo pouco depois, meu estômago incomoda e minha cabeça dói. Mas não estou de ressaca, Theo cuidou de mim. Ele dorme profundamente, reparo seu rosto por um tempo, ele não possui cortinas no quarto e o sol está sobre sua pele descoberta. Vejo as tatuagens, o peito firme, os braços... Levanto-me então e pego minha roupa, embolada e úmida no chão do *closet*.

Eu a visto assim mesmo, sentindo o tecido frio arrepiar minha pele. Faço um coque de qualquer jeito e deixo o prédio antes que Theo acorde. Não quero ter uma conversa importante com ele, não há o que ser dito. Otto venceu, é isso. Não precisamos ficar remoendo isso para que eu sinta essa dor mais uma vez, para que tenha mais lembranças, não quero isso.

Vou para um hotel, compro algo decente para vestir na loja do próprio hotel, como alguma coisa por lá e depois vou ao encontro de Otto. Ele havia marcado comigo no apartamento, mas na última hora mudou de ideia e me pediu para vir à D'Ávila.

Não queria pisar aqui de novo, mas não tenho escolha.

Sou recebida de maneira calorosa, até mesmo Alonso parece tão feliz por eu estar de volta. Otto está ao meu lado, seu braço ao redor do meu corpo, como se fôssemos um casal. Ele me leva até sua sala e Fernando está nela.

— Olá, Bruna — cumprimenta-me.

Nós nos sentamos e ele me entrega uma pasta com uma quantidade até grande de papéis. Pego a caneta, vou mesmo fazer isso. Antes que possa assinar, porém, ele me impede.

— Espere, Bruna. Pai, será que pode nos dar um minuto a sós, por favor?

Fernando vai para fora, confuso, mas fica próximo ao vidro da janela, disfarçando sua curiosidade, vendo o que acontece aqui dentro. Otto segura minha mão, tira a caneta dela, depositando-a sobre a mesa. Brinca com meus dedos e diz:

— Antes que assine isso e seja o fim definitivo de um futuro juntos, preciso tentar. Não posso desistir sem tentar uma última vez. Me perdoa. Eu amo você! Eu a amo verdadeiramente. Volta pra mim, me dá uma chance de mostrar que posso mudar por você.

Sou pega de surpresa, nossas últimas conversas não foram nada amigáveis.

— Eu sei que você me culpa pelo Theo tê-la deixado e está certa, parte dessa culpa é minha. Eu o chantageei, tirei o que ele mais ama para que me devolvesse o que mais amo. Sinto muito, fomos criados assim, mas eu não suportava mais vê-lo usando você, Bruna. Eu precisava protegê-la.

— Não pedi sua proteção. Eu pedi que fosse embora, mas você não me atendeu.

— Eu não podia, ir embora significaria aceitar que acabou.

— Mas acabou, Otto.

— Olha pra mim, olha nos meus olhos, você não sente mais nada por mim? Não há nada daquele amor que a consumia há tão pouco tempo? Não sobrou nada, Bruna?

Olho em seus olhos e é tão fácil responder a isso, não preciso nem mesmo pensar a respeito.

— Não, eu não amo você.

— É porque você o ama? Não vai voltar para mim, porque está apaixonada pelo Theo?

Também não preciso pensar nessa resposta.

— Porque eu o amo, verdadeiramente. Eu amo seu irmão.

Ele parece incrédulo, seus olhos brilham agora, poucas vezes o vi afetado por algo que envolva sentimentos, poucas vezes o vi ferido, Otto é aquele que fere, não aquele que sofre. Mas agora está sofrendo. Agora eu tenho esse poder sobre ele, mas não me sinto bem com ele, preferia apenas assinar isso e ir embora.

— Ele a deixou, Bruna. Na primeira ameaça, ele deixou você.

— Você tirou o trabalho dele! Seu sonho, que ele lutou tanto para manter, você tirou isso dele. O que queria que ele fizesse?

— Você o está defendendo? Está dizendo que é aceitável que ele a tenha deixado por amor ao seu negócio? Mas, e o amor que ele deveria sentir por você? Não conta? Ele não deveria abrir mão do resto por você?

— Você abriu? Abriu mão do seu medo, das suas dúvidas, por mim? Não, você foi embora sem olhar para trás, não pode julgá-lo agora.

— Não era real, o que vocês viveram nunca foi real para ele, Bruna. Você não vê? Foi fácil para ele terminar e escolher a Casa, porque não pretendia mesmo ficar com você. Entendo porque se envolveram, você estava ferida, sentida, precisava se vingar e fez isso, fez isso da maneira mais espetacular que poderia ter feito, devo te dar os parabéns. Queria me destruir? Quis devolver na mesma moeda? Você foi brilhante.

— Suas palavras apenas mostram o quão pouco você me conhece. O que, agora, já nem me surpreende.

— Por que ele? Nós dois a magoamos. Estou dizendo que estou disposto a mudar, a fazer o impossível se preciso para que você me perdoe. Eu abro mão dessa empresa, da minha família, porque sei que jamais aceitariam que ficássemos juntos agora, mas estou disposto a abrir mão de tudo para reparar ter deixado você. Volta pra mim, Bruna.

— Otto, isso não vai acontecer. Nosso tempo passou, ele acabou no momento em que você passou por aquela porta e eu disse que não esperaria por uma incerteza, morreu ali.

— Só está dizendo isso porque está apaixonada por ele, mas você me amava antes, Bruna. Ele conseguiu tirar isso de você, então eu posso tirá-lo de você também, fazer com que me ame de novo.

— Não pode — respondo.

— Está dizendo que você o ama mais do que amou a mim?

Assinto.

— Eu o amo de uma maneira diferente e, sim, muito maior do que amei você. Muito maior do que amei qualquer outra pessoa, na verdade.

— Por quê? Vocês nem sequer tinham um compromisso. Por que o amor dele é melhor do que o meu? O que ele te ofereceu que você acha que não posso dar? Me diz, o que ele te deu?

— Liberdade. — Ele parece confuso e, embora constatar isso me doa por nosso fim, explico: — Ele me permitia ser livre. Me permitia ser eu. Eu não tinha medo do que falar, como agir, o que vestir, porque ele me admirava e elogiava não importa em que situação eu estivesse. Ele me fazia acreditar que eu era incrível por ser exatamente quem sou. Até meu lado vergonhoso e estabanado se tornava incrível com ele. Eu me conheci nesses últimos meses e ele também me conheceu. Ele me conhece como ninguém mais conhece e queria estar comigo assim mesmo.

— Mas relacionamentos não são assim. Não quando há planos e sonhos de uma vida inteira. É fácil para ele não se importar, ele sabia que isso não ia durar, não era sério, Bruna. Quando você planeja dividir o resto da sua vida com alguém, essas coisas importam. Você não pode aceitar tudo e...

— Não pode aceitar a pessoa que ama do jeito que ela é?

— Todos temos defeitos, acreditar que alguém vai aceitá-la exatamente como é, é tolice.

— Não, Otto, é amor. Se você ama uma pessoa, ama o conjunto que faz dela quem ela é.

— Você está se iludindo, exatamente como a Selena. Ele a deixou como você está agora e era o que queria evitar quando voltei para o apartamento e me humilhei para que me perdoasse, Bruna. Eu a estava protegendo, porque te amo. Esta é a diferença do nosso relacionamento para o que você viveu nesses últimos meses, ele era real.

— Estava me protegendo, você diz... Também estava quando me fazia agir e viver conforme a sua vontade?

— Sim, estava cuidando de você. Eu via o que era melhor para você, estava fazendo com que você também visse.

— Mas assim me limitava às suas escolhas, aos seus pensamentos.

— Mas o amor é assim.

— Não é! O amor não deve ser uma prisão, amor nenhum merece tamanho sacrifício. Amar não pode ser um esforço, tudo aquilo que você faz porque tem de fazer e não porque ama fazer cansa. Se esforçar todos os dias pela mesma coisa, pela mesma pessoa, cansa. O amor tem de ser livre, bom, tem de ser asas e não grades.

Seus olhos estão cheios, mas ele sorri, um sorriso inteiro. Ele não sorri como Theo.

— Era uma vez uma garota ressentida ao se magoar por amor, que viveu uma aventura e passou a acreditar em contos de fadas — debocha. — É uma pena que esse seu amor por ele vá fazê-la infeliz, Bruna. É uma pena que alguém tão inteligente tenha se perdido assim por um sentimento.

Nego com a cabeça.

— Era uma vez uma garota que vivia presa. Até que descobriu a liberdade e nunca mais ela se deixou prender. Essa liberdade que descobri foi o que matou o que eu sentia por você. Matou a necessidade de manter minha avó por perto, matou essa luta para ser o que esperavam que eu fosse. Mas não acho que vá entender isso, porque você, Otto, é exatamente como ele. — Olho para seu pai, que nos observa, curioso. — Está preso a uma sombra, a alguém que precisa ser. No seu caso, talvez isso seja uma coisa boa, porque talvez quem você é de verdade não valha a pena.

Ele não diz mais nada, mas vejo em seu olhar a dor que minhas palavras lhe causaram. Vejo o momento em que ele entende que não há nada que me faça voltar ao que vivíamos, que jamais vou me deixar cair em uma armadilha dessas de novo. Vejo em seu olhar o mesmo medo e desespero que via nos meus quando ele me deixou, e parece que foi há uma vida e não há apenas alguns meses.

Ele não diz mais nada, porque há derrotas irreversíveis, e sabemos reconhecer quando passamos por uma delas. Ele reconheceu agora, demoradamente, como foi comigo quando ele me deixou. Desde o momento em que passou por aquela porta eu soube que não importava o que a vida me trouxesse depois daquele dia, eu nunca voltaria para ele, mas demorei a reconhecer isso. E é por isso que não vou conseguir superar Theo, porque meu coração não aceita que essa é uma dessas derrotas.

Otto solta meus dedos finalmente e assino o papel, vou abrir mão do lugar onde sonhei viver, onde me descobri, onde me apaixonei de verdade, sem reservas. Vou abrir mão do meu lar, mas que também é o lar dele: Theo. E se um de nós não vai viver lá, não parece certo que o outro viva.

Assino o papel e Fernando entra na sala, Otto não olha em seu rosto. Estendo a Fernando o contrato e quando ele vai pegá-lo, alguém o tira da minha mão primeiro. Theo está aqui, parece cansado, suado, sua respiração está acelerada.

— O que pensa que está fazendo? — Otto pergunta.

— Não assine isso, Bruna. Eu disse que a encontraria, mas você me fez correr a cidade toda como um louco. Não assine.

Otto se levanta imediatamente, ordenando que Theo saia, mas ele tem os olhos sobre mim, nem sequer parece ouvir o que Otto diz. Ele se ajoelha ao meu lado, ignora as ordens do pai para explicar o que está havendo, pois faz isso para mim.

— Otto não deixou você porque não a amava, Bruna, ele a deixou porque não podia se casar com você. Porque ele já era casado.

— O quê? Do que está falando? Ele está mentindo, Bruna! Saia daqui agora mesmo! — Otto se defende e vem para cima de Theo, mas impeço.

Ele não vai machucar Theo de novo. Levanto-me, ficando entre eles.

— Eu quero ouvir o que ele tem a dizer. Se for mesmo mentira, que diferença faz pra você? — Otto não tem uma resposta.

Viro-me para Theo, que se levanta e continua:

— Ele a roubou por anos, a ex-mulher, e então se apaixonou por você. Quando a pediu em casamento, pediu também o divórcio a Luciana, mas na ocasião ela começou a descobrir o que ele havia roubado dela nos três anos em que ficaram juntos. Otto não conseguiu o divórcio a tempo, então teve que viajar e adiar o casamento com você. Sabia que você estaria esperando por ele quando voltasse.

Otto está rindo alto, dizendo que Theo tem uma imaginação ridícula.

— Bruna, há muito mais nessa história, muito que precisa saber, mas o que posso dizer agora é que se assinar isso, vai cair em um golpe dele também. Ele a está enganando, por favor, não assine.

— Bruna, isso não é verdade! Eu dormia quase todos os dias na sua casa, como o faria se fosse casado com outra? — Otto pergunta e faz sentido. — Olha pra mim, sei que errei, que fiz muita merda, eu sei, mas eu sou real. O que acabamos de conversar? Vai acreditar nele? No cara que se divertiu com você e te deixou depois? Acha mesmo que ele é confiável? Você me conhece, Bruna, até mesmo meus defeitos. Praticamente vivíamos juntos, pensa! Não tem a menor possiblidade de ele estar falando a verdade! Lindinha, dormíamos juntos, trabalhávamos juntos, onde estava essa mulher se eu fosse casado com ela?

— Chega, Otto! Pare! Pare de tentar manipulá-la, pare de mentir. Chega! Acabou! — Theo brada. — Eu sei toda a verdade, descobri tudo, ela não vai entrar nisso sem saber a história toda, você não vai mais enganá-la.

— Bruna, isso é ridículo! Não pode acreditar nele!

— Ele a trouxe até aqui no último segundo, não foi? Marcou em um lugar e depois em outro, para que nada desse errado, para que tivesse total acesso a você, ele precisava te machucar, te distrair, para que assinasse isso sem ler. Porque se você parasse para ler, descobriria a verdade — insiste Theo.

Ele me estende então o contrato que acabei de assinar.

Eu o pego, como se pesasse agora uma vida inteira.

— Não estou mentindo para você, Bruna — Otto insiste, aproximando-se. — Agi como uma criança porque estava cansado, cansado de planos, de regras, de um roteiro a seguir. Errei ao não a convidar para espairecer comigo, ao não levá-la para uma viagem de renovação da mente. Errei, sim, excluí você, a tomei como alguém à minha disposição. Mas esse foi meu único erro. Estive disposto a perdoar essa traição, ainda estou, por amor a você. Como pode achar que eu faria algo para ludibriá-la? Você sabe disso melhor do que ninguém. Você sabe exatamente quem sou. E sabe que ele não é confiável, sua história nem faz sentido.

— Leia o contrato, Bruna, linha por linha. Leia e verá que estou dizendo a verdade — Theo insiste, peitando Otto e o faço.

Olho os papéis na minha mão, uma leitura rápida me mostra que aparentemente não há nada errado nesse contrato, a história de Theo não faz sentido, mas é ele.

— Você tem provas de tudo o que está dizendo, Theo? — Fernando pergunta. Ele tem uma cópia do contrato de venda em mãos, eu o estava lendo. — Porque aqui não há nada, não há qualquer bem ou valor além do acordado entre eles pelo apartamento, apenas. Que provas você tem?

Theo parece confuso, toma o contrato da mão do pai e lê rapidamente, parece perdido por alguns segundos. Quando responde, ele o faz para mim.

— Não sei o que está havendo, como ele conseguiu isso. Ainda não tenho as provas, eu precisava de mais tempo, pensei que esse contrato seria suficiente, mas Otto previu isso.

Otto está rindo, não parece mais ter medo, apenas raiva. E Theo insiste:

— Bruna, a única coisa que tenho é a minha palavra. Olha pra mim, você é quem me diz quando meus olhos mentem, quando meu sorriso não é sincero, você me conhece do avesso. Não estou mentindo, não ganho nada se você acreditar em mim ou não, isso é sobre você. Só quero proteger você, por favor, acredite em mim.

Olho para Otto, vejo a súplica em seu olhar para que acredite nele e decido.

— Podemos remarcar para amanhã? Quero ir pra casa, ler isso, pensar com calma e amanhã decidimos. Pode ser? — pergunto a ele.

— Bruna, se você sair daqui sem me entregar isso, significa que acreditou nele — Otto retruca.

— Não, significa que estou vendendo uma parte do único bem que possuo, do imóvel em que investi toda a herança da minha mãe e parando para analisar tudo primeiro. Você percebeu, Otto, que assinei isso sem ler?

— Está insinuando que a distraí para que não lesse o contrato? Está mesmo acreditando no que ele diz?

— Não estou insinuando nada. Estou dizendo que vou embora e nos vemos amanhã.

Pego minha bolsa e me viro para sair, mas ele segura minha mão.

— Seja razoável! Essa sua postura indecisa, fantasiosa, não combina com você. Não foi essa a criação que teve! Se Theo estivesse falando a verdade teria alguma prova, sua história nem faz sentido! Eu estou aqui me humilhando diante de todos os meus funcionários e do meu pai por você, Bruna. Não estaria pagando a você mais do que vale a sua parte daquele apartamento se quisesse te prejudicar, coloca a cabeça no lugar!

— Não toque em mim e não levante o tom de voz comigo. Você não manda em mim, vou embora agora, vou pensar com calma e amanhã conversamos — respondo firmemente e ele me solta, derrotado.

Saio pela porta, Theo vem atrás de mim. Se estiver mentindo ou não, não há qualquer possiblidade de uma relação entre ele e sua família agora. Ele matou isso de uma vez por todas, e como ele mesmo ressaltou, não ganha nada com isso. Não ganha nem perde nada se eu vender ou não minha parte no apartamento, está fazendo isso apenas por mim.

Não dizemos nada quando entramos no elevador, até chegarmos ao térreo. Sua moto está parada à entrada e ele brinca:

— Quer pilotar?

Por um segundo meu impulso é ir até ele, subir na moto, pegar a chave, mas o controlo.

— Não, obrigada! E obrigada por ter vindo, independente do que aconteça eu não podia ter assinado algo tão importante sem ler. Tivemos uma conversa difícil, minha mente não está no lugar, normalmente não sou tão amadora.

— A conversa difícil, seja qual tenha sido, foi planejada. Você precisava estar distraída. Não vou insistir mais, mas você acredita em mim, Bruna, sabe que acredita. Só está aqui comigo agora porque acredita. Obrigado!

Ele sobe na moto então e se vai e detesto que esteja certo, que eu realmente acredite nele, mesmo quando tudo diz o contrário. Mesmo que pareça tão fantasioso, eu acredito.

Vou para outro hotel, um mais próximo e mais barato. Estou de novo desempregada, o que ganhei na Casa está acabando e não tenho nem mesmo ideia do que fazer. Meu plano era vender minha parte, pegar o dinheiro e ir embora. Para bem longe, para um lugar onde eu possa superar Theo D'Ávila. Um lugar onde eu tenha certeza de que não vou ceder e procurar por ele.

Observo a cama de solteiro do hotel, eles não tinham um quarto de casal disponível, é um lugar pequeno, com poucos quartos, mas como estou sozinha, não me importei.

Começo a ler o contrato com calma, linha por linha, como sugeriu Theo.

Estou andando de um lado a outro enquanto faço isso, a noite já caiu e sinto fome, mas não sinto vontade de comer nada. Todo gosto que me vem à boca é de algo feito por Theo. Amar é uma merda. O vento frio que vem de fora entra pela janela, e na terceira página do contrato, algo parece entranho. Volto à segunda página, até aqui tudo está normal, mas a terceira parece ser sobre outro imóvel, ela trata de medidas e descrição de uma dívida ativa do financiamento desse imóvel. Nosso apartamento não foi financiado, dei tudo o que tinha da herança da minha mãe e Otto inteirou o que faltava, compramos à vista. Ele disse que era um investimento e estava certo, de lá para cá o valor do imóvel subiu consideravelmente.

Talvez tenha misturado contratos, tiro essa página e a quarta é uma cópia da primeira. Tem meus dados, os de Otto, o endereço do apartamento. Só está em uma ordem diferente, uma ordem que não faz sentido. A quinta página volta ao nosso contrato, diz que estou cedendo a ele o imóvel, tem corretamente seu endereço, número de registro e estranho que tenha usado o termo "ceder" em vez de "vender".

Duas batidas soam à porta, assustando-me. O recepcionista parece, preocupado, e diz baixinho:

— Srta. Bruna, tem um homem lá fora, olhando para cá do outro lado da rua. Reparei que está olhando justamente para sua janela. Chamei a polícia, mas vim alertá-la para que tome cuidado.

Imediatamente vou até a janela, sob os protestos dele e vejo Theo do outro lado da rua. Está sentado na calçada, olha em volta, procurando por algo. Seus olhos então buscam minha janela, no terceiro andar e ele sorri e acena.

— Não precisa chamar a polícia, eu o conheço. Sinto muito por ele tê-lo assustado, acabei me esquecendo de que ele viria. Sinto muito!

Ele parece confuso, depois, irritado. Diz que vai ligar de novo para a polícia e desço para saber o que Theo acha que está fazendo.

CAPÍTULO 18

Theo

Ela vem em minha direção, parece confusa e irritada, por seu tom de voz ao perguntar:

— O que está fazendo aqui?

— Protegendo você.

— Me protendo do quê?

— Otto. Você tem várias páginas do contrato rubricadas e a que ele mais precisa assinada, ele pode mandar alguém para tirá-la de você.

Ela revira os olhos, impaciente.

— Então, além de traidor e casado, Otto é um bandido?

A descrença em sua voz me machuca, ele está mesmo conseguindo dobrá-la de novo?

— Sinto muito se as informações que dei sobre ele te machucaram.

— Não, você não sente, não minta para me agradar, afinal você deixou claro que não se importa o bastante.

— Deixei claro, não foi? Deve ser por isso que rodei a cidade toda naquela moto, desesperado que você assinasse o contrato, e que estou aqui agora, cuidando de você.

— Não posso ter certeza sobre suas atitudes, Theo, somente as interpreto, mas posso ter certeza das suas palavras. Como você age é confuso, mas o que diz não. O que diz é claro. Você foi bem claro quando me deu um pé na bunda, então não finja que se importa agora.

— Palavras valem menos do que atitudes, Bruna. Você é especialista nisso — solto.

Ela parece confusa, mas não é por isso que estou aqui. Nem sei porque estou. Bruna tem algo que Otto quer mais do que tudo agora: o contrato assinado. Nem por um segundo acreditei de verdade que ele mandaria alguém para roubá-lo dela, só usei essa hipótese como desculpa para vê-la mais uma vez. Para estar perto dela de alguma forma.

Ela está aqui, em um hotel, em vez de com ele. Ontem ela não sabia que a fechadura havia estragado de novo, o que significa que não tem ido ao apartamento.

Suas atitudes me parecem confusas, erradas, e me dão o que mais temia agora: esperança. Esperança que eles terminem de vez, que ela o esqueça, que talvez possa se apaixonar por mim.

Isso começou quando Frederico Malta, o detetive que Júlio contatou, entrou finalmente em contato comigo e me contou toda a verdade. Uma verdade que eu jamais imaginaria. Essa verdade me deu um fio de esperança que talvez Bruna não vá perdoá-lo, que vá esquecê-lo. Mas as pessoas de quem preciso aqui para provar a ela a verdade ainda não estão, de forma que Bruna só tinha minha palavra com uma história maluca, contra a palavra do homem que ela ama.

O segundo fio de esperança foi aceso quando ela acreditou em mim, quando não aceitou entregar o contrato e deixou a firma dele, comigo.

Sorrio. Ela parece ainda mais confusa com meu sorriso.

— Você já comeu? Estou faminto. O que tem aí nesse seu quarto? — pergunto e atravesso a rua em direção ao hotel.

Bruna vem logo atrás, passa por mim dando-se conta de que não adianta tentar me fazer ir embora e subo atrás dela até o terceiro andar do pequeno hotel. O quarto é minúsculo, possui uma cama de solteiro, uma mesa de cabeceira, uma televisão pequena na parede e uma cômoda. Observo o banheiro, que também é pequeno, mas confortável.

— Esse chuveiro parece ser dos bons — comento.

— Theo, o que está fazendo aqui? — ela pergunta de novo, os braços cruzados, uma expressão cansada.

O contrato está sobre a cama, espalhado.

— Você o leu? Não tem mesmo nada errado com ele?

Sua expressão vacila, então ela achou algo.

— Tem, não é? Não é o que você esperava, vejo.

Ela não diz nada, tem seus olhos castanhos cansados em meu rosto. A vontade que sinto de ir até ela e tomá-la agora é tão intensa que preciso me concentrar em qualquer outra coisa para domá-la. Viro-me para a janela, finjo observar a rua e ela reage.

— Isso é ridículo, Otto não vai mandar alguém para roubar um contrato, eu poderia anulá-lo e mandar seu irmão para a cadeia, não há motivos para você ficar aqui.

Sorrio e a observo.

— Não tem geladeira, nem um frigobar. O que você comeu?

— Theo...

— Morta você não conseguiria reclamar nada, nem provar nada, ele teria apenas um contrato que você assinou cedendo seu apartamento a ele com várias testemunhas que a viram ir lá assiná-lo. — Sua boca está aberta e ela nem sequer consegue responder. — Não pense que quero ficar aqui com você, Bruna. É torturante, desafiador. Mas irei fazê-lo para protegê-la. Comecei isso e vou até o fim. O que você vai fazer sobre Otto depois que souber toda a verdade, será problema seu. Mas até que eu possa prová-la a você, serei sua sombra.

— O que você descobriu é tão ruim assim? — pergunta, assustada, e preciso segurar o sorriso que quer se exibir por ela sempre, sempre confiar na minha palavra, ainda que nem se dê conta.

— Faz dele um bandido. — Ela assente. — Não vou sair de perto de você agora, desculpe.

— Não tenho nada para comer, meu estômago só roncou agora, que vi você.

— Você também me deixa faminto — provoco.

— Se vai ficar aqui de guarda, espero que ao menos faça isso em silêncio.

— Está esperando demais de mim, então. Você já tomou banho? Não dá para se vestir nesse banheiro, vou me sentar aqui e esperar para vê-la nua — comento me sentando sobre a cama, pegando as páginas do contrato para analisá-las; nada mais são do que uma enrolação.

Otto foi esperto, nada evidente demais caso os olhos dela captassem algo, mas um contrato que nem sequer faz sentido, que só garante a ele a assinatura dela. E claro, a única página que ele precisa, está assinada, essa está correta em cada linha e não entendo como Bruna ainda não percebeu o golpe em que esteve prestes a cair. Irrita-me que ela o tenha escolhido, que vá se casar com alguém que a abandonou, que está tentando enganá-la.

— Você merece mais, Bruna. — As palavras me escapam e tenho sua atenção. — Merece alguém que a veja como prioridade e não como uma opção. Alguém que dê a importância que você merece. Alguém que nunca irá feri-la de propósito.

— Eu sei, aprendi isso nesses últimos meses. É uma pena que essa pessoa não exista.

Abro a boca, mas a fecho e me calo. De que adianta brigarmos por isso? Podemos discutir isso quando eu tiver certeza de que ela o superou, que não vai voltar para ele, fazer isso agora seria tolice.

— Só há uma cama de solteiro neste quarto, percebi.

— Porque sou uma pessoa apenas.

— Ah, não tente se enganar, delícia, você sabe que vou dormir aqui. E, como sabe, para cabermos nesta cama, você terá de dormir em cima de mim. — Sua risada escapa, ela tenta controlá-la, mas falha. — Pode dormir por baixo de mim, se preferir. Mas não me responsabilizo se meu pau acordar dentro da sua boceta.

Sua risada cessa e ela parece possessa.

— Deve ter um quarto disponível ao lado, por que você não o pega? Eu grito se um bandido vier roubar o contrato durante a madrugada — sugere.

— Não, obrigado. Não faço as coisas pela metade, se vou vigiá-la, vou ficar do seu ladinho, os olhos em você o tempo todo.

— O que eu posso fazer para que vá embora? — pergunta, cansada.

— Responder a isso fará de mim um babaca, mas já que perguntou, pode começar tirando a roupa. Se ficar nua tempo o bastante, pode ser que eu durma e a deixe em paz em algumas horas.

— Deve ter um quarto de casal disponível aqui — ela diz e vai em direção a porta, mas me levanto e a impeço.

— Tudo bem, não vou impor minha presença dessa forma. Se não quer dormir sobre ou sob meu corpo, vou eu mesmo alugar um quarto de casal, mas esteja ciente de que vai dormir comigo na mesma cama.

— Então, procure uma cama bem grande.

Deixo o quarto e vou até a recepção. O recepcionista me observa, temeroso, acho que Selena e companhia estavam certas, tenho um ar perigoso. Aproximo-me com calma e, torcendo para que ele diga não, pergunto:

— Vocês não teriam um quarto de casal disponível, não é?

— Na verdade, temos um, acabou de ficar vago. Vocês vão querer mudar para ele?

— Acabou de ficar vago? Que merda! Quanto é a diária?

Ele me responde e tiro da carteira o dobro do que falou.

— Aqui, te dou isso para você dizer à minha namorada, caso ela pergunte, que não há quartos de casal disponíveis.

Seu sorriso indica que deu certo.

— Claro, senhor! Sem quartos de casal para Bruna Vidal.

— Obrigado.

Saio do hotel e vou até uma padaria próxima, compro algo para comermos e volto ao quarto. Bruna está lendo a página do contrato que Otto precisa, a que está correta.

— Não tem um quarto de casal disponível — ela diz. — Liguei na recepção, então onde...

Seu cenho está franzido e seus olhos se desviam para mim quando sente o cheiro da comida.

— Você deveria me amar, sabia? Estou sempre a alimentando.

— Não estou te pedindo favor algum.

— Então, não quer comer? Que pena! Esse sanduíche gigante parece tão saboroso! O cheiro, ao menos é de lamber os dedos — respondo e abro um sanduíche, sentando-me com ele diante dela na cama.

Ela olha oara o sanduíche, olha para mim e num gesto rápido o tira da minha mão e o abocanha. Eu me pego rindo, vou até a sacola e pego o outro sanduíche e as bebidas.

Mais tarde, Bruna vai tomar banho e, como prometido, eu fico na cama esperando que apareça, mas ela já vem vestida.

— Para com isso, não tem como ter se vestido nesse espaço. Você tomou banho de roupa — reclamo.

Ela ri alto e dá de ombros.

— Eu já disse, nunca diga que não posso fazer algo, senão eu vou fazer.

Vou tirar esse sorrisinho da sua cara já, já.

Vou tomar banho, ela arregala os olhos quando começo a tirar a roupa e se vira de costas.

Tomo um banho demorado, deixando que sua expectativa aumente. Eu não trouxe qualquer roupa, não achei que ela me deixaria entrar. Quando desligo o chuveiro, seco-me com sua toalha, não o faço direito, já que está molhada e deixo o banheiro pequeno, nu. Ela está sentada na cama e seus olhos se focam diretamente no meu pau. Então ela se levanta em um pulo.

— Cubra essa coisa! — ordena.

— Impossível, não trouxe roupas.

— Que espécie de segurança é você?

— Da espécie nua, pelo visto. Está com medo? Você pode olhar para ele, Bruna, já são íntimos, caso tenha se esquecido.

— Você é inacreditável! — ralha, virando-se em minha direção.

O rosto tingido de vermelho, um sorriso que disfarça mal, aquele brilho nos olhos que me aquece em segundos. Em dois passos a alcanço e a prendo em meus braços. Respiro seu cabelo, sinto seu corpo quente no meu.

É tão bom tê-la assim, nos meus braços, sob minha proteção!

Ela me abraça de volta, não me afasta. Beijo seu cabelo, sua testa, nariz e rosto. Beijo seu pescoço. Mordisco sua pele matando a saudade de seu calor, do gosto de sua pele sob a língua.

— Eu deveria lutar por você, Bruna? — pergunto baixinho.

Se ela disser *sim*, eu o farei. Eu o farei com desespero, sem medidas, só descansarei quando ela for minha. Mas ela nega com a cabeça. Sinto seu movimento em meu rosto.

— Por mais que isso seja delicioso, Otto...

Afasto-me num rompante e ela se cala, confusa. Não preciso ouvir que Otto é o homem que ela escolheu, que é o homem que ela ama. Não quero ouvir isso. Deito-me na cama, sob o cobertor e aviso:

— Deite-se aqui como achar que ficará mais confortável.

Fecho os olhos e fico quieto, ela demora um pouco a se mover, mas sinto quando sobe na cama e procura uma maneira de se ajeitar ao meu lado. Não há espaço.

Eu deveria dizer a ela que há, sim, um quarto disponível?

Abro os olhos para alertá-la, mas encontro seus olhos em mim. Ela morde o lábio inferior e não consigo. Puxo-a para meu peito, acomodando-a sobre meu corpo. Eu a cubro então, para que não sinta frio e ela dorme aqui, onde deveria dormir todos os dias.

Seu celular começa a tocar logo cedo e ouço quando ela diz que irá se encontrar com Otto para decidirem sobre o apartamento. Imediatamente me levanto, ela se vira em minha direção e seus olhos percorrem meu corpo preguiçosamente e se focam em meu pau.

— Quero pedir algo a você — digo e eles retornam ao meu rosto. — Me dê mais um dia. Não se encontre com ele ainda. Me dá mais um dia para provar quem ele é, Bruna. Só mais um dia, por favor!

Ela assente, o que faz um peso ser tirado do meu peito. Nem sequer hesitou em concordar.

— Ótimo! Obrigado! Agora, você vem comigo.

— Para onde?

— Para minha casa, claro.

— Não vou para sua casa. Por que iria?

— Porque você acabou de me dar mais um dia, vou passá-lo grudadinho em você. Apenas para protegê-la, é claro.

— Então era isso o que estava pedindo? Mais um dia para me enlouquecer?

— Eu a enlouqueço? Não consigo imaginar o motivo, mas a recíproca é verdadeira, delícia. Vou me vestir e iremos.

— Pelo menos estará vestido — resmunga, fazendo-me rir.

Curiosa, ela observa as mudanças no apartamento, sorri ao ver o colchão d'água no canto, na sala. Ainda não possuo um sofá, mas agora há banquetas em frente à ilha, que peguei na Casa, um canto alemão na sala de jantar, que também pequei na Casa, e talheres decentes. Vou direto preparar o almoço, ela vai até meu quarto, volta pouco depois, observando tudo em silêncio. Aproxima-se e se senta na banqueta de frente para mim.

Seus olhos estão sobre os armários, a ilha, os ingredientes sobre a esta e isso me é familiar, é gostoso. Então se focam em mim e corto o dedo.

— Merda!

— Theo, seu dedo... — comenta se levantando.

— Você não pode ficar na cozinha quando estou cozinhando! — ralho.

— Não vou sair. Por mim, que você arranque fora seu dedo — ela retruca, mas se aproxima preocupada e segura minha mão. Foi um corte pequeno desta vez. — Nunca na minha vida vi um cozinheiro tão desastrado.

— Provavelmente porque nenhum outro cozinheiro tenha uma distração como você enquanto cozinha.

— Vamos fazer um acordo esta tarde, Theo. Você cozinha e eu corto os legumes, mantenha-se longe dessa faca — diz soltando minha mão e indo para os legumes, ao meu lado na ilha.

Ela começa a picá-los com destreza, cantarolando algo baixinho. Está aqui, na minha cozinha, ao meu lado, fazendo o almoço comigo.

Será que ela não percebe o quanto isso é tão certo? Será que para ela não é bom assim?

Terminamos o almoço e levo nossos pratos até o canto alemão. Eu os deposito sobre a mesa lado a lado e ela se aproxima, curiosa.

— Você roubou isso da Casa, não foi?

— Não é roubar se já era meu, digamos que peguei emprestado.

— Não está fazendo falta lá? Lembro que as pessoas mal cabiam sentadas nos lugares já disponíveis e você trouxe bastante lugares para cá.

— Ela está fechada, esses bancos não farão falta.

— Ainda não abriu a Casa? Por quê? Você ainda não a recuperou?

— Não.

— Mas você me disse que tudo estava certo, como devia estar. Disse isso no terraço, quando terminou comigo. Então por que... — Ela para de falar e a observo.

— Por que o quê?

— Nada, vamos comer — responde, mas parece ter longe seus pensamentos.

Pega seu prato e se senta do outro lado da mesa, o mais distante possível.

— Por que tão longe? Está com medo de não resistir? — provoco.

Seus olhos encontram os meus e ela parece irritada.

— Claro! Quem resistiria ao seu pau mágico? É só sentar por perto que se eu piscar os olhos estarei em cima — retruca comendo a omelete, então fecha os olhos e geme.

Não consigo comer, porque estou parado olhando para ela, faminto de outra comida que infelizmente não está disponível nesse prato. Bruna abre os olhos e me vê olhando para ela, provavelmente vê a baba escorrendo também, pois seu rosto se tinge de vermelho.

— Isso não foi pelo seu pau — explica. — Foi pela sua comida.

— É quase a mesma coisa — respondo.

— Por essa comida! A que está no prato! A que você cozinhou... Você entendeu.

Estou rindo e ela está tentando não rir, mas deixo que volte a comer em paz.

Estou impaciente com o celular em mãos, esperando a ligação. Finalmente ele toca, om o de Bruna. Estendo o dedo para que espere um minuto antes de atender Otto e atendo o meu.

— Frederico?

— *Tudo certo, Theo, ela estará aí em vinte minutos*.

— Valeu, te devo essa — respondo e encerro a ligação, ligando na portaria para pedir que minha convidada suba imediatamente ao chegar.

Atenta, Bruna me observa. Vou até ela e tiro o celular de sua mão, envio uma mensagem a Otto, marcando com ele em uma hora no apartamento, então o desligo para que ele não tente marcar outro lugar, para que não queira ganhar tempo de tentar convencê-la do contrário.

Seguro sua mão e nos sentamos à mesa. Ela me observa com atenção e finalmente vou contar a ela o que descobri nos últimos dias. O que me impediu de deixar este apartamento, o que poderá mandar meu irmão para a cadeia.

— Quatro anos atrás, Otto recebeu em sua empresa uma cliente que havia acabado de ficar viúva. Ela era jovem e havia herdado uma herança considerável de seu falecido marido, como ações, empresas, imóveis. Ela não sabia o que fazer e Otto a orientou. Talvez você se lembre dela, seu nome era Luciana Ferraço.

Passam-se segundos e ela assente.

— Três meses após a morte de seu marido, Luciana Ferraço se casou com Otto.

Ela sorri, incrédula, sua mão parece tremer sobre a mesa e a amparo com a minha.

— Otto a enganou, a conquistou e se casaram. Como pode imaginar, ele nunca a assumiu. Esteve com ela por todo esse tempo roubando tudo o que ela possuía. Tirou quase tudo dela, ele a convenceu a passar para o nome dele, para que ele pudesse administrar por ela. Então se envolveu com você, a pediu em casamento e pediu o divórcio a Luciana. Só que com seu afastamento, Luciana acabou descobrindo que algo estava errado em seus bens e começou a desconfiar de Otto. Ela não aceitou o divórcio até que tudo sobre seus bens fosse esclarecido e acionou outra firma de advocacia para ajudá-la contra ele. Ele não contava com isso, o divórcio iria para o litigioso, seria um escândalo. Precisava ludibriá-la mais uma vez, então tinha que se livrar de tudo o que roubou dela, para que ela não descobrisse.

Ela não diz nada, seus olhos estão fixos nos meus. Não sei se está acreditando em mim, mas continuo:

— Ele passou tudo o que roubou dela para uma conta segura, a qual ela não teria acesso. E passou também o apartamento supercaro que vocês haviam comprado. Nada ficou em nome dele.

— Ele passou meu apartamento para outra pessoa? Mas ele... — Ela para de falar e entende. — Ele o passou para o meu nome. Cedeu sua parte a mim, não foi? É por isso que o contrato é de cessão e não de venda, o apartamento é só meu.

Assinto.

— Ele se protegeu assim, nada foi encontrado em sua conta ou em seu nome com outra mulher. Então ele só precisava conseguir o divórcio para se casar com você. Luciana não aceitava o divórcio e já estava em cima da hora, não sairia a tempo do seu casamento. Ele não podia se casar com você sendo casado com ela, então foi viajar, adiou o casamento e desapareceu por algum tempo para que Luciana não o encontrasse. Para que você não desconfiasse. Assim que Luciana se convenceu de que seus bens não haviam sido roubados por ele, só precisava que você assinasse o documento, devolvendo a ele sua parte do apartamento e tudo ficaria bem. Se estivesse com você, a teria feito assinar o que quisesse, mas ele não podia estar com você, não com o divórcio rolando pelos panos e o escândalo que isso poderia causar. Então me mandou para viver com você, para conseguir sua assinatura. Ele achou que você estaria fragilizada, apaixonada, que faria qualquer coisa para tê-lo de volta.

— Provavelmente ele não estava errado — responde num fiapo de voz.

— Estava, afinal não foi o que você fez. Não cedeu em momento algum, mesmo quando ele se desesperou. Ele não a conhecia, Bruna.

— O que mais? — ela pergunta e continuo:

— Um dia, tudo que ele possuía, tudo o que roubou da Luciana, desapareceu, ele não conseguiu mais acessar essas contas. Essas contas que, assim como o apartamento, estavam em nome de outra pessoa.

Ela arqueja em espanto e uma risada nervosa lhe escapa.

— Está dizendo que tudo o que roubou dela está em contas em meu nome?

Ela parece incrédula, seu riso é aquele de quem não acredita no que está ouvindo.

— Sim, é o que estou dizendo.

— Isso não faz sentido! Eu não possuo muito dinheiro em minha conta, por que acha que estava trabalhando na Casa? Que quase caí na manipulação dele de voltar à D'Ávila? Não faz sentido, Theo, não pode ser verdade!

— Mas é. — A voz da minha convidada é ouvida e Bruna se levanta em choque. — Há alguns meses percebi que quantias muito altas começaram a ser depositadas em contas em seu nome, contas que não eram administradas por mim. Como sou eu quem cuida do seu financeiro, pensei que estivesse escondendo essas contas de mim.

— Olá, Constanza, obrigado por ter vindo! Não acho que ela acreditaria apenas na minha palavra — cumprimento-a e ela assente, volta-se à neta.

— Mas eram valores altos demais e, ainda que estivesse com Otto D'Ávila, não conseguia entender onde conseguiriam valores tão altos. Então eu fiz o que qualquer avó faria para proteger a neta, troquei essas contas.

Impedi que quem quer que as estivesse controlando conseguisse acessá-las. Porque se alguém estivesse usando seu nome, teria de se arriscar mais. Quando fui ao jantar de aniversário dos D'Ávila e fui notificada que Otto a pediria formalmente em casamento, e encontrei Theo lá, entendi que era ele quem estava com você no apartamento quando devia ter se casado na primeira vez. Então pensei que ele a estava enganando. Por isso, mandei investigarem a origem desses valores e as tentativas de acesso. Pouco depois, recebi a confirmação de que as tentativas de acesso vinham de diferentes países, diferentes lugares. Bahamas, Dubai, Maldivas, lugares onde Clarissa disse naquele dia que Otto havia estado.

— Quando Constanza congelou as contas, Otto voltou imediatamente para casa. No aniversário de casamento dos nossos pais e a pediu em casamento, pois assim teria de novo acesso a você, ele a faria assinar o documento devolvendo o apartamento, assumiria suas finanças, a Volpato, teria de novo o controle de tudo. Ele não contava que nós dois estaríamos envolvidos e você recusaria seu pedido.

Ela fica quieta, pensativa, parece estar ligando os fatos.

— Então ele se mudou para o apartamento para fazê-la assinar, tentou reconquistá-la, fingiu aceitar numa boa que você estivesse comigo, aceitou essa traição por amor a você, mas você não assinava. — Sorrio. — Você não cedeu, não era mais a menina manipulável e obediente que ele conhecia. Ele tinha de tirá-la do eixo, que machucá-la, porque precisava que você assinasse o contrato sem ler. Você é esperta, inteligente, se lesse o que está escrito, descobriria. Para isso...

— Ele me tirou você — ela diz baixinho. — Ele me desestruturou e me fez deixar o apartamento.

Agora meu cenho está franzido. Do que ela está falando? Eu ia dizer que para isso ele a havia reconquistado. Que a havia convencido a assinar o documento e ela cairia em um golpe.

— Então, o apartamento é meu. Esse tempo todo ele não tinha o direito de estar lá — ela diz, buscando confirmação e assinto.

Rapidamente ela passa por mim como um furacão, em direção à porta.

— Bruna, aonde você está indo? — pergunta Constanza.

— Recuperar minha casa, estou indo tirar Otto D'Ávila do meu apartamento — responde.

Vou atrás dela imediatamente, mas Constanza me impede. Uma das mãos leve, segurando meu braço.

— Deixe que ela vá. Que resolva suas coisas, sozinha.

— Não vou interferir, Bruna sabe se virar, só quero estar lá caso precise. Ele não vai machucá-la de novo se eu puder evitar, Constanza.

Ela assente e me solta, tem um sorriso tranquilo e diz algo baixinho que soa como: "escolha certa".

Mas não entendo se está falando de mim ou de Bruna.

CAPÍTULO 19

Bruna

Não bato à porta, por que deveria? Otto está sentado no sofá, os pés sobre a mesa de centro, o laptop no colo enquanto digita algo. Assusta-se quando entro e mais ainda quando bato a porta atrás de mim. Deixa o laptop sobre a mesa e se levanta com um sorriso. Noto que o colocou sobre alguns papéis.

— Oi, lindinha, você veio — diz com um sorriso que me faz tremer por dentro.

Acho que nunca estive tão irritada, nunca senti meu sangue queimar pelo corpo tamanha raiva estou sentindo.

— Isso é uma cópia do contrato? Não confiou que eu traria o que assinei? — pergunto apontando para os papéis sob o laptop.

Ele me observa, despreocupado. Coloca as mãos nos bolsos da calça social. Não há qualquer culpa ou arrependimento em seus olhos. Não entendo como alguém pode ser tão frio, esconder tão bem sua alma, fingir por tanto tempo.

— Pelo visto, eu estava certo, afinal não trouxe papel algum com você. Mudou de ideia sobre o apartamento? Eu entendo, você não precisa vendê-lo se não estiver pronta. Metade dele é seu de toda forma, pode voltar a morar aqui, lindinha. Apenas saiba que viveremos juntos, pois não vou abrir mão da minha metade também.

Uma risada me escapa. Uma risada carregada de ódio, descrença. Minhas mãos se fecham em punho e percebo que suas mãos ainda estão dentro dos bolsos da calça. Não daria tempo de ele revidar, daria? Como mesmo Theo faz com a mão quando vai bater em alguém? Não vou me lembrar desse detalhe, é aí que uma voz diz:

— A força está nas pernas, o polegar sobre os dedos, levante o calcanhar e...

Não espero mais instruções, acerto Otto com um soco em cheio em seu nariz. Dói para caralho. Sua cabeça pende para trás com o golpe e há sangue em suas narinas. Pouco me importa o quanto meus dedos estão doendo, eu tirei sangue dele.

— Você conseguiu! — Theo comemora, parado de braços cruzados sob o batente da porta de entrada.

— Você ficou maluca?! — Otto grita e vem em minha direção.

Em um segundo Theo está diante dele, impedindo que me alcance.

— Se ousar tocar nela para feri-la, mato você! — ameaça e sua voz é tão firme que até mesmo eu sinto medo.

Otto se acalma, olha para mim como se eu fosse louca, mas não me sinto mais com raiva. Sinto-me bem, calma. Ele vai sair daqui agora e tudo isso será uma página do passado de um capítulo do livro da minha vida que pretendo queimar.

Olho em seus olhos escuros, sem brilho, e digo:

— Fora do meu apartamento. Pegue suas coisas e saia! Não ouse colocar os pés neste lugar de novo.

— Do que está falando? Metade disso aqui...

— Nada disso aqui é seu! Você não colocou tudo em meu nome? Eu não pedi esse presente, mas já que o recebi, não sou mulher de fazer desfeita. Agora pegue suas coisas e saia da minha casa!

— Fiz isso porque confio em você! Porque quando a deixei, me senti tão mal que coloquei tudo em seu nome na esperança de que entendesse que eu voltaria.

— Chega! — grito. — Pare! Não quero mais ouvir suas mentiras, não tenho mais estômago para sua encenação. O apartamento é meu, você deu a sua parte a mim, não pense que vou devolver. É meu, então eu vou morar aqui e você vai embora.

— Bruna, entendo que não queira vender sua parte, embora isso seja um erro sem tamanho. Mas não me devolver a minha parte, a que confiei a você, fará de você uma golpista.

Ele está mesmo me chamando de golpista?

Voo em sua direção, mas Theo me segura sem dificuldade. Prende-me em seus braços e não me deixa acertá-lo.

— Me solta!

— Vai machucar sua mão, você não precisa ser agressiva. Como mesmo você se defende? — Theo pergunta.

Claro, conhecimento da lei. Sorrio, acalmo-me e Theo me solta. Otto chega a dar um passo para trás quando Theo me liberta, o que me faz rir.

— Golpista, você diz. Como será que Luciana Ferraço o chamaria se visse o saldo da minha conta?

Então acontece: sua máscara se desfaz. Ele olha de mim para Theo e se transforma bem diante dos meus olhos. Não se importa mais em tentar representar, sabe que não adiantaria.

— Você bloqueou as contas? — pergunta, incrédulo.

— O que acha? Tanto dinheiro dando sopa nelas, apenas protegi o patrimônio que estava ali, inesperadamente em meu nome. A Luciana não achou minhas contas quando buscou o dinheiro que você roubou dela, não é? Acho que posso enviar para ela o extrato dessas contas, pode ser que reconheça algumas transações.

Ele vem de novo em minha direção, está possesso, a respiração parece pesada, o rosto vermelho, as veias do pescoço saltadas. Theo entra em sua frente, impedindo-o de me alcançar.

— Além de manipulador, golpista, traidor e bandido, você também agride mulheres? O que mais vamos descobrir sobre você, Otto Bandido D'Ávila? — pergunto.

— Não ouse falar assim comigo! — grita, tenta passar por Theo, que tem um pouco de dificuldade em segurá-lo. — Você não sabe de nada! Não sabe o inferno que passei por sua causa! Se você não existisse, se eu não tivesse me apaixonado por você, estaria com ela, estaria bem, administrando sua fortuna, usando tudo como bem entendesse, mas você fodeu com tudo! Fez com que me apaixonasse, me fez querer construir uma vida ao seu lado e veja só aonde isso me levou!

— Você não tem alma, Otto, não tem sentimentos. Pessoas sem alma não são feitas para o amor, se elas tentam se destroem. É assim que funciona. Não tente me culpar por estar com outra quando me pediu em namoro, por já ser casado quando ia se casar comigo. Não ouse me insultar por proteger o patrimônio de mais uma idiota enganada por você.

— Se não me devolver o meu dinheiro você vai pagar, Bruna!

— Está me ameaçando? Devo acrescentar mais agravantes ao seu julgamento? Porque você sabe que não vai sair disso livre, não sabe? Quando eu contatar Luciana Ferraço e mostrar a ela o saldo das minhas contas, ela vai colocar você na cadeia!

Ele começa a rir, afasta-se de Theo, acalma-se de repente. Está rindo alto, seu corpo treme levemente. Noto que Fernando e minha avó estão aqui, eles fecharam a porta e assistiam tudo de longe. Agora Fernando vai até ele para se certificar de que está bem, mas ele não parece nada bem. Eles conversam baixinho, pouco depois Fernando é quem fala comigo.

— O apartamento é seu, Bruna, ele o deu a você. Apesar de não ser de bom tom, não é obrigada a devolvê-lo.

Respiro fundo, posso mandar um velho tomar no rabo?

— Mas o dinheiro é dele, não pertence a você. Não pode ficar com ele, você sabe que isso seria ilegal e...

— Mas não pretendo ficar com ele, pretendo devolvê-lo. Você passou quantos anos mesmo roubando a pobre da sua esposa? Três? Quatro? Vou devolver a ela com juros e correção monetária — explico com um sorriso tranquilo, então acontece.

Otto avança em mim de uma vez, Theo não consegue impedir, ele está diante de mim e me pega pelos braços, mas isso é tudo o que ele faz. Apenas me encara com raiva, os olhos cheios, escuros e cede. Não é capaz de me machucar. Ele me solta, cai de joelhos e grita, grita como um animal ferido. Ele não me comove com sua dor, não me comove com sua cena. Não tenho pena do que virá em seu caminho agora.

Estou cansada! Cansada dele, de Fernando, dessa família fria e estranha. Estou cansada de Theo e sua fraqueza. Cansada de defendê-lo por me deixar para não perder sua preciosa Casa, eu devia ser mais importante do que isso. Eu estava disposta a perder a minha apenas para tentar superá-lo.

Estou cansada de tudo.

— Fora do meu apartamento todos vocês — peço baixinho. Ninguém se move, então grito: — Fora! Fora do meu apartamento! Vou chamar a polícia! Fora!

A porta do apartamento é aberta e Valdir entra com dois seguranças.

— O que está havendo, Srta. Bruna?

— Valdir, este é Otto D'Ávila, ele não é dono deste lugar e não é nada meu. Ele me ameaçou, então a partir de agora exijo que sua presença neste condomínio seja proibida. Não me sinto segura com ele aqui.

Valdir tem os olhos arregalados e não se move.

— Tire-o daqui! — grito e eles se agem.

Os seguranças o pegam, Fernando insiste que o deixem em paz, uma confusão se inicia e só quero fugir, quero que eles sumam, todos eles.

Onde está Olivia? Preciso de Olivia!

Dois braços me cercam e quero lutar contra eles, mas não posso. Porque me sinto acalmar quando Theo me abraça, quando me embala em seu corpo e diz baixinho que acabou, que vai ficar tudo bem.

Otto é retirado, carregado pelos seguranças. Antes de passar pela porta, Fernando lança um último olhar a Theo, um olhar suplicante.

— Venha, filho, venha conosco. Seu irmão não pode ter o nome manchado desse jeito, nos ajude. Você é o mais inteligente desta família, sempre foi, sei que vai encontrar uma solução. Nos ajude, Theo — ele estende a mão a Theo, que não se move.

Mas sinto como seu corpo fica tenso, ouço seu coração acelerado pelo pedido do pai. Ele não me solta, apenas diz:

— Não. Você sempre me ensinou que um passo em falso vai mais longe do que dois na linha. Que uma queda, por menor que seja, te diminui. Quantos passos em falso Otto tem dado? Está na hora de ele cair.

Fernando parece incrédulo. Não diz mais nada, apenas passa pela porta fechando-a atrás de si.

Ouço minha avó dizendo alguma coisa, ouço a voz de Olivia, ela está mesmo aqui. Corre até mim e me prende em seus braços. Vovó vai contando a ela por alto o que aconteceu e ela me acalma. Diz que Theo ligou para que estivesse aqui porque eu precisaria dela.

Depois que nos acalmamos, vovó me apresenta os extratos de todas as contas. As transações, os valores, o que fez com eles. Ela não tocou em um centavo, claro que não tocaria. Pela primeira vez vejo também a herança que meu pai deixou para mim. É um valor alto demais, vovó tem cuidado bem do meu patrimônio até que eu seja a neta que espera que eu seja.

— Agradeço, vovó, por toda ajuda, pelo cuidado. Agradeço por ter vindo assim que Theo a chamou. — Ela baixa a cabeça e não diz nada, sei que depois que rompemos, ela estar aqui é sua maneira de dizer que me ama, que está cuidando de mim. — Mas quero total acesso à minha conta, à herança do meu pai. Quero eu mesma administrá-la a partir de agora.

— Até que enfim — Olivia solta, contendo-se em seguida.

— Você não saberia administrar tamanha fortuna, Bruna. Além do mais, temos um acordo. Só deixarei que tenha acesso a ela quando estiver à frente da Volpato.

— Não temos um acordo, essa foi uma ordem sua que acatei. Não concordei, precisei desse dinheiro, dessa segurança, ele teria evitado muitas das dores de cabeça que tive nesses últimos meses. Se eu cuidasse das minhas próprias contas, saberia que valores altos estavam sendo depositados nelas, teria desmascarado Otto bem antes. A senhora não entende? Quero acesso a minha conta, quero administrá-la. Se eu perder tudo é problema meu. Não quero que fique me vigiando e regrando em que posso ou não gastar.

Espero uma discussão, chantagens, motivos plausíveis pelos quais essa é uma péssima ideia ou ela não poder ceder, mas me surpreendendo completamente ela diz:

— Está certo, tudo será seu. Não vou intervir, nem sequer vou acompanhar o que está fazendo com seu dinheiro.

— Se...? — pergunto quando ela para de falar.

— Se ao menos passar no exame da ordem. Pode estar nesse caminho porque a incentivei, mas esse ainda seria seu caminho se eu não tivesse opinado. Está em você, na maneira como fala, como age, como defende quem ama, como aprendeu a se defender. Você é uma advogada. O que vai fazer com o dinheiro da esposa do Otto?

— Devolver a ela, claro!

— Você irá defendê-la. Preste o exame e te dou total acesso à sua conta. Não é uma condição, é um pedido.

Assinto, concordando. Vovó se despede pouco depois, abraça-me por tempo demais, o que é incomum nela. Despede-se de Olivia como sempre:

— Olivia, querida, mande um abraço ao Vicente por mim. E parabéns pelo seu noivado! Willian é ótimo.

Olivia está noiva? Do maléfico?

Então vovó vai até Theo, coloca as mãos em seu rosto e sorri.

— Bruna pode ser preguiçosa e encrenqueira, mas soube escolher bem. Obrigada por cuidar dela, Theo, querido. Não me deixe sem resposta, ainda quero suas receitas.

Theo sorri, um sorriso largo, contente e a abraça.

Encaro Olivia questionando essa informação de que está noiva, mas ela balbucia que depois me explica. Não há anel algum em sua mão, percebo.

Será que o maléfico não prestou nem mesmo para dar um anel decente a ela?

Olivia acompanha vovó, mesmo eu insistindo que fique, e me deixa sozinha com Theo.

Ele está sentado em uma das banquetas, em frente à ilha, bebe um copo de água, tem uma expressão séria que poucas vezes vi em seu rosto sempre brincalhão. Eu me aproximo e abro a boca para agradecer, mas ele me olha e apenas me encaixo entre suas penas e o abraço.

— Obrigada! Por tudo. Obrigada, Theo!

Ele me abraça de volta, deita a cabeça em meus seios.

— Não precisa agradecer, meu anjo.

Ele arriscou tudo para me fazer descobrir a verdade e não ganhou nada. Pelo contrário, apenas perdeu, uma vez que nem sequer recuperou a Casa.

Será que Otto não a devolveu porque ele me ajudou?

Até penso em perguntar isso a ele, mas não tenho forças agora. Afasto-me, acaricio seu cabelo e aponto para a porta.

— Fora!

— Ei, não seja deselegante.

— Fora, Theo. Não quero nenhum D'Ávila no meu apartamento.

Ele se levanta rindo.

— Você vai ficar bem?

— Um dia, mas vou.

— Sabe que estou um andar abaixo, se precisar é só bater à minha porta. Ainda que esteja injustamente me expulsando agora, talvez eu vá atendê-la.

— Não se empolgue, querido, porque não vou bater à sua porta.

— Veremos — diz e se afasta, saindo pela porta e fechando-a atrás de si.

E volto então ao meu quarto, minhas coisas, meu apartamento. Este lugar é meu. Não preciso de ninguém vivendo aqui comigo, ele é meu. Que bom que pelo menos para isso serviu os anos que perdi com Otto.

Na tarde seguinte, após horas de pesquisa na internet e nenhum resultado, visto a capa da vergonha e vou bater à porta de Theo. Dou três batidas e espero. Ele abre a porta ao telefone, usa apenas uma calça de moletom baixa em seu abdome definido e meus olhos passeiam preguiçosamente por seu corpo. Ele encerra a ligação e se recosta ao batente da porta. Tem um sorriso de lado enquanto me observa.

— Olha só quem já está batendo à minha porta!

— Não fique *se achando*, só estou aqui porque preciso de um favor.

— É claro — diz e entra, fechando a porta na minha cara.

Retorna pouco depois, vestindo uma camisa com sua carteira na mão.

— O que foi isso?

— Você me expulsou da sua casa ontem, logo, vai sofrer a penalidade. Só pode entrar na minha casa depois da segunda vez que bater à minha porta.

— Não terá segunda vez, seu babaca.

— Então não fará diferença se a deixarei entrar ou não.

Reviro os olhos e entramos no elevador, ele pretende apertar meu andar, mas aperto o térreo.

— Preciso que me leve a um lugar — digo.

— Me surpreenda — desafia.

— Me leve até Luciana Ferraço.

— Porra, Bruna, você não brinca em serviço. Mas não sei onde ela mora, porém, tenho o contato dela, posso pedir que venha até você.

Assinto, o elevador para no térreo e aperto meu andar, mas ele me puxa para fora.

— O que é isso?

— Vou ligar para ela, mas preciso ir a um lugar agora, então você vem comigo. Peço que ela nos encontre lá.

Não questiono. Tio Fabio o espera e ralho mais uma vez para que deixe de estar à disposição do sobrinho marmanjo. Tio Fabio parece mais triste esta tarde. Ele me diz que tudo vai ficar bem e que sou corajosa e apenas agradeço com um aceno. O lugar para onde estamos indo, claro, é a Casa.

Ainda está fechada, mato já começa a crescer na calçada, cobrindo os balizadores de luz. Theo encontra uma enxada no depósito da Casa e vai capinar o mato. Sem camisa, apenas para se exibir. O sol bate em sua pele e cada vez que a enxada toca o mato a lhama grita.

— Se alguma mulher ao volante bater o carro, a culpa será sua — aviso e ele fica rindo.

Depois, entramos para a Casa enquanto esperamos Luciana. As mesas estão cobertas por poeira, Theo limpa algumas, enquanto passa por elas. Acende uma luz apenas, a do bar, não que ele não seja coberto de luzes coloridas em neon. Prepara algo para que eu beba e vejo a saudade com que toca cada coisa aqui.

— Não vão mais abrir a Casa? — pergunto.

— Sim, depois que resolvermos com a vigilância sanitária. Farão outra vistoria, quando o problema do alvará for solucionado.

— E por que você não o solucionou ainda?

— Porque a Casa tem outro dono que não coopera — responde entredentes.

Otto não devolveu a Casa a ele, será que a vendeu mesmo? Será que fez Theo desistir de mim para enganá-lo?

Subo no palco onde as dançarinas ficavam para nos dar um descanso dos clientes beberrões e toco a barra fria de metal.

— Apenas para que saiba, se você encostar seu corpo nessa coisa, irei comê-la agora mesmo. Não me importa se há alguém para chegar, não me importa com quem você está agora, se ousar colocar seu corpo aí, irei comê-la — Theo avisa.

Olho em sua direção e vejo que ele tem um sorriso, desafiando-me a continuar. Arqueio as sobrancelhas e me aproximo mais da barra, mas então alguém bate à porta e a lhama chora copiosamente por seu sonho anulado.

Luciana ainda é uma mulher ingênua, tem uma expressão triste. Mas também, teve dois relacionamentos péssimos. Theo explica com calma tudo o que Otto fez e quando mostro o valor que tirou dela, ela chora. Desculpa-se por estar chorando, desculpa-se comigo várias vezes, como se fosse culpa dela eu ser amante do seu marido.

Meu Deus! Esse tempo todo eu era a amante dele. Luciana era sua esposa.

— Eu sinto muitíssimo pelo que passamos nas mãos dele, Luciana. Mas sabe de uma coisa? A partir de agora, os homens com quem nos envolvermos não poderão ser menos do que perfeitos. Não aceitaremos mais essas tralhas — brinco e finalmente ela ri.

Há um de seus funcionários com ela, um de sua confiança. Ele explica um pouco sobre a investigação que fizeram nas contas, depois que a alertou sobre as movimentações estranhas de Otto. Ela conta que não queria acreditar no começo, nem mesmo quando ele pediu o divórcio. Que ele viajou e ela ficou semanas se perguntando o que havia feito de errado.

Sei bem como é isso, sei exatamente como é. Eu me vejo nela, na dor que sente agora, na sensação de ter de esquecer alguém que se ama na marra, porque ele não merece esse amor. Isso é uma merda. E seu fiel escudeiro também desconfia de seu advogado, que a convenceu de que Otto era inocente.

— Sobre o valor que ele desviou, vocês conseguiram descobrir onde está? Ao menos uma parte dele? — ela pergunta e Theo me observa, deixando que eu dê essa resposta.

— Ele colocou tudo o que roubou de você em contas em meu nome. Eu não tinha conhecimento delas até ontem e foi por isso que quis conhecê-la. Vou devolver tudo a você.

Theo entrega a ela a pasta com as transações e valores. Luciana está chorando, emocionada. Ela me agradece tantas vezes, que nem sequer consigo contar. Disponibilizo a Volpato & Associados para ajudá-la. Não que ela precise financeiramente, mas precisa emocionalmente. Vai se sentir mais segura se, de alguma forma, eu estiver envolvida em sua defesa. E garanto que, se precisar de um depoimento meu, estou disponível.

— Sabe o que queria? Contar tudo sobre ele. Jogar toda a merda no ventilador. Queria acabar com o nome de Otto D'Ávila. Desculpe, Theo, mas eu queria — ela diz.

Ele dá de ombros, despreocupado.

— E por que não faz isso? — pergunta.

Ela parece confusa, como se a resposta fosse óbvia.

— Por você, claro. Pela Bruna, o nome dela também seria exposto. Pela D'Ávila e seus pais.

— Eu não me importo, por mim pode jogar a merda toda no ventilador. Vou te contar uma coisa, vingança não faz tudo passar, mas que ajuda, ajuda — comento e ela ri.

— Então, o que faz passar? — pergunta.

— Outro amor, de preferência o próprio. Esse vai te curar rapidinho — respondo.

Luciana assente, mas sei que não é algo que a gente consiga apenas praticar. Requer autoconhecimento, requer confiança, requer calma. Só consegui porque tive apoio, tive um apoio que me fez me apaixonar por mim enquanto me apaixonava por ele.

Por fim, quando está se despedindo, Theo diz:

— Você deveria jogar a merda no ventilador. Deveria colocar isso para fora. Se acha que essa é a maneira de você enfrentar tudo com mais calma, faça. Essa mocinha aqui se tornou uma beberrona e só não foi parar atrás das grades por agressão, porque sou bastante calmo — Theo diz, me provocando e acerto um tapa em seu braço.

Luciana ri, diz que vai pensar, mas é óbvio que vai contar à imprensa. Estava apenas esperando nossa aprovação, não achou que a teria, mas teve. É nítido em seus olhos como parece aliviada por poder destruir a imagem do homem que a destruiu.

Eu me vinguei através de seu irmão, ainda que de maneira alguma tenha sido proposital, mas como Otto mesmo disse, atingi onde mais doía. E ela vai fazer o mesmo, manchando o sobrenome que eles prezam tanto. Theo estava certo, está na hora da queda.

Eu o observo ao meu lado e apenas sinto muito que ele também vá cair com eles.

Na semana seguinte encontro Dario, o corretor amigo de Theo, em frente à Casa. Vim dirigindo meu novo carro, que Olivia me fez comprar.

Aliás, essa traíra ainda não apareceu, de forma que não tenho uma explicação sobre as notícias que achei na internet sobre seu noivado.

— Bruna, fiquei surpreso por sua ligação — ele diz.

Dario está na casa dos trinta anos, é alto, bonito, a pele negra ressalta seus traços fortes, tem um sorriso marcante.

— Queria que me ajudasse em algo. Na verdade, não sei se você poderá me ajudar, mas é minha única esperança. Como posso comprar a parte da Casa que está à venda?

Ele parece surpreso. Depois, parece entender.

— Quer devolver a Casa a ele, não é? — pergunta e assinto. — Não será possível, infelizmente, o dono da outra metade da Casa não a colocou à venda. Estou de olho nisso pelo Theo, assim que estiver à venda irei notificá-lo para que compre de volta antes que outro o faça.

— Quem detém metade do que é dele? Quem é essa pessoa? É Otto D'Ávila?

Ele nega.

— Seu pai, Fernando D'Ávila.

— Fernando? Mas, Dario, Fernando não vai colocar a Casa à venda, não vai cooperar para que Theo consiga reabri-la. Se não for tirada de suas mãos, a Casa vai fechar definitivamente.

— Você acha?

Ele parece confuso, fala sobre o valor comercial do ponto e o prejuízo que Fernando terá com isso. Ele não entende que o castigo de Theo não tem preço.

Quando estamos nos despedindo, observo o *food truck* abandonado à frente.

— Ainda não conseguiu vendê-lo? — pergunto.

— Não, todos que vem vê-lo o adoram, o valor está bem abaixo do mercado, o ponto é ótimo, mas alguma coisa acontece que ninguém fica com ele. Não sei mais o que fazer, Bartô vive me pressionando pelo dinheiro.

— Você está com a chave? Eu poderia vê-lo de novo?

— Claro, estou sempre com ela, vamos.

Atravessamos a rua e ele abre o pequeno automóvel parado. Observo rapidamente aqui por dentro, é organizado e prático. Não sei para o que serve tudo o que tem aqui, mas sei de alguém que sabe. E, de repente, uma ideia me vem à mente.

Não acredito que vou mesmo fazer isso. Respiro fundo, levanto a mão e bato à porta de Theo. Não tenho resposta, então bato de novo e de novo.

São pouco mais de 10h da manhã e temo que esteja dormindo. Não sei se já organizou seu horário de sono ou se ainda troca o dia pela noite como quando trabalhava na Casa. Bato mais forte.

Ele tem de estar em casa. Aonde iria essa hora?

— Acorda, seu babaca! — ralho baixinho.

— Batendo à minha porta de novo, vizinha?

A voz atrás de mim me faz dar um pulo. Theo está aqui, usa uma bermuda um pouco molhada, o cabelo pinga pelo piso, seu corpo está bronzeado e não usa camisa. Estava na piscina.

— Se exibindo para essas assanhadas de novo? — pergunto.

— Sempre. Segunda vez que você bate à minha porta. Como combinado, dessa vez você pode entrar — diz, despreocupado, abrindo-a, vejo sua senha, mas era o que ele queria, percebo, pois me observa com um sorriso provocante.

— Não tenho interesse em entrar na sua casa. Na verdade, quero que vá comigo a um lugar.

— Sempre quer me levar aos lugares. Eu vou, Bruna.

— Eu nem disse onde é.

— Não importa, vou com você para qualquer lugar. Vou apenas me vestir, não quer mesmo entrar? Uma pena! Tenho muffins novos no forno.

Ele mal termina de falar, já estou em direção à sua cozinha, ao forno, em busca dos muffins. Escuto sua risada, mas não me incomodo em me irritar, isso está mesmo delicioso.

Com um sorriso bobo no rosto, Theo me observa dirigir.

— Então agora você tem um carro, não precisa mais de carona.

— Meu carro não sobe pelo elevador comigo se eu estiver bêbada — respondo caindo em sua provocação, arrependendo-me em seguida. — Não que eu vá beber para precisar ser carregada, já passei dessa fase.

— É, você parece bem até demais — comenta, confuso, com um sorriso satisfeito e não entendo o que quer dizer.

Paro o carro em frente à Casa e seu sorriso é grande quando desce e observa seu lugar.

— Viemos aqui porque você vai subir finalmente na barra? Eu pensaria que esperaria até à noite para fazer algo assim, mas não me oponho em comê-la esta manhã. — Quando ele para de falar e olha para trás, estou abrindo o *food truck*. — Ei, por que está com a chave dessa coisa?

— Não chame minha coisa de coisa — retruco.

— Sua coisa?

— Esse é meu novo negócio.

— Seu novo negócio?

— Sim, papagaio, eu o comprei. Mas não faço ideia do que fazer com ele, apenas sei que vai dar certo. Por isso preciso de você. Pode me explicar o que é esse monte de parafernálias aqui? E me ajudar a montar um cardápio e me indicar bons fornecedores?

Ele está parado, ainda não entrou no *food truck*, tem a boca aberta, parece fora do ar.

— Theo? Está aí?

— Você comprou o *food truck*? De verdade?

Assinto. Ele pensa um pouco e entende, de repente caminha rápido, vem até mim e me puxa do degrau da entrada do *food truck*, girando comigo em um abraço, uma risada gostosa de orgulho.

— Você passou no exame da ordem. Parabéns, Srta. Advogada!

— Obrigada, não vou negar meus méritos porque mal estudei, mas me saí muito bem.

— O que Constanza acha dessa sua ideia de, após passar no exame, comprar um *food truck*?

— Ela ainda não sabe. Você acha que ela vai sobreviver?

— Não sei, sua avó já está mais para lá que para cá.

— Theo! Que horror! — ralho rindo.

— Foi você quem perguntou. De toda forma, não conte a ela ainda. Espere isso ser um sucesso, então você conta.

Ele passa por mim entrando no *food truck*. Vai me falando o que é cada coisa, mas cinco minutos depois, já me esqueci. Começa a montar um cardápio rápido, barato, prático. Dá-me um milhão de dicas de onde colocar cada utensilio para facilitar meu dia a dia, do que preciso comprar, do que poderia mudar na identidade do local para que saibam que tem um novo dono. Ele fala por horas, empolgado, um brilho em seus olhos que há muito não havia ali.

Eu me pego sorrindo por nada, vendo-o andar de um lado a outro, testando coisas, anotando ideias, pensando em nomes.

— Eu já tenho um nome — aviso quando ele me apresenta uma lista que inclui *The Food truck*. — Será *Delícia*.

Ele ri, ri alto.

— Se você estiver no cardápio, serei freguês — diz de repente.

— Você e mais quantos? — provoco.

— Mais ninguém, porque não permitirei que mais ninguém prove minha refeição preferida. Será um *foda truck* especialmente para mim.

— Babaca! — ralho rindo.

Passamos a semana toda cuidando de tudo. Da imagem, folders, cartazes, cardápios, troca das parafernálias, fornecedores. Theo abastece a geladeira e me dá tantas dicas que nem ao menos consigo entendê-las. Por fim, quando tudo está pronto e aprovo o cardápio, com um sorriso de lado pergunta:

— Quem é que vai cozinhar para você?

— Eu sei cozinhar — respondo.

— O nome dessa coisa é *Delícias do Chef*, então onde está o chef? Ironias, temos por aqui — provoca, referindo-se ao que eu disse quando vi o *food truck* pela primeira vez.

— Sabe, já que tocou no assunto, você está desempregado, acho que está com tempo demais livre, já que o passa na piscina do prédio assanhando as pobres mães. Talvez eu possa ajudá-lo com isso, posso oferecer uma vaga de chef no meu *food truck*.

Seu sorriso dobra de tamanho.

— É mesmo?

— Sim, você comandaria a cozinha, o cardápio e o preparo das refeições. Eu serviria as mesas.

— Como nos velhos tempos? — provoca.

— Como nos velhos tempos, exceto que eu serei sua chefe e todo o dinheiro fica comigo. Você recebe apenas seu salário.

— Muito pouco. Quero o salário e comissão dos pratos vendidos.

— De jeito nenhum, meu negócio é novo, não sabemos se vai dar certo, não posso contratar uma estrela logo na primeira semana. Seja humilde ou nada feito. Te pago apenas o salário.

— Apenas o salário qualquer outro restaurante me pagaria. Me convença a passar minhas horas preso neste espaço pequeno e quente com você.

— O que você acabou de dizer não é motivo suficiente?

— Se continuar me olhando assim, eu vou comer você aqui, sobre esse fogão que ainda não estreamos.

— Se vai trabalhar para mim, aprenda a controlar sua língua. Não tolero assédios. E controle também essa coisa — ralho apontando para o volume em sua calça.

— Não posso prometer nada, costumo perder a cabeça perto de você, não controlo o que sai da minha boca. E meu pau é bem treinado, é viciado em você e faz questão de vir cumprimentá-la. A culpa é sua.

Eu me pego rindo, essa foi uma péssima ideia.

Quando voltamos para casa no início da noite, com tudo acertado para abrirmos o *food truck* na semana seguinte, Theo desce do elevador em seu andar, mas pouco depois volta correndo e diz:

— Quer jantar comigo hoje?

— Não, já passamos o dia todo juntos.

As portas quase se fecham, mas ele impede.

— As mulheres costumam dizer que sou mais interessante durante a noite.

— Serei obrigada a discordar.

Ele ri. Sempre transávamos pela manhã, ao chegarmos da Casa.

Houve um tempo em que transávamos todas as manhãs e tardes, eu acordava com ele dentro de mim.

— No terraço, às vinte horas.

Ele se afasta e as portas começam a se fechar, mas ele impede de novo e diz:

— Eu amo você! Se vier jantar comigo, venha ciente disso.

Então se afasta deixando as portas se fecharem e meu coração parece sambar no peito. Minhas pernas ficam bambas, minha respiração acelerada. Nunca antes ele tinha dito que me ama. Não assim, com palavras claras, ditas na minha cara.

Ligo imediatamente para Olivia. Sinto-me alegre, excitada, com medo, ferida. Um montante de pensamentos desordenados toma minha cabeça enquanto espero impaciente que a voz da minha razão chegue.

Mais tarde, Olivia finalmente chega. Noto que ainda não há um anel de noivado em seu dedo. Sua expressão é cansada, ela se senta à minha frente e pergunta como estou.

— Me diz você, está ou não noiva? — pergunto.

— Essa resposta, amiga, não sei te dar. Willian me pediu em casamento e eu o amo.

— Mas...?

— Por que acha que há um *mas*?

— Se não houvesse, você estaria noiva.

— Acho que é cedo demais. Quer dizer, nos conhecemos há pouco tempo, por mais que tenhamos passado colados essas últimas semanas dos últimos dois meses, não é o bastante para conhecer uma pessoa. Por outro lado, penso que você ficou com Otto por dois anos e também não o conhecia, então será que há mesmo um tempo certo em que é possível conhecer alguém?

Sorrio. Não há. Não se trata do tempo, sim, da pessoa.

— Não um há tempo certo, Olivia, mas se você está em dúvida quanto ao pedido de casamento, é porque não é a hora. Essa não é uma decisão que você pode tomar em dúvida. De toda forma, conheço Theo há poucos meses, mas eu diria *sim* a ele sem pensar duas vezes. Eu o conheço, sei exatamente como é, como vai agir, o que vai sentir, o que precisa. É uma familiaridade que nunca tive com o Otto, em anos.

— E como vocês estão?

— Não estamos. Não faz sentido ele ter terminado comigo, eu acho.

— Tanto faz — ela diz um tempo depois, suspirando como se estivesse cansada. — Eu tenho lutado desde sempre para não permitir que meu pai decida meu futuro e me apaixonei por um futuro escolhido por ele. Será que não é isso que me faz pensar antes de aceitar? E você, o cara terminou com você, está bem, mas foi contra toda a família para defendê-la. E nem estavam juntos! Quer dizer, o quanto arriscou para te ver bem? Talvez estejamos pensando demais, complicando coisas que não precisam ser complicadas.

— Willian não é o cara certo para você, tem algo errado com ele — alerto. — Apenas se lembre disso caso esteja pensando em sair por essa porta e dizer *sim* à proposta dele.

— Não sei por que você cismou com ele desse jeito. Nós duas sabemos que seu radar para homens ruins não funciona, Srta. Noiva de Otto D'Ávila.

— Deixa de ser cretina! — ralho. — Não cismei com ele, eu apenas sei, assim como você sabia quando viu o Otto pela primeira vez. Vamos chamar de intuição de amiga. Não é ele, ache outro.

— Vou te dizer uma coisa, Bruna... Vinte e um centímetros.

— Esse será o tamanho do seu chifre?

Ela bate na mesa de centro três vezes e me olha, irritada, e começamos a rir. Bato também, para que minha amiga não passe pelo que passei.

— Vou ter de me acostumar com o maléfico, não é? Você vai se casar — constato, derrotada.

— E eu com um homem que tem a mesma cara do idiota do seu ex. Fazer o quê? É o que teremos de passar se nosso amor é para sempre.

— Eu te amo, cretina! — digo, abraçando-a.

— Eu também te amo, sua vaca!

— Parabéns pelo casamento, diga *sim* se quer dizer, mas faça esse noivado durar uma vida.

Ela ri, mas concorda.

— Vou fazer durar o quanto for preciso.

Espero que eu esteja errada sobre Willian.

Quando Olivia deixa meu apartamento, tomo um banho, a mente ainda em mil pensamentos e aquela frase voltando a ela o tempo todo.

Como ele pode dizer que me ama depois de ter terminado comigo? De ter desistido?

Mas depois de ter ido contra toda sua família para me defender. Merda! Confiro as horas, são 20h45.

Que se dane, não queria jantar com ele mesmo!

Vou direto até o terraço. Abro a porta e ela bate atrás de mim. Theo está logo à frente, assando algo na fogueira que está acesa, um cobertor azul sobre seus ombros. Ao baque da porta fechando, olha em minha direção e seu sorriso quando me vê quase me faz desistir do que vim dizer.

— Você não pode dizer que me ama — ralho. — Não tem o direito de dizer isso depois de me dar um pé na bunda neste mesmo lugar.

Ele se levanta e vem em minha direção.

— Mas amo, uma coisa não tem a ver com a outra.

— Como não tem? Se me amasse de verdade, não teria desistido! Não teria me deixado por medo de perder seu negócio, você teria lutado.

— Lutado contra o quê? Seu amor por ele? Acha que eu não queria?

— Acho, afinal de contas, você terminou comigo!

— Porque você estava de casamento marcado com ele enquanto dormia comigo! Eu queria odiar você, mas não consigo, só consigo te amar!

— Que casamento marcado? Do que você está falando?!

— Bruna, não me faça de bobo! Você confirmou a data! Eu liguei para Olivia, você disse que confirmou tudo. Foi você, não ele!

Analiso seu rosto vermelho, os olhos acesos e não acredito que esse foi o motivo de ele ter me deixado.

— Foi por isso que você terminou comigo? Por causa desse casamento marcado?

— É claro! Otto disse que você ainda o amava, que havia confirmado o casamento e eu não queria acreditar, mas Olivia disse que era verdade. O que você queria que eu fizesse?

— Que dissesse que me amava naquela noite em vez de "eu não tenho nada por dentro, minha mãe estava certa". Eu teria dito que também te amo e não estaríamos esse tempo todo separados!

— Você me ama? — pergunta baixinho, confuso.

— Agora, não mais. Eu confirmei o casamento quando havia uma semana que Otto tinha me deixado, estava ferida, sofrendo, queria me vingar. O valor é alto demais e o cheque em que descontaram era dele. Foi só uma vingança boba. Depois tentei cancelar, liguei para eles do celular da Olivia, mas não permitiram, o cancelamento só pode ser feito até seis meses antes. Por isso começaram a me ligar no celular dela, mesmo porque o meu estava desligado, porque Otto me disse que estava chantageando você para que terminasse comigo. Achei que fosse ceder e não queria que tivesse acesso a mim para que não conseguisse terminar. Ele disse que você ia me deixar para não perder a Casa, eu não queria que você me deixasse.

— Merda, Bruna! Quem se importa com a Casa? Ele podia tirar tudo de mim, a Casa, dinheiro, automóveis, eu não ligo. Eu só queria você. Podiam tirar o sobrenome, a família, mas não você. Te dizer essas coisas aquela noite foi a coisa mais difícil que já fiz e quis tanto odiá-la, que me odiei por ser incapaz, porque a amo demais para isso. Porque estou desde então ao seu dispor torcendo para que não desse certo com ele e voltasse para mim. Porque fui atrás de qualquer motivo que te fizesse esquecê-lo para eu ter ao menos uma chance. Então me diz, Bruna, diz que me ama de novo.

Meus olhos estão cheios, meu coração também.

— Não, não vou dizer nada.

— Diz — pede baixinho, aproximando-se mais, suas mãos tocam meus braços, os olhos verdes intensos fixos em meus lábios. — Diz que me ama.

— Não. — Ele se aproxima mais um pouco. — Eu te amo! Amo você, seu babaca!

Sua mão se enfia em meu cabelo e sua boca alcança a minha. Senti tanta falta desse contato, dessa posse de seus lábios nos meus. Nossas línguas se misturam, nossos corpos estão colados. Mais do que tesão, do que desejo, é uma necessidade, uma saudade que vem da alma. A lhama comemora como há muito não fazia.

Ele me guia em direção à porta. Vamos para meu apartamento ou o dele, não importa. Não vou me opor nem que ele me leve para o maldito colchão d'água. Mas quando tenta abrir a porta, ela não abre.

Ele se afasta e tenta abri-la de novo.

— Bruna, você tirou a chave antes de bater a porta?

Mordo o lábio e arregalo os olhos e ele está rindo.

— Trouxe celular? — Tenta e nego com a cabeça. — Eu também não.

Eu me pego rindo também.

— Parece que estamos trancados aqui — constato.

— A noite toda — ele completa.

Aproximo-me da fogueira, pegando um marshmallow de sua bandeja.

— O que vamos ficar fazendo? Você me prometeu um jantar e não estou disposta a tirar minha roupa aqui nesse frio, então...

Ele me puxa e sua mão está na minha, cai para trás, sentando no banco e subo em seu colo, sentindo sua ereção sob meu centro.

— Vamos ter comida esta noite, delícia, vou comê-la agora mesmo. Pode tirar sua roupa sem medo, você não vai sentir frio. Estou quente o bastante por nós dois. — Sua voz é baixa, rouca, suas promessas impossíveis de negar.

Afasto-me e tiro a roupa rapidamente. Ele faz o mesmo.

O frio imediatamente toca minha pele, intumesce os mamilos e arrepia meu corpo. Penso que essa pode ser uma ideia ruim, mas não ligo quando vejo seu pau.

Como senti falta dele!

Theo forra o banco com um cobertor e me guia até ele, deitando-me com cuidado. Seu corpo está sobre o meu então, e o vento frio não me toca mais. Ele se encaixa entre minhas pernas. Minhas mãos passeiam rapidamente por seu peito firme, a barriga, as tatuagens. E ele me beija. E me penetra. Devagar, para dentro de mim e cessa o beijo, respirando fundo.

— Por que você faz isso? — pergunto finalmente.

— Porque cada vez que entro em você é diferente. Toda vez preciso me acostumar à sensação tão gostosa, certa, de estar em você. É como se algo me dissesse que não devo sair daqui nunca mais. É por isso que preciso apreciar cada vez que a penetro, porque é a melhor sensação do mundo.

Sorrio, emocionada com suas palavras.

— Eu também amo você, Theo!

— Eu te amo mais, Srta. Atrevida — responde com um sorriso e se move, retirando-se e me preenchendo de novo.

Seu corpo pende mais para frente, o peso sobre o meu, seu peito esmagando meus seios, seu corpo deslizando pelo meu conforme me preenche. Arranho suas costas, sinto-o dentro de mim de tantas maneiras, que nem sequer consigo assimilar. Sua boca está em minha pele, em meu pescoço, lambendo, beijando. Mas preciso de mais dele. Não parece ser o bastante.

— Mais, Theo, mais fundo — peço.

Ele se move rapidamente. Sai de mim e me levanta sem dificuldade, preenche-me assim, de pé, sustentando-me em seus braços.

— Alguém vai nos ver desse jeito — comento, olhando para os lados.

— Deixe que morram de inveja.

— Babaca.

— Gostosa.

Ele move os braços, subindo-me e descendo sobre seu pau, alcançando fundo, mas devagar. Meus braços se prendem em volta de seu pescoço e meus seios estão aquecidos, percorrendo sua pele firme conforme ele me move. Então se senta no banco, as chamas da fogueira aquece minhas costas enquanto apoio os joelhos sobre o cobertor. Nossas bocas se encontram, nossas línguas em seu sexo particular. Ele preenche as mãos com meus seios, apertando-os e cavalgo. Subo e desço sobre ele, sentindo-o dentro de mim, preenchendo-me por inteiro, tomando-me.

Meus dedos se enfiam entre seu cabelo, meus braços contornam seu pescoço e acelero, subindo e descendo mais rápido. Logo, suas mãos estão em minha pele, ele aperta minha bunda, seus gemidos se misturam aos meus, a maneira como seus dedos entram em minha carne, abrem-me mais. E ele me ajuda a cavalgar mais alto. Talvez seja a saudade de tê-lo assim ou a certeza de que isso é para sempre... Talvez tenha sido a liberdade de dizer que o amo e ouvir que ele me ama, mas é tão intenso e quente, tão gostoso e confortável estar sobre ele. Gozo, puxando seu cabelo, ele vem em seguida, apertando-me em seus braços.

Vestidos e saciados, continuamos trancados no terraço. Theo coloca lenha na fogueira, comemos o que ele chama de noite gourmet na fogueira, espetinhos de batata com almôndegas assadas direto no fogo e dormimos sobre os cobertores, embolados um no outro até que alguém nos salve pela manhã.

CAPÍTULO 20

Theo

A abertura do *food truck* foi um sucesso maior do que eu previa. As mesas que disponibilizamos em frente só ficam cheias e Bruna teve a ideia de disponibilizar mais mesas do outro lado da rua, em frente à Casa. Muitos dos fregueses que vêm aqui eram da Casa, já que o ponto fica no caminho entre o polo industrial da cidade e alguns dos residenciais. E acontece bastante de me perguntarem quando a Casa reabrirá. E cada vez que preciso responder a isso, parece doer mais.

Não que eu sinta falta de trabalhar lá, acho que gosto mais daqui, não é calmo, mas é uma loucura diferente. Aqui tenho liberdade de comandar uma cozinha, minha própria cozinha e até já comecei um curso de culinária. Gosto disso, de criar pratos, descobrir sabores, de ver as pessoas se perdendo por um gosto surpreendente. Mas, não é justo que meu trabalho esteja fechado por capricho daqueles que deveriam ser minha família.

Quando o nome do meu pai aparece na tela do celular, penso que é a hora da cartada final. O adeus definitivo à Casa, à família, ao sobrenome D'Ávila.

— *Theo, como tem passado?*

— O que você quer, pai?

— *Direto ao ponto, então. Precisamos falar, me encontre na Casa manhã à tarde. É importante*.

Apenas isso, não há um horário ou qualquer outra informação. De forma que hoje estou aqui o dia todo, porque "à tarde" engloba muitas horas.

Ele aparece pouco depois das 15h, conferindo o relógio no pulso, uma pasta na mão, o rosto cansado. Surpreende-me que ainda esteja na capital, mas ele explica que voltou hoje, por mim. Sirvo algo que ele bebe com desconfiança, mas parece aprovar. É um drink que criei, em que utilizo seu precioso *The Macallan*.

— O caminhão aí na frente é seu? — pergunta.

— Da Bruna, mas trabalho lá com ela.

— Estão firmes então? Isso entre vocês é sério ou ela será mais uma Selena?

— Pai...

— Só estou preocupado. Você enfrentou sua família e rompeu com seu irmão por ela. Será, Theo, que ela é a mulher com quem vai se casar ou é só mais uma com quem vai passar muito tempo?

— Ela é a mulher da minha vida. Sim, estamos firmes, é sério. Vou me casar e ter filhos com ela — respondo firmemente e ele tem um sorriso satisfeito, orgulhoso até.

— Você cresceu. Então, tudo o que fez foi por amor.

— Pensou que fosse por competição?

— Por muito tempo, sim. Mas depois percebi que apenas agiu como agimos. Situação extrema, medida extrema. Você acabou com seu irmão, mas ficou com a garota, tinha esperança de que gostasse de verdade dela. Selena está inconsolável.

Não respondo, não acredito nisso nem por um segundo. Mas não vou começar uma discussão desnecessária quando é a primeira vez que ele está diante de mim, falando apenas sobre *mim*. Sem me pedir algo por Otto, sem me dar uma ordem que o beneficie, *eu* sendo o foco. É a primeira vez de que me lembro de que age como meu pai e talvez isso signifique que nossa relação tenha alguma salvação.

— Eu amo a Bruna, pai. Farei o que for preciso por ela. Farei o extremo se for preciso.

Ele assente, o sorriso ali de novo, o orgulho, vejo.

— Se vocês planejam se casar, deveriam fazer isso o mais breve possível. Constanza vai tirar o sobrinho da presidência da Volpato, ele não serve, é um incapaz. Casando-se com Bruna, você vai assumir a Volpato.

O brilho em seus olhos e a maneira como me olha de cima não deveriam mais me machucar.

— Vamos nos casar em breve — confirmo, os punhos cerrados por baixo da mesa, enquanto tento controlar meu tom de voz. — Mas não assumirei a Volpato. Me formei em Direito porque não tive escolha, esta não é minha área. De toda forma, Bruna é a neta de Constanza e é advogada. Se alguém deve assumir a Volpato, esse alguém é ela.

— Não seja tolo. Bruna não tem pulso para assumir uma firma com o peso da Volpato. Constanza e André fizeram um trabalho brilhante, esses pirralhos que a comandam agora fizeram com que perdesse um pouco disso, mas você, Theo, o sobrenome D'Ávila somado ao Volpato, a levaria de novo às alturas. Seria uma união que tornaria...

— Você o merda mais importante do Direito no país. Que diferença isso faz para mim? Estou dizendo que vou me casar com a mulher que amo e tudo o que te importa é o que com isso posso conseguir para o seu sobrenome.

— Se você vai se casar com alguém que possui um sobrenome como o dela e não pensa nisso, então é mais tolo do que eu pensava.

— O que é ser tolo para você? Porque o filho que você considera sábio, pode ir para a cadeia, pode ter seu nome e sobrenome manchados por seus golpes em mulheres. Você já parou para pensar nisso?

Ele se levanta tão depressa que a cadeira em que estava sentado cai para trás, com um baque alto no ambiente vazio.

— Como ousa? A culpa disso é sua! O que quer que aconteça com Otto será culpa sua! Ele errou, sim, foi falho por ganância, é um erro comum em nossa sociedade, mas não cairia se não fosse você. Ele mesmo corrigiu seus erros, teria feito antes se você não tivesse entrado em seu caminho, mas conseguiu no fim. Luciana fez um acordo com ele, mas perdeu muito dinheiro porque você decidiu se envolver com a noiva dele.

Também me levanto, de repente cansado demais.

— Não vou entrar de novo nesse assunto. O que quer aqui? Veio me pedir para assumir a empresa da minha namorada? A resposta é não. Ainda quando eu me casar com ela, não quero você e ninguém da família próximo a Volpato, não haverá qualquer associação entre as duas firmas. Nem tente ou irei fazê-lo se envergonhar.

— Você é um egoísta! — grita. — Entregou seu irmão e se recusa a fazer qualquer coisa que possa beneficiar a família. Você enche a boca para julgar o que é ou não família, mas família se defende. Independente se está errado ou não, família tem de ser a base, não, o júri.

— E quando foi que você me defendeu? Hein? Quando foi que veio em minha defesa ou ao menos se preocupou em saber como eu estava? Quando algum de vocês foi família? Eu sou egoísta, pai? Tem certeza? Olhe suas atitudes comigo e me diz o que é egoísmo. Você sempre teve apenas um filho e deve continuar tendo somente ele. Eu cansei.

— Metade disso aqui ainda está em meu nome, você deveria...

— Pois fique com tudo. Jogue fora, venda, doe, feche, faça o que quiser. Não me importa. Quer tirar isso de mim de uma vez? Tire. Não é o mais importante, vai me machucar, mas não mais do que está fazendo agora. Isso é o máximo que permitirei que você me machuque a partir de agora. Você só tem um filho, Fernando. Não me procure mais, não finja que se importa. Não tente usar meus méritos ou da minha mulher, porque não somos família.

Ele faz um gesto negativo com a cabeça.

— Menino tolo. Um relacionamento amoroso pode terminar, provavelmente vai. Os únicos relacionamentos que você terá a vida toda são os de sangue, negá-los é se condenar a solidão.

— Não quando a solidão existe, apesar dos relacionamentos de sangue.

Não é porque seu sangue corre nas minhas veias que eu tenha de aturar seus abusos. Insultos. Cobranças. E não se preocupe, além dela, eu tenho família. Não estarei sozinho.

Ele entende de quem estou falando. A cor some de seu rosto, a raiva brilha em seus olhos. Ele até tenta brigar, mas desiste, percebe que não vale a pena. Por fim, apenas diz:

— Você vai se arrepender, moleque.

— Já me arrependo de muitas coisas quando se trata de vocês, Fernando, mas não me arrependerei disso. Feche a Casa, vou colocar minha parte à venda. Adeus!

Eu o deixo aqui, o local que agora pertence a ele, e saio.

Foi um adeus definitivo. Os D'Ávila não serão mais um peso sobre meus ombros, um punhal em meu peito, à espreita. Por anos acreditei que tinha a obrigação de me encaixar no que esperavam de mim, mas isso não funcionou. Então me culpei por não ser o que esperavam. Depois, aceitei que eu tinha de amá-los e aceitá-los como são, que eram meu sangue, portanto, minha obrigação aceitar o que viesse deles. Mas isso não pode estar certo. Pessoas são diferentes, amam de forma diferente, algumas apenas não amam.

Por que temos de nos sacrificar por quem apenas não nos ama? Independentemente de quem seja essa pessoa na nossa vida?

Bruna não está em nenhum dos apartamentos, encontro-a no terraço. Há aperitivos e latas de cerveja sobre o banco. Está tentando acender a fogueira.

— Se o que está fazendo der certo, vai ficar sem sobrancelhas — digo e imediatamente ela se afasta.

— Acenda a fogueira então, Sr. Tocha.

Eu o faço, sento-me ao seu lado, ela abre uma lata e me entrega, deita a cabeça em meu ombro. Não digo nada, mas não é preciso, apenas a presença dela me acalma. Bruna perdeu sua família cedo demais. Pais que a amavam, que cuidavam dela. Eu perdi a minha tarde demais, porque não me amam. Somos órfãos.

— Como é não ter pais? — pergunto.

Ela pensa por muito tempo antes de responder:

— Se qualquer outra pessoa me perguntasse isso, eu diria que é uma dor que nunca vai sarar. Mas sendo você, vou dizer que é melhor do que ter pais como os seus. O que seu pai queria?

— Status, bajulação, mais dinheiro.

— Ele queria a Volpato. — Assinto. — Você sabe que ele está certo, não é? Se nós nos casarmos um dia, vovó vai pedir que você assuma a firma.

— Que eu saiba, ela já exigiu que você a assuma.

— E não estou disposta a fazer isso.

— Não estava quando era uma obrigação, estará quando for uma opção.

Não quero sua empresa, meu anjo, mas obrigado por me ceder seu império milionário.

Ela sorri.

— Você pode me contar sobre a Selena?

— Não é importante.

— É, para mim. Vocês ficaram juntos por muitos anos, você deu a ela um chapéu da França.

Rio alto, ela tem um jeito único de me fazer sentir bem, não importa a situação. Eu a puxo para meus braços, sentando-a em meu colo.

— Não ficamos quatro anos juntos. Ficamos uma vez, depois de meses começamos a namorar e de repente estávamos fazendo um ano. Terminamos. Um ano depois voltamos e fizemos três anos de namoro. Quatro anos foi o tempo em que todo esse rolo durou do primeiro beijo ao adeus. Não fui um cara legal com ela, eu quis ir embora, estava sufocando e não parei para pensar em como ela se sentiria. Eu não a amava, mas não tinha coragem de dizer isso. Então deixei que as coisas acontecessem. Era o que nossas famílias queriam, todos pareciam aprovar. Eu não a traia, apenas não a amava. E quando me cansei, me cansei dela também. Não fui legal. Teria sido melhor se eu tivesse sido sincero.

— Não acho que teria feito diferença — ela diz. — Seja sincero comigo, Theo. Você planeja me pedir em namoro?

— Que conversa é essa? Por acaso somos o quê?

— Amigos coloridos.

— Bruna, eu vou jogá-la nesta fogueira se repetir uma coisa dessas — ameaço.

— Você não me pediu em namoro.

— Nós vivemos juntos.

— Em duas casas. É o que amigos coloridos fazem. — Ela tenta segurar o riso, está me provocando, distraindo-me.

— Você quer um pedido formal então?

— É óbvio. Acha que vou me contentar com *quero fodê-la todas as noites*? Faça um pedido decente.

Sorrio.

— Rompi definitivamente com Fernando hoje. Acha que sou frio?

— Se há uma coisa que nunca vou pensar que você é, é frio. Você me lembra o fogo. E não está errado, você tem livre-arbítrio para buscar sua felicidade, seja ela onde for. Infelizmente, a sua não está com sua família. Eu sinto muito. Você deve ficar de luto.

Eu a aperto em meus braços. Eu devia estar mais triste do que me sinto agora, mas não consigo. Não quando a tenho aqui, não quando eu a tenho.

— Então cuida de mim, delícia.

— É o que estou fazendo — diz baixinho.

— Eu sei.

Três dias depois, Júlia Almeida, uma das mais brilhantes advogadas da D'Ávila, marca um encontro comigo em uma cafeteria qualquer da cidade. Bruna vem comigo, porque de lá vamos fazer compras para o *food truck*.

— Olá, Theo. Oi, Bruna. Estou aqui a pedido do seu pai. Ele quer que você assine isso. Vou cuidar de tudo, você só precisa assinar e isso é seu — diz arrastando uma chave pela mesa.

Confuso, pego os papéis que ela quer eu assine e mal posso acreditar. Meu pai está me devolvendo a Casa. Devolvendo sua parte das ações. Há uma confissão de Otto de que o funcionário da vigilância sanitária era uma farsa. A Casa nunca esteve fechada de verdade. O número que ele deixou, com quem falamos algumas vezes desde então na tentativa de resolver tudo, era de uma empresa falsa. Otto armou isso.

E por algum motivo meu pai está me contando isso agora. Mais do que isso, está me dando uma chance de agir contra Otto. Minha mão treme levemente quando Júlia estende a caneta. Assino rapidamente a concessão das ações do meu pai a mim. E entrego a ela tudo assinado, entrego a ela também a confissão de Otto. Não vou fazer nada contra ele. Não é necessário.

— Obrigado, Júlia!

— Não me agradeça. Vou agora mesmo cuidar disso, sua chave. Se fizerem um grande evento de reinauguração, me convidem.

— Vamos convidar— Bruna garante.

— Boa sorte, Theo! — ela diz indo embora.

Bruna se senta à minha frente, onde Júlia estava. Segura minha mão por cima da mesa.

— Foi o jeito dele de pedir desculpas? — Assinto. — Bem, antes tarde do que nunca.

— Isso não muda nada — garanto.

— Não muda o relacionamento de vocês agora, mas muda muito aí dentro da sua cabeça. Seu pai te ama, Theo, só que tem pessoas que não sabem amar. O que importa é que Casa é sua de novo, ela é apenas sua. A justiça foi feita.

Sorrio, ela está certa. E o que toma meu peito agora é algo como nostalgia, felicidade e alívio. Algo com um encerramento, mas um encerramento bom. Um final feliz, vou chamar assim. Tive um final feliz com minha família no final das contas.

Em vez de irmos às compras, vamos à Casa. Bruna fala empolgada sobre o evento que poderíamos fazer para a reinauguração. Observo em volta este, que foi meu lar por tanto tempo, mas não tem mais cara de lar. É um lugar que amo, estou feliz que seja meu. Aliviado, até. Aliviado que Júlio e os outros funcionários terão seus empregos de volta. Mas não tenho mais disposição para viver aqui, eu acho.

Quero me casar com essa menina que não para de falar desde que entramos aqui e ter filhos com ela. Como cuidaríamos de crianças com os horários que este lugar exige?

Parece que de algumas semanas para cá, desde quando a Casa fechou, mudei bastante.

A noite começa a cair, o *food truck* abre em pouco tempo e me preparo para avisar Bruna, mas ela está no palco, pendurada em uma barra de *pole dance*. Sorrio. Aproximo-me, cauteloso. Ela vê que estou perto e comenta:

— Você sabe onde isso vai acabar, não sabe? Vou cair de cara no chão. Já pode deixar o kit de primeiros socorros à mão. Sempre quis saber do jeito que elas fazem isso. Como é que rodopia nessa coisa?

Ligo as luzes do palco, o resto da Casa na mais completa escuridão, também solto a fumaça, ela sorri, grata. Tira o casaco, que atrapalha o movimento de seus braços. Arrasto uma cadeira até diante do palco e me sento para assistir seu show. Suas mãos contornam a barra de metal, ela consegue se pendurar, consegue se firmar com as pernas, consegue rodopiar.

— Está fazendo isso errado, nunca vi aí nenhuma delas vestida — comento.

Ela sorri. Desce da barra e tira a calça jeans. Devagar, provocando-me. Coloca os dedos nas laterais da calcinha como se fosse tirá-la e me ajeito na cadeira, mas não o faz.

— Acho que nunca as vi com a boceta de fora, não é? — provoca.

— Está jogando um jogo perigoso, Bruna.

— Mas esses não são os melhores?

— Vá, delícia, rodopia nesse pau, porque eu te avisei, se tocasse aí eu iria fodê-la. Assim que sair daí, você vai subir nesse aqui — aviso libertando meu pau, tocando-o diante de seus olhos.

Ela tira a blusa então, os olhos atrevidos fixos em meus movimentos. Está apenas de calcinha agora. Recosta-se na barra de costas, as mãos para cima. É tão linda, que não consigo esperar, vou até ela. Nem sequer me dou conta disso até que estou tocando sua pele com a ponta dos dedos.

— Mas eu ainda nem comecei meu show — ela avisa.

— Vai começar agora, comigo.

Ela morde o lábio e contorno seus seios com a ponta do dedo. O cabelo escuro reflete a luz lilás do palco, sua pele brilha em neon. Tiro a boxer devagar, meus olhos apreciando cada pedaço de pele nua, reluzente. Tiro a peça e me aproximo dela. Suas mãos ainda estão para o alto, segurando a barra, eu as seguro e amarro com a boxer. Atenta, ela observa o que estou fazendo, tem um sorriso no rosto quando termino. Minhas mãos tocam sua pele enquanto caio de joelhos diante dela, tirando a peça delicada por suas pernas.

— Ah, Bruna, sempre a altura certa — elogio.

Pego suas pernas e as passo de uma vez por cima dos meus ombros, ela grita, mas não cai porque está presa pelas mãos na barra, então a chupo. Essa posição não será confortável, de forma que preciso ser rápido, implacável. Chupo com força. Meus lábios prendem seu clitóris, os dentes arranham e meus dedos a penetram, ela geme alto, contorce-se e faço mais forte. Quando meus dentes arranham pela segunda vez seu clitóris, ela goza. Rápido assim. Sensível assim.

Coloco-a de pé de novo e me levanto.

— Você chupa como um selvagem — acusa.

— Espere até ver como vou fodê-la.

Minhas mãos se cravam em sua bunda, nossos corpos se encontrando. Eu a levanto, então ela passa as pernas em volta do meu corpo e a penetro. Quero fodê-la com pressa, com força. Nunca transamos na Casa, temos muitos lugares para estrear aqui, mas não consigo me mover quando entro nela. Porque preciso parar e senti-la à minha volta, habituar-me à sensação de tê-la. Quando abro os olhos, os seus estão fechados. Abocanho seu seio e ela grita com a surpresa. Permaneço dentro dela assim, parado, sentindo-a me abrigar, brincando com seus seios, seus mamilos, sentindo-a se contorcer. Está deliciosamente molhada e geme cada vez que se contorce com meu pau todo dentro dela.

— Você disse que ia ser selvagem — cobra.

Deixo que suas pernas escorreguem, o movimento a faz gemer, meu pau ainda abrigado nela. Eu a encosto na barra atrás de si, suas mãos ainda presas acima de sua cabeça por minha boxer. Levanto apenas uma de suas pernas, apoiando-a no meu braço. Seus olhos estão sobre meu rosto, ansiosos. Ela está bem aberta assim, apoiada em um salto, recostada à barra, amarrada e nua diante de mim. Com a mão livre, seguro a barra logo acima de suas mãos e me movo.

A barra é bem firme no chão e teto, fui meticuloso para que nenhum acidente acontecesse às dançarinas. De forma que agora posso fodê-la contra ela com força. Seus seios se agitam quando arremeto, suas mãos puxam o tecido, ela grita e meto de novo e de novo. Meu pau afunda nela, nossos corpos se chocam, seus olhos se fecham e ela grita. A mão que segura a barra agora aperta suas mãos amarradas, a que ampara sua perna se crava na pele quente, meus sentidos querem me deixar, mas quero ficar mais aqui, dentro dela. O lugar é escuro, exceto pela luz lilás neon e há a fumaça. É como nosso show particular. Aproximo a boca de sua orelha e digo baixinho:

— Como você fica gostosa sob a luz neon, amarrada a essa barra. Eu a foderia por toda noite, incontáveis vezes, até que me implorasse para parar. Posso repetir que a amo cada vez que meu pau entrar em você e atingir bem fundo.

A cada estocada digo algo ao seu ouvido. Sua pele está arrepiada, seus gemidos se tornam sussurros constantes, desesperados. Ela choraminga meu nome, pede que eu não pare.

— Não quer que eu pare o que, delícia? De foder essa sua boceta deliciosa ou de falar ao seu ouvido o quanto você é gostosa?

— Os dois... Não pare os dois — diz entredentes.

Seu corpo está suado, sua boceta está prestes a se entregar, aperta-me daquele jeito gostoso de quando ela vai gozar, arremeto mais uma vez e digo:

— Goza, delícia, vem pra mim.

E ela goza, grita se perdendo, o corpo em espasmos, a perna perdendo a força. Previ isso, então a amparei. Solto suas mãos enquanto ela se recupera, seu corpo está mole, meu pau pulsa, reclama por sair dela sem se derramar. E assim que se recupera, ela se ajoelha à minha frente. Seguro seu cabelo, olhando-a abrigar meu pau na boca, a fumaça à sua volta, as luzes neon sobre seu rosto.

— Porra, Bruna, você acaba comigo!

E ela me chupa. Sua língua passeia pela extensão e seus lábios carnudos chupam com força, levando-me até sua garganta, pressionando de uma maneira deliciosa. Puxo seu cabelo, quero que isso dure mais, ela chupa de novo, suas mãos estão em minha bunda, ela crava as unhas na carne, leva-me até o limite de sua garganta e explodo em sua boca, derramando porra em toda ela. E Bruna bebe cada gota, sugando gulosa até que não sobre nada.

Não tenho a menor dúvida que vou passar a vida toda com essa mulher.

Alguns dias depois, acontece o que os D'Ávila mais temiam. Todos os jornais e sites de fofocas falam sobre o golpe de Otto D'Ávila. O nome de Bruna ainda não foi mencionado, mas sabemos que é uma questão de tempo. Constanza já está agindo, entrou em contato comigo, está montando um esquema de segurança para Bruna, para que a imprensa não consiga acesso a ela. Mas ela não parece preocupada.

— Não me importo que saibam meu nome. Fui uma mulher enganada que deu a volta por cima. Espero que outras mulheres que passam por isso vejam em mim um exemplo de que tudo vai dar certo — ela diz uma tarde, no *food truck*, quando um dos seguranças de Constanza aparece à espreita.

— Você não cansa de me fazer admirá-la, sabia? Cada dia mais. Deveria ser mais do que um exemplo para essas mulheres, você sabe que pode — digo e me afasto, deixo que pense sobre isso.

O nome dos D'Ávila está na lama, a empresa não para de perder clientes. Para uma firma de advocacia, ter o principal advogado como um golpista é o mesmo que dizer aos clientes que não são confiáveis. Luciana foi esperta. Deu o perdão que Otto pediu, fez um acordo com ele, deixou-o pensar que havia se safado, para então se vingar.

Ela saiu por cima. Foi a queda de Otto, com toda certeza.

A Casa está pronta para a reinauguração. A agitação começou cedo, no *food truck*, Bruna foi sozinha hoje, para que eu me dedicasse unicamente à Casa. Ela comentou sobre encontrar outro cozinheiro para *food truck*, mas jamais vou permitir que outro assuma meu fogão. Menos ainda minha mulher. Não que eu ache que ela vá ficar muito tempo ainda no *food truk*.

A Casa está lotada. Samuel, Júlio, os barmen e os seguranças, todos estão aqui. Eles receberam todo esse tempo em que a Casa esteve fechada, cuidei pessoalmente disso, mas é nítido o quanto estão felizes por voltarem à ativa. Fabio também está aqui, pedi que viesse, que ficasse para ajudar.

Estou ensinando a ele algumas coisas, ele não entende o motivo, mas pega rápido, já que é familiarizado. Trabalhamos por horas, as pessoas dançam, bebem muito, comentam como sentiram falta, as dançarinas dançam duas vezes, algo que nunca haviam feito. E cada vez que olho para as barras só consigo ver Bruna ali, nua, amarrada, a fumaça e as luzes neon. Não há um minuto em que não pense nela.

Fechamos por volta das 7h da manhã, exaustos. Vou direto para casa, para ela. Não a encontro em seu apartamento, ela está no meu, dorme sentada à mesa, há duas canecas à sua frente e chocolate frio na chaleira sobre o fogão. Ela tentou me esperar. Eu a pego no colo e a levo para a cama. Sei exatamente o que fazer.

Fabio e Júlio estão irritados e, com certeza, cansados quando me encontram na Casa às 14h.

— Porra, Theo! O que quer dizer que não podia esperar até amanhã? Ou ser dito pelo telefone? — Júlio reclama.

A reinauguração da Casa foi em uma noite de domingo, pois imaginei que lotaria, ficaríamos cansados e não daríamos conta de abrir de novo na noite seguinte. Como não abrimos às segundas, decidi pelo domingo. Encaro um Júlio irritado e um Fabio mais dormindo do que acordado e digo:

— Quero que sejam meus sócios.

Os olhos de Fabio se abrem imediatamente e Júlio está boquiaberto.

— Não quero deixar o *food truck*, gosto mais de ser chef do que barman, mas não quero fechar minha Casa. As únicas pessoas em quem confiaria para cuidarem disso aqui são vocês. Sei que é muita coisa para que faça sozinho, Júlio, então preciso que você assuma meu lugar, tio Fabio. Vocês dois vão levar a Casa ainda mais adiante, tenho certeza disso. Eu continuo cuidando da papelada, mas vocês cuidam do resto.

Júlio gagueja, Fabio tem um sorriso calmo no rosto.

— Não quer sair de perto da sua garota, não é? — brinca.

— Acho que ela vai sair de perto de mim em breve, de toda forma.

— Ele gosta de cozinhar, vivia pegando no pé do chef por fazer as coisas erradas. Sempre soube que estava no posto errado, mas nunca pensei que no ponto errado — Júlio comenta. — Conte comigo, Theo. Não precisa me dar parte nenhuma disso aqui, faço o que puder por você.

— Nada disso, vou dividir a Casa por nós três. Você topa, não é, tio? Sei que não trabalha de verdade naquele táxi. Como Bruna diz, você é meu motorista particular.

Ele ri alto e assente.

— Um desafio, o que você me propõe. Mas, eu não fujo de desafios. Eu aceito, filho. Vou assumir seu lugar, vou cuidar da sua Casa, pode se dedicar ao seu caminhão de comida.

As coisas estão se encaminhando muito melhor do que teria imaginado dois meses atrás.

E quanto a Bruna, ela espera um pedido de namoro e sei exatamente como fazer isso.

EPÍLOGO

Bruna

A vista daqui de cima vale cada centavo do valor exorbitante que cobram por este lugar. As funcionárias me observam, confusas, não estou vestida de noiva, não vim no horário marcado para o que deveria ser meu dia. Acho que estão mais confusas pelo sorriso tranquilo e grato que ostento por isso. Uso uma calça jeans e um casaco comum. Sento-me pouco atrás do arco de copos-de-leite, observando a cidade lá em baixo.

O céu está claro, embora o sol não seja quente. É lindo daqui de cima, é como se eu estivesse mesmo próxima demais das nuvens, quase como se pudesse tocá-las. Seria um lugar perfeito para um casamento perfeito com a pessoa certa.

Sinto-me contente que Otto tenha pagado pelas horas que passarei sentada aqui, admirando a vista. Ainda bem que ao menos o *buffet* consegui cancelar na semana passada, assim, nenhum excesso de comida será desperdiçado.

Eu gostaria que Theo estivesse aqui comigo, admirando essa vista incrível, mas não consegui falar com ele hoje. Não estava em casa quando acordei e não faço ideia de onde esteja.

Quanta coisa mudou na minha vida nesses oito meses!

Quando reservei essa data estava ferida, fiz por vingança, mas também por uma fagulha de esperança de que nos casássemos aqui, Otto e eu. Eu me pego rindo agora pelo livramento que tive. Quanta coisa pode mudar em um abraço, em um mês, em uma decisão. As decisões de Otto me trouxeram a verdadeira felicidade e nenhum de nós sabia disso na ocasião.

Theo deveria estar aqui, ele adoraria essa vista, o sol morninho sobre a pele, as nuvens ao alcance dos dedos. Ele é fã de vistas assim.

Um som de violino começa a tocar a música *Dangerous Woman*, da

Ariana Grande, adoro essa música. Viro-me para observar o violinista e Theo está aqui. Imediatamente me levanto indo até ele. Quando me aproximo, ele se ajoelha. Paro onde estou, não acredito que ele vai fazer isso. Mas ele faz. Estende uma caixinha de veludo e diz:

— Você disse que queria um pedido de namoro formal.

— Você me assustou! Achei que fosse me pedir em casamento.

Ele sorri de lado.

— Aqui? Na data em que deveria estar se casando com meu irmão? No local que ele bancou?

Sorrio e me aproximo, ele abre a caixinha. Há asas nela. Asas cravejadas de pequenos cristais. É a coisa mais linda que já vi. Avanço mais e toco a peça, ele diz:

— Bruna, quer namorar comigo para sempre?

— Claro que quero! — respondo tirando o anel da caixinha. — Isso é maravilhoso!

Eu mesma coloco o anel no dedo, as asas são grandes e se destacam em minha pele.

— Quando fizemos amor pela primeira vez, você disse que ao acordar se sentiu livre. Desde então, sempre que penso em nós, penso em asas — fala e me derreto mais um pouco por ele. — Esse será o símbolo do nosso compromisso.

Aproximo-me, emocionada, espero que se levante para que possa beijá-lo. Mas o violinista começa a tocar *Infinity*, de James Young, uma música que Theo tem ouvido bastante nos últimos dias enquanto fazemos amor. Tocada assim, no violino, de forma lenta, parece fazer minha pele arrepiar. Olho para Theo para perguntar se ele pediu isso, quando noto que ele tem outra caixinha aberta na mão. Esta, possui um anel em um tom ouro rosa, com um coração de diamantes no centro.

Meu coração para por alguns segundos. E então acelera loucamente.

— Bruna Vidal Volpato, estou aqui de joelhos para te oferecer meus dias, cada um deles, meus pensamentos e planos, meus sonhos e sorrisos, minhas alegrias e paixões. Porque tudo isso desde o momento em que a conheci, pertenceram a você. E quero te oferecer meu coração. Para todo sempre. Para todo dia. Casa comigo, Bruna! Agora, aqui, nas nuvens, onde você sonhou. Casa comigo e deixa meu coração viver no seu para sempre, meu amor.

Meus olhos transbordam, minhas mãos tremem, até tento pegar a peça na caixinha de veludo, mas não consigo. Assinto, antes mesmo de ser capaz de dizer algo, mas minha voz sai pouco depois, primeiro baixa, sendo sobrepujada pelo som do violino. Então digo mais alto, alto e claro:

— Sim, eu aceito! Aceito me casar com você.

Ele se levanta e me prende em seus braços. Sua boca toma a minha em um beijo calmo, lento, quente. Coloca o anel no meu dedo.

É tão delicado e tão belo!

Assim, sem qualquer plano, vestida de jeans e casaco, vou me casar com o amor da minha vida no lugar dos meus sonhos.

É quando a música cessa e alguém funga. Olho para o lado e Olivia enxuga os olhos.

— Ah, merda! Você é bom nisso. Venha, Bruna, temos pouco tempo.

— Pouco tempo para o quê?

— Vesti-la para seu casamento, é claro. Não achou que vai se casar vestida assim, não é? Minha rede de salões é especialista em casamentos e você sabe disso, trouxe a melhor cabeleireira e seu futuro marido escolheu o vestido mais lindo que eu já vi na vida. Tentei suborná-lo para que me desse esse vestido e te comprasse outro, mas não funcionou. Vamos, vou maquiá-la e a Dora fará seu cabelo, não temos muito tempo.

Theo tem um sorriso calmo quando o observo, ele faz um gesto com a cabeça para que vá com Olivia. Não tenho muita escolha já que ela me pega pela mão e me arrasta. Ela me maquia rapidamente, algo leve, como eu gosto. E Dora, sua famosa cabeleireira, faz um coque rápido e baixo e coloca um arco enfeitando meu cabelo, que adoro. Ele é branco, possui poucas pérolas ao centro e flores de uma renda delicada.

Levanto-me apaixonada por tudo e quando me viro, vejo o vestido que Theo escolheu para mim e Olivia está certa, é o vestido mais lindo que já vimos.

— Já que vai seguir sua tradição, vamos sair para que ele seja o segundo a vê-la nele.

As duas saem e Theo entra. Ele usa um terno e calca preta, blusa social branca e gravata borboleta. Está maravilhoso, como uma pintura. Sorrio ao vê-lo e ele gira à minha frente.

— Pareço outra pessoa? — brinca.

— Não, parece o Theo, só que muito apaixonado.

— Então estou passando exatamente a imagem que queria passar. Vou vesti-la, está bem? Deus, você já está linda assim, não sei se vou resistir a vê-la nesse vestido.

— Você escolheu isso?

— E me deu muito trabalho, todo vestido parecia que ficaria perfeito em você.

— Quando fez isso?

— Em vários dias, desde que me disse que queria um pedido de namoro formal. Pensei por que um pedido de namoro se você tinha uma data reservada num lugar tão disputado... Olivia tem me ajudado.

Sorrio, ele observa o vestido e me observa, tomba a cabeça de lado, tem um sorriso safado no rosto.

— Nós não temos convidados, então...

— Nem pense nisso. Quero me casar ao pôr do sol nesse vestido logo abaixo das nuvens e quero que ele esteja inteiro — advirto.

— Posso esperar até que o sol se ponha para rasgá-lo.

— Theo! Você por acaso é um selvagem?

— Bruna! Você ainda tem dúvida disso?

Uma risada me escapa e ele está rindo também.

Tiro a roupa devagar temendo desafazer o penteado e ele me veste. Fico de frente para o espelho enquanto o tecido é colocado sobre o meu corpo. Estou maravilhada com esse vestido, eu mesma não teria escolhido melhor.

— Desculpe não ter deixado que você escolhesse seu vestido. Claro que vamos fazer um casamento formal, para sua avó e convidados e você poderá escolher tudo. Este é apenas para nosso casamento, com as únicas pessoas que importam, no caso, a Olivia. Acho que precisamos de mais amigos.

Sorrio.

— Júlio e Fabio não vêm?

— Estão aí fora. Ainda assim, cinco convidados é pouco. Olivia não convidou o próprio namorado, aliás, disse que você não gosta dele.

— Não, mas a amo por isso. Não precisamos de outro casamento, tudo o que importa está aqui.

E meus olhos não se desviam do vestido em meu corpo. Ele é colado à pele, ressalta cada curva, o tecido é macio, leve, coberto pela mesma renda da tiara que está em meu cabelo. Não possui calda, mas possui mais volume atrás, como se eu flutuasse quando me movo. O decote é generoso, mas não mostra demais, e há uma tira acima dele, atravessando o colo, que o torna ainda mais belo. Possui mangas de renda confortáveis para o tempo frio em que estamos. E o que mais amei neste vestido, ele possui asas. Possui uma capa branca que acompanha os movimentos dos meus braços, como asas. Ela vai até meus pés, move-se comigo, conforme me movo, faz com que me sinta livre como se pudesse apenas abrir os braços e voar.

Viro-me então para ele. E ele me olha. E me olha. Olha para mim como se eu fosse a coisa mais bela que já viu. Vejo seus olhos cheios e preciso me segurar para não borrar minha maquiagem. E entendo que, sim, posso voar a qualquer momento. Com ele.

— Você, definitivamente, é a mulher mais linda que eu já vi — ele diz. — Merda, Bruna! Você é malditamente linda! Eu não tinha qualquer chance contra você, no momento em que meus olhos pousaram sobre você, não houve volta para mim. Não vou rasgar esse vestido. Você parece um anjo nele, preciso venerá-la nele. Deveríamos ter mais convidados.

— Eu te amo! — digo.

— Eu também te amo!

Com apenas cinco convidados numa tarde fria e as nuvens logo acima das nossas cabeças. Com uma vista de tirar o fôlego abaixo dos nossos pés e o sol se pondo ao fundo, um violino soando baixinho e um arco de copos-de-leite. Com um pedido de casamento feito três minutos após o pedido de namoro em um dia da noiva que durou vinte minutos, eu me caso com o homem certo. O amor da minha vida. Assim, em um casamento perfeito.

Porque o perfeito não precisa de planos, o destino não age conforme o traçamos, ele apenas age. Se você está aberto às possiblidades, se abre os braços aos ventos que mudam os rumos, pode voar até o caminho certo, o final feliz. O que está certo ou errado quem vai definir é o seu coração. Não adianta seguir um roteiro, no final sua necessidade de ser feliz falará mais alto e você vai se entregar ao que seu coração achar certo, ainda que não planejado.

Theo

Algumas semanas depois...

Bruna está certa, eu devia abrir outro *food truck*.

Júlio e Fabio têm cuidado tranquilamente da Casa. O *food truck* tem estado tão cheio que mal tenho dado conta, ainda mais depois que Bruna me deixou aqui, como previ que faria. Minha esposa, para a felicidade de Constanza, assumiu a Volpato & Associados. Ocupou o lugar que a avó preparou para ela, mas não exercendo a função que a avó preparou para ela. Bruna só pega casos de mulheres que sofreram violência doméstica, abusos, golpes, mulheres que passaram pelo que ela e a mãe passaram. E ela as defende de graça. Mulheres têm defesa gratuita na Volpato.

Constanza ainda não aceitou isso muito bem, diz que Bruna irá falir sua firma, mas a verdade é que os associados da Volpato também se prontificaram a defender esses casos gratuitamente. Bruna diz que não precisa de mais dinheiro do que possuímos. A Casa está rendendo muito, o *food truck* foi uma grata surpresa e ela insiste que eu deveria me preparar para abrir outro. Eu a estou orientando a investir a herança que recebeu de seu pai, foi assim que construí meu próprio patrimônio com a Casa, investindo os lucros, aumentando-os. Então ela faz o que ama e ajuda quem precisa. Minha esposa não podia ser mais perfeita.

Não tive mais contato direto com minha família. Meus pais nos enviaram uma cesta de presente quando souberam do casamento. Havia um bilhete de parabéns da mamãe. Depois, mamãe enviou flores a Bruna, quando soube que ela estava defendendo mulheres gratuitamente. Sei que eles estão acompanhando nossos passos ao longe, mas por ora acredito que é assim que nosso relacionamento será daqui em diante: de longe. Respeitando-nos à distância, assim ninguém faz mal a ninguém.

Já Amélia, a esposa do Fabio, mima Bruna mais do que a mim. Estamos disputando a atenção dela.

A D'Ávila está de mal a pior. Alonso abandonou o barco e está prestes a fechar as portas. Otto está noivo de Selena, acredito que por uma aliança comercial na tentativa de salvar sua empresa, o sobrenome. Mesmo com essa aliança, papai não será dono de metade da mineradora, de nenhuma parte dela, já que Edgar Villarreal lhe fez um favor. Sempre que penso nisso, eu me pego rindo.

Há algo sobre Selena, ela não é alguém que aceite ser manipulada. Não é alguém que obedece a ordens. Ela é obcecada por suas paixões e não descansa até conseguir o que quer. O embate entre ela e Otto vai cansá-lo, enlouquecê-lo. Acredito que ele encontrou uma adversária à altura.

Estou treinando os novos garçons quando o barulho alto de uma moto, um barulho que conheço bem, soa ao longe. Harley se aproxima reluzente no sol da tarde e minha esposa deliciosa para diante de mim e buzina. Tira o capacete e diz:

— Ei, delícia, quer dar uma volta?

Ela tem treinado para conseguir pilotar Harley por mais tempo. Aproximo-me da moto, observando-a.

— O que posso dizer se uma mulher gostosa me oferece uma carona? Vamos.

Tiro o avental e subo na moto com ela. Mas indo contra a excitação que toma meu corpo em ver a lhama em alguns minutos, nós vamos a uma loja de móveis.

— O que estamos fazendo aqui, Bruna?

— Pensei que poderíamos redecorar o apartamento, deixá-lo com nossa cara. O que acha?

Após o casamento, nós nos mudamos para o apartamento dela e devolvi o que havia alugado. Um apartamento que ela decorou com meu irmão. Sorrio.

— É uma ótima ideia.

— O que acha desse? — pergunta, jogando-se num estofado que mais parece um amontoado de almofadas.

— Nada disso, não vamos trocar o sofá.

— Mas aquele sofá é desconfortável.

— Mas foi onde perdi a cabeça e chupei a lhama a primeira vez.

— Theo!

A vendedora nos observa, confusa, e explico.

— Lhama é como ela chama a...

Bruna se levanta em um segundo e me impede de concluir a frase.

— Tudo bem, não trocaremos o sofá. — Pega-me pela mão e vamos ver outras coisas. — O que acha de aumentarmos os armários e tirarmos aquelas panelas penduradas sobre a ilha?

— Ei, não mexa nas minhas panelas! Ficam de fácil acesso assim, além disso, são um charme penduradas ali.

— Não, não são. Fazem parecer que há um chef preguiçoso em casa. E dá trabalho lavar, secar e depois ir lá e pendurar tudo.

— Como se você soubesse disso, nunca lava as vasilhas.

— Mas vejo o trabalho que você tem.

Sorrio, puxando-a pela mão para meus braços.

— A sua cara não queima?

Ela ri alto.

— Até queima, mas não me importo.

— Podemos tirar aquele bar móvel ridículo — sugiro.

— E colocar um bar de verdade?

— E colocar um bar de verdade. Você vai ficar bêbada e me agarrar?

— E agredi-lo também.

— Ah, Bruna, estou contando com isso.

Ela ri, minha boca encontra a sua e tenho urgência em deixar essa loja e ir embora com minha mulher para comê-la de todas as maneiras possíveis. Não importa os móveis, a decoração ou as paredes que nos cercam, meu lar de verdade está nela. É leve, é fácil, não é como o "felizes para sempre" de um conto de fadas, é melhor do que isso. É real e é seguro mesmo quando nos desentendemos.

Nós dois tivemos muita sorte por termos nos encontrado em um apartamento qualquer.

AGRADECIMENTOS

Primeiramente a Deus, pelo amor e misericórdia a cada dia, por renovar minha fé sempre que insisto em perdê-la. Obrigada por eu ter terminado esse livro!

À minha família, por cada dia, por cada noite mal dormida, pela quantidade interminável de orações nos últimos meses. Obrigada por tudo. Em especial mamis, papis, Aninha e Dani. E Sheila, que além da Dani lê todos os meus livros (estou puxando sua orelha, Ani). E João (você me deixa de cabelos brancos, mas eu te amo o infinito).

A Maria Rosa, ainda vamos nos lembrar dessa fase e rir dela, bater na madeira para não voltarmos a ela, e virar nossas taças de um vinho tão caro que nem sequer sei o nome no momento, enquanto admiramos o Central Park e você diz que não consegue carregar suas sacolas e que deveria estar comprando coisas para você, mas está comprando para o Rafael. Vai me apressar para que eu logo tenha a Suzana e vou te agradecer por ser a melhor amiga do mundo sempre. Eu te amo!

Agradeço às betas desse livro por toda ajuda, correção, paciência e força que me deram. Ele foi de vocês bem antes de ser meu e agradeço por terem me apoiado tanto mais uma vez. Amo tus Iandra, Julia, Maria Rosa, Bete, Lethy, Daniele e Andrea.

A Ellen. Nunca ficamos tanto tempo ser nos ver, estou morrendo de saudade!

A essas autoras que me inspiram e me ajudam a seguir em frente: Bia Tomaz, minha diva nacional e amiga blogueirinha tão amada. Tatiana Pinheiro, a ogra mais fofa que conheço (desculpa, não briga comigo, você é fofa comigo e eu te amo). Sara Fidelis, você brilha e brilhará sempre, sou fã do seu trabalho, da sua pessoa e de tudo o que você já fez e fará, estarei sempre ali *tietando* você. Di Marroquim, meu amor, muito obrigada por todo carinho, apoio, paciência e amor. Você é pura luz. Josi Nascimento, obrigada por todo amor e apoio sempre, estarei torcendo por você a cada passo, que seu caminho seja de muito sucesso e luz.

Agradeço essas leitoras lindas que comentam meus posts sempre que digo para minha mãe que não tenho mais leitoras e me animam ou me mandam mensagens tão carinhosas e lindas, rsrs. Obrigada Bruna Cortasio, Gervandia, Maristela Estrela, Tanyse, Lorena Win, Iza Rodrigues, Celle, Milla Cardoso, Rosiane Conrado, Carini Moura, Bruna Reis, Cleria Mara, Jessica Coriolano, AngelaMgo, Rosana Fulber, Carla Andrade, Vanessa Veiga, Di Fernandes, Edi Aquino, MahRina, MarleideMaiara, Vanêssa Fausto, Rosimeire Bezerra, Katharine Chagas, Kehry Cristina, Gislaine Viana. Clara Pinto, Rina Glecia, Siddy Martins, Ritinha Sousa, Aline Meyck, Patricia Tatiane, Monica Santos, Nilzi Moreira, Gildeane Melo, Jaqueline Batista e todas que não consigo lembrar nomes agora, mas que estão sempre comigo ali.

Aproveito e agradeço essas pessoas especiais que estão em meu coração sempre, algumas desde o comecinho, algumas chegando agora, mas que são o principal combustível para que eu continue. Sei que não consigo lembrar o nome de todo mundo, juro que me esforço, mas agradeço de coração o carinho e amor de cada um que me mandou alguma mensagem, leu um livro meu, adquiriu algum ou indicou meu trabalho. Obrigada de coração, e obrigada a Cristiane Navarro (mãe da minha Ayla), Larissa Logiski, Shirley Nonato, Paula Leticia, Sergio Henrique, Nadia Nunes, Icaro Vasconselos, Lidiane Nunes, Debora Gomes, Babi Restani, Amanda Pessoa, Erica Nascimento, Josy Roque, Nath Gomes, Danda, Jak Sakamoto, Patricia Moura, Alessandra Conrado, Viviane Nicole, Ana Claudia Kleine, Morgana Priesnitz.

Ao meu quarteto preferido da vida que amo Bete, Lethy, Pri e Drih.

Às minhas meninas Gisele, Andrea e Nayara.

A Sury, não chore mais com o Lucca e deixa de ser má.

A Cleide Natal e Mô, que saudade de vocês!

As minhas vizinhas, saudade demaaaais: Thais, Alinne, Lais, Larih, Manu e Tati.

As minhas princesas do Wattpad, que me esperaram por meses concluir esse livro e estavam lá quando voltei. Que me enviaram tanto amor e me deram tanta força! Eu não viveria sem vocês!

A esses perfis maravilhosos do Insta que ajudam e valorizam a literatura nacional e me ajudam muito, admiro pra caramba o trabalho de vocês, meninas!

Às minhas meninas do grupo do zap. À vezes falo lá como louca, às vezes sumo, às vezes compartilho minhas dores e vocês ouvem com tanta paciência. Não sou presente como gostaria e não vou lembrar todos os nomes como gostaria, mas cada uma presente nesse grupo tem uma parte do meu coração. Vocês são como família. Prometo cantar mais e chorar menos lá, rsrsrsrs.

Obrigada Thaty, Jheny, Jenn, Drika, Ellah, Emilene, Paty, Taty, Alexandra e Aysha (incluindo Pietro, Melissa e Alessa), Pretinha, Aline Bianca, Erika, Roberta, Flavia, Andrea, Nete, Andreia, Grazyela, Adriana, Danny, Josiane, Duda, Amanda, Nessah, Hanna, Camila Lemes, Mony, Gaby, Chanlene, Camila, Thamara, Jeh, Danielle, Gil, Sil, Helena, Carol,

Baby, Raisa e todas vocês que me fazem sentir amada todo dia, pertencendo ao meu grupo.

A você que leu este livro, muito obrigada!
Quer conversar comigo? Vou adorar saber o que você achou!
Manda mensagem, meu ig é @carlie.ferrer.

www.lereditorial.com

@lereditorial